日本風景論

志賀重昂

講談社学術文庫

目次

凡例

一、本書の底本には『志賀重昂全集 第四巻』（昭和三年、志賀重昂全集刊行会）所収の『日本風景論』を用い、『日本風景論 第三版』（明治二十八年、政教社）を参照しました。

一、原文は、新漢字に改め、一部の漢字をひらがなに直しました。

一、かなづかいは、古典の引用を除いて、新かなづかいに改め、ルビも新かなづかいとしました。

一、漢文には読下し文、英文には訳文を添えました。

一、挿画はすべて原画のまま収録し、地図等は、原図を参照して新たに作成しました。

日本風景論

『日本風景論』中の挿画、たいていは雪湖《せっこ》樋畑君の揮灑《きさい》するところ、君、信州松代の人、年歯《ねんし》いまだ壮《さかん》、酷《はなは》だ画を嗜《たしな》み、連日簿書満案、吏《り》務《む》鞅掌《おうしょう》、しこうしてこの余技あり。洋風の画は、海老《えび》名《な》明四《めいし》君の落筆にかかる、君、参州挙母《ころも》の人、予と同郷国、居常《きょじょう》予が家に出入りす、有望の少年画家。予、特に両君の揮灑《きさい》落筆をもとむ、両君歓諾、画みな成る、ここにこれを多謝す。

明治二十七年十月十八日

矧《しん》川《せん》生

一　緒論

「江山洵美《じゅんび》なるこれわが郷」（大槻磐渓《おおつきばんけい》）と、身世《しんせい》たれかわが郷の洵美をいわざる者ある、青ケ島や、南洋浩渺《こうびょう》の間なる一頃《いっけい》の噴火島、爆然轟裂《ごうれつ》、火光煽々《せんせん》、天日を焼き、石を降らし、灰を散じ、島中の人畜ほとんどたおれ尽く、わずかに十数人の船を艤《ぎ》して災いを八丈島にのがれたるあるのみ、しかもこの十数人ついにその噴火島たる古郷を遺却《いきゃく》せず、火の熄《や》むを待つこと十三年、すなわち八丈を出で欣々乎《きんきんこ》としてその多災なる古郷に帰りき。占守《しゅむしる》や、窮北《きゅうほく》不毛の絶島（千島の内）層氷累雪《るいせつ》のところのみ、後開拓使有司《ゆうし》のその土人を南方色丹《しこたん》島に遷徙《せんし》せしむや、色丹の地、棋楠《おんこ》樹青蒼《せいそう》、落葉松《からまつ》濃《こまや》かに黒狐、三毛狐《みけぎつね》その陰に躍り流水涓々《けんけん》として処々に駛《はし》り、玉《とう》蜀黍《もろこし》穫《かる》べく馬鈴薯《ばれいしょ》植うべく、田園を開拓するものは賞与の典あり、しかも遷徙《せんし》の土人、新楽土を喜ばずして、帰心督促《とくそく》、三々五々ときにその窮北《きゅうほく》不毛の故島に返り去る。シカゴの博覧会、近世紀における人知の粋《すい》を尽くし、会場また金碧燦爛《きんぺきさんらん》、眩耀《げんよう》眼を奪う、中にエスキモー土人の村落を置き、土人ここにおる幾多、しかもこれを欲せず、その氷山雪塊の本国に逃れ去らんとしき。もろきは人の情なり、たれかわが郷の洵美をいわざらん、これ一種の観念なり。しかれども日本人が日本江山《こうざん》の洵美《じゅんび》をいうは、何ぞただにそのわが郷にあるをもってならんや、実に絶対上、日本江山の洵美なるものあるをもってのみ。外邦の客、みな日本をもって宛然《えんぜん》現世界における極楽土となし、低徊措《ていかいお》くあたわず、おのずから

花より明くる三芳野《みよしの》の春の曙《あけぼの》みわたせば　　頼《らい》　山陽《さんよう》
もろこし人も高麗人《こまびと》も大和《やまと》心になりぬべし

のところあらしむ。想う浩々《こうこう》たる造化、その大工の極を日本国にあつむ、これ日本風景の渾《こん》円《えん》球上に絶特なる所因、試みに日本風景の瀟洒《しょうしゃ》、美、跌宕《てっとう》なるところをいうべきか。

（一）瀟洒《しょうしゃ》

（一）脩竹《しゅうちく》三竿《かん》、詩人の家、梅花百株、高士《こうし》の宅、これ欧米諸国にありて絶えてみるあたわざるの景物。
（二）一声の杜宇《とう》知るなんのところぞ、澱江《よどがわ》の渡頭《ととう》新緑流れんとす。
（三）芭蕉庵《ばしょうあん》外、一泓《おう》の緑浄、青蛙《せいあ》雨を喚《よ》び来る。
（四）一雨空を洗いて鴨東《かもがわ》の楼台《ろうだい》いよいよ高く、東山の嵐翠《らんすい》滴《したた》れんとし、眉《まゆ》のごときの新月、山の側面にかかる。

（五）須磨《すま》の古駅、賤《しず》が苫屋《とまや》の塩焼く煙一縷《る》、まさに磯馴松《そなれまつ》の間より颺《あ》がる。
（六）鈴虫声は咽《むせ》ぶ萩花《しゅうか》の路、風は清《すず》し宮城野外の秋。
（七）老雁《ろうがん》一声、寒砧《かんたん》万戸、多摩の江心あたかも秋月の白きをみる。
（八）南都の客舎、聴きえたり鹿鳴《ろくめい》の呦々《ゆうゆう》を。
（九）鮭捕り網を斜陽に曝《さ》らす石狩江村の晩、奥州訛《なま》りの漁唱、雪のごとき荻花《てきか》の間に起こる。
（十）夜雪初めて霽《は》れ、分明《ぶんめい》に認めえたり屯田《とんでん》村（北海道）の燈火三、四点。

日本風景の瀟洒《しょうしゃ》なるところこのごとし、しこうして瀟洒の粋を

一　日本の秋

となす。もしそれアジア大陸よりの西北風かすかに吹き初め、霜気《そうき》ようやく動きて、爽籟《そうらい》八十余州に徹透《てっとう》するや、欧米諸邦まれにみるところの白桐《きり》は、黄ばみ尽くして笛声《てきせい》、砧声《たんせい》と共に落ち、頃しも鴻雁《こうがん》は、朔北《さくほく》地方に餌食《じしょく》の欠乏するをもって、党派を団結し相競いて寒雲を渡り、餌食の饒多《じょうた》なる日本に南来して蓼汀《りょうてい》蘆渚《ろしょ》の間に下り、ときにみる、植物黄色素《カロチン》の代表者にしてしかも欧米諸邦にみえざる公孫樹《いちょう》は、葉々黄金を累《かさ》ね来るを。ひとり植物黄色素《カロチン》の代表者の日本に多在するのみならず、植物紅色素《アンドチアン》の代表者たる槭樹《もみじ》属もまた日本国中いた

るところに普遍し、槭樹《もみじ》、ミヤマモミジ、ツタモミジ（一名トキワカエデ）、オニモミジ、三《とう》角楓《かえで》、ハナカエデ、ヒトツバカエデ、ミツデカエデ、ウリカエデ、ウリハダカエデ、ハウチワカエデ、テツカエデ、カチカエデ、カラコギカエデ、オガラバナ、チドリノキ、メグスリノキ、チョウジャノキなる十八種のいっせいに紅葉して宛然《えんぜん》天女の雲錦《うんきん》を曝《さ》らすがごときは、実に瀟洒と美とを兼併するもの。想うこのごときの大観、欧米諸邦に多くみえざるところ、イギリス人、自尊自大、ややもすればすなわちそのテームス江畔ニューンハム、パンボールンにおける九月の秋色を夸揚《こよう》し、マグダレンにおける十月初旬の秋色を矜説《きょうせつ》す、しかれども槭樹《もみじ》属は英国にほとんど絶無たり、槭樹属にして絶無なるところ、いかんぞ秋の大観を知覚せんや、すなわち知る。

紅葉《もみじ》ちるながらのやまに風吹けば　　刑部《ぎょうぶ》卿《きょう》範《のり》兼《かね》
　にしきをたたむ志賀の浦なみ

のごとき句は、かの自然界の景象を細察し酷愛《こくあい》する「湖畔《こはん》詩人」ウォルズウォルスの頭脳中にすら描くあたわざることを。スコット、一代の天才、自然の景象を写すや往々妙に入る、特に自然界百多景象の彩色を調合塩梅《あんばい》するの頭脳にいたりては、優に第一流の画家と比肩しう、しかも惜しむその文筆紅楓《こうふう》を写すの絶少なるを。要するに英国の人、その国にありては紅楓を描写するあたわざるもの、英国の秋たるなんすれぞ日本の秋と相対比するに足らんや

（「紀南半島、四国の南半、九州の水蒸気」と参照すべし）。

（二）美

（一）緑楊《りょくよう》は煙のごとく画のごとく名古屋城中をこめ、楼閣《ろうかく》高低その間に隠見す。

（二）桃山（山城）の落花、乱点して紅雨のごとく、地に布《し》きて錦繡《きんしゅう》に似。

（三）嵐峡《らんきょう》の桜雲、微月を掠《かす》め、夜色朦朧《もうろう》。

（四）川中島四郡、菜花麦苗、黄緑繡錯《しゅうさく》、千曲《ちくま》の一水その間に屈折し、上野《こうずけ》、信濃《しなの》の群嶺《ぐんれい》、濃淡高下、地平線上に繚繞《りょうじょう》す。

（五）二州橋下、春潮雨を帯び、鱠残魚《しらうお》網に上る。

（六）灌仏《かんぶつ》の人は帰る国分寺の外、一群の少女山躑躅《つつじ》花を髪に挿《さしはさ》みて過ぐ。

（七）桜島（薩摩）の円錐《えんすい》的火山、籬落《りらく》その腰脚《ようきゃく》を環《め》ぐり、緑竹これを囲み、その間柑《かん》、柚《ゆず》、臭橙《だいだい》、金橘《きんかん》、朱欒《ザボン》の枝条相雑接し、烟草《たばこ》の畦圃《けいほ》高低参差《しんし》す。

（八）肥後《ひご》の山間、俯《ふ》して谷を下瞰《かかん》す、深さ数百尺、内に人家数楹《すうえい》、空翠《くうすい》映発し、一抹《いちまつ》の炊《すい》煙《えん》、鶏声、犬声と共に起こる。

（九）駒ケ岳（信濃）の峰頭《ほうとう》、翠然《すいぜん》たる偃松《はいまつ》は、雪のごとき花崗岩《かこうがん》の上に匍匐《ほふく》し、翠《みどり》は白に抹《まっ》し、白は翠《みどり》を粉す。

日本風景の美なるところこのごとし、しこうして美の精を

一　日本の春

となす。シナ人、朝鮮人やすなわち「鶯花《おうか》三月」ととなう、「鶯花」の真面目《しんめんもく》を知覚するか、

漢土無桜。又無鶯。非無桜也。無我桜也。鶯亦然。彼之有鶯。其形大。其色殊。其声不若我鶯之美也。其或来于肥筑之地。我称之為高麗鶯。至於我鶯。則曰。黄頭鳥也。柴鶺鴒也。皆以其近似者。比擬之云爾。其実我鶯声之美。既過彼鶯。而使彼有之。則誰舎此而不称耶。而吾未見黄頭鳥。柴鶺鴒之詠於詩也。舎繞梁遏雲之巧。而愛閭巷無節之謡。是豈人之情也哉。故知其果無我鶯也。嗚呼。桜而不若我花之麗。鶯而不若我声之美。謂之無桜無鶯可矣。人而不得為人之道。孰謂之有人乎。苟生於我而為人者。修其徳音。勿使鶯独擅其声之美。　斎藤竹堂《ちくどう》

（漢土に桜無し、また鶯《うぐいす》無し。桜無きに非ざるなり、我が桜無きなり。鶯《うぐいす》もまた然《しか》り。彼の鶯《うぐいす》有るは、その形大にして、その色殊《こと》なり、その声は我が鶯《うぐいす》の美しきに若《し》かざるなり。その或《あ》るもの肥筑《ひちく》の地に来る、我これを称して高麗鶯《こうらいうぐいす》と為《な》す。我が鶯《うぐいす》に至りては、

すなわち曰《い》わく、黄頭鳥なり、柴鶺鴒《せきれい》なりと。皆その近似する者をもって、これに比擬《ひぎ》ししかいう。その実に我が鶯《うぐいす》の声の美しきこと、既に彼の鶯《うぐいす》に過ぎたり。しこうして彼をしてこれ有ら使《し》めば、すなわち誰か此《これ》を舎《す》てて称せざらんや。而《しか》るに吾未《いま》だ黄頭鳥、柴鶺鴒《せきれい》の詩に詠ぜらるるを見ざるなり。繞梁《じょうりょう》、遏雲《あつうん》の巧を舎てて、閭巷《りょこう》、無節の謡《うた》を愛するは、是《こ》れ豈《あ》に人の情ならんや。故にその果して我が鶯《うぐいす》無きを知るなり。嗚呼《ああ》、桜にして我が花の麗《うるわ》しきに若《し》かず。鶯《うぐいす》にして我が声の美しきに若《し》かず。これを桜無し鶯《うぐいす》無しと謂《い》うは、可なり。人にして人為《た》るの道を得ず、孰《たれ》かこれを人有ると謂《い》うや。苟《いやし》くも我にして人為《た》るに生くるは、その徳音を修む。鶯《うぐいす》をして独《ひと》りその声の美しきを擅《ほしいまま》にせ使《し》むる勿《な》かれ。）

正徳辛卯。韓使来聘。時宣義筆語於客館。与彼学士。書記等。質問物産。宣義曰。此樹我土名桜花。樹高二三丈。葉与垂糸海棠一様。惟枝条不柔軟為異也。三月初生葉開花。略似薔薇長春花形。其色有白。有紅。又有重弁。単弁之異。蒂長三四寸。於葉間或三蕚至五六蕚。為叢而生。一如海棠花。而蒂差長。単弁者結実。形似郁李子而小。生青熟紫赤味甘。其葉穉者浅紫色。大者縹緑色。至霜後。葉丹可愛。花品甚多。至数十百品。其最可観者。有都勝。粉紅重弁。花頭甚豊。特極嬌麗。有御愛。単弁粉紅。比常花差大。

理想上の日本

美なるかな国土

妙義山第二石門

危巌の上に突兀《とつごつ》し、上裒《あつま》り下狭し。形偏倚《へんい》にして、風巾を折るに類す。四辺峻絶《しゅんぜつ》、望む可くして至る可からず。（安積艮斎《あさかごんさい》）

（「妙義山」の部と合わせ参照すべし）

有美人紅。重弁嬌紅開早。有緋桜。千葉初綻深紅。及開色漸衰。有香桜。芬郁特甚。又有一叢中開花。重単相間者。衆花攅為毬者。繁密綴枝作花。如千葉郁李花者。豊腴艶美。群芳皆在下風。偏査古今載籍。率収垂糸海棠。不言有此花。豈以中原之地所稀有而不及見耶。貴国与弊邦相鄰。地気当不甚遠。或有此花。名字亦以何称之也。学士李東郭答曰。俺始到馬島。得見貴邦所謂白桜桃。其枝葉之奇。信如書中所眎。而第恨已後花時。不得見其花色爛熳耳。俺国桜桃樹高不至一二丈、不過鬱密叢生。其実有紅白両種。而花色亦零砕。婆娑不甚美好。故種之者。只為其食実而已。与貴邦之桜。絶不相類矣。

稲　宣義《のぶよし》

(正徳の辛卯《しんぼう》、韓使《かんし》来聘《らいへい》す。時に宣義《のぶよし》客館に筆語し、彼の学士、書記等と物産を質問す。宣義曰《い》わく、「この樹、我が土、桜花と名づく。樹の高さ二三丈、葉は垂糸海棠《しだれかいどう》と一様、ただ枝条《じょう》のみ柔軟ならずして異を為《な》すなり。三月初め葉を生じて花を開き、略《ほ》ぼ薔薇《ばら》・長春花《きんせんか》の形と似る。その色白有り、紅有り。また重弁《じゅうべん》、単弁《たんべん》の異有り。蒂《てい》の長さ三四寸、葉の間に或《ある》いは三蕚《がく》より五六蕚《がく》に至り、叢《そう》を為して生ず。一に海棠《かいどう》の花のごとくして、蒂《てい》やや長し。単弁《べん》の者は実を結び、形は郁李《にわうめ》の子《み》に似て小《ちい》さし。生《なま》は青く、熟して紫赤、味は甘し。その葉の稺《おさ》なき者は浅紫色、大き者は縹緑色《ひょうりょくしょく》。霜ふりて後に至るや、葉は丹《あか》く愛すべし。花品ははなはだ多く、数十百品に至る。その最も観《み》るべき者は、都勝《としょう》有り、粉紅のごとくして重弁《じゅうべん》、花頭ははなはだ豊かに、特に嬌麗《きょうれい》を極む。御愛《ぎょあい》有り、単弁《たんべん》にして粉紅のごとく、常の花に比べやや大なり。美人紅有り、重弁《じゅうべん》にして嬌紅《きょうこう》、開くこと早し。緋桜《ひざくら》有り、千葉にして初めて綻《ほころ》ぶとき深紅、開くに及びて色漸《ようや》く衰う。香桜有り、芬郁《ふんいく》たるさま特に甚だし。また一叢《そう》中に花を開きて、重と単と相間《まじ》る者、衆花の攢《あつま》りて毬《まり》を為《な》す者、繁密にして枝を綴《つら》ねて花を作《な》し、千葉の郁李《にわうめ》の花のごとき者有りて、豊腴《ほうしゅう》艶美にして、群芳皆下風《かふう》に在り。徧《あまね》く古今の載籍を査《しら》ぶるに、率《おおむ》ね垂糸海棠《しだれかいどう》を収むるも、この花有るを言わず。豈《あ》に中原の地の稀有《けう》なるところをもってして見るに及ばざらんや。貴国と弊邦《へいほう》と相鄰《となり》し、地気当《まさ》にははなはだしくは遠からざるべし。或《ある》いはこの花有らん、名字また何をもってこれを称するや」と。学士李東郭答えて曰《い》わく、「俺《おのれ》始めて馬島に到りて、貴邦のいわゆる白桜桃を見るを得《う》。その枝葉の奇なるさま、信《まこと》に書中に眎《み》るところのごとし。而《しか》れどもただ恨むらくは、已《すで》に後花の時にして、その花色爛熳《らんまん》たるを見るを得ざるのみ。俺《おのれ》の国の桜花の樹高さ一二丈に至らず、鬱密《うつみつ》として叢生《そうせい》するに過ぎず。その実紅白の両種有れども、花色また零砕《れいさい》たり。婆娑《ばさ》としてはなはだしくは美好ならず。故にこれを種《う》うる者は、ただその実を食《くら》う為のみ。貴邦の桜と、絶えて相類せざるなり」と。)

と、シナ人、朝鮮人は「鶯花《おうか》」の真面目を知覚せざるもの。欧米諸邦にいたりては、初め春に梅花なく、晩春に桜花なきところ、その春なる者、畢竟《ひっきょう》言うに足るなきのみ。

（三）跌《てつ》宕《とう》

（一）那須《なす》の曠野《こうや》、一望微茫《びぼう》、松樹あるいは三あるいは五、蒼健高聳《こうしょう》す。

（二）万頃《ばんけい》の太平洋面、筍岩《たけのこいわ》（洋客は「ロットノ妻《ワイフ》」と称す、キリスト教経典のいわゆるロットの妻女天命を犯し上帝の罰をこうむりて塩の柱に化す云々よりかく附名せしもの、岩は八丈島と小笠原列島との間、太平洋上にあり）峭起《しょうき》し、雪浪これに怒撃《どげき》し、一隻の信天翁《あほうどり》双翼を張りて岩頂に佇立《ちょりつ》す。

（三）ブランド薬師の古堂（信濃）、高巌絶壁の上にあり、危欹《きき》墜ちんとす。

（四）雁《がん》寒雲を渡り、匹馬《ひつば》白川関外の晩色にいななく。

（五）秋高く、気清く、天長《とこし》えに繊雲《せんうん》なく、富士の高峰、武蔵野の地平線上に突兀《とつごつ》す。芙蓉《ふよう》万仞《ばんじん》、月中に高きところ岳影太平洋上に倒映するところ。

（六）北海道の沿岸、路左《ろさ》幾百尺の石壁峭立《しょうりつ》して天を挿《さしはさ》み、路右断崖に臨み、その下怒濤騰《とう》沸《ふつ》、飛噴逆上す。

（七）立山（越中）の絶頂、百余の山岳を下瞰《かかん》し、いっせいに双眸《そうぼう》中に収むるところ。

（八）阿蘇の峰巓《ほうてん》、側に二条の咽烟《いんえん》空を衝《つ》きて蒸上し、前に直径七里ある旧火口外輪の連山隄防《ていぼう》のごとくに囲繞《いじょう》するを目八分にみ、輪内陡開《ちょくかい》して平林田疇《でんちゅう》、村落簇々《ぞくぞく》、煙火東西に起こり、耕鋤《こうじょ》駄馬隠約《いんやく》の間にあり。

（九）樽前《たるまい》（胆振《いぶり》）の岳腹《がくふく》、大塊なる赭褐《しゃかつ》色の溶岩相錯列《さくれつ》し、噴火後、高樹は乾皮亀裂《きれつ》し、枝葉ことごとく去りて骨立竦峙《しょうじ》するところ、一片の欠月惨澹《さんたん》に照らし来る。

（十）捨子古丹《しゃしこたん》（千島）の満島積雪皚々《がいがい》、最高点より一条の噴煙斜めに騰沸《とうふつ》す。

（十一）日本海上、雲霧冥合《めいごう》、その上より鳥海山の三角形なる峰尖《ほうせん》忽焉《こつえん》と露《あら》わる。

（十二）雷雨鳴門《なると》（阿波《あわ》）の上を過ぎ、雲色は潑墨《はつぼく》のごとく、渦流は人立す。

（十三）驟雨《しゅうう》一過、太平洋上、四望浩渺《こうびょう》、虹半ば消えて、紅色、黄丹色、黄色の彩雲、滾滾《こんこん》として天、水に連なるところに湧《わ》く。

（十四）最上《もがみ》川の上流、飛泉畳湍《じょうたん》、一瞬十里、毛髪ために竪立す。

（十五）仰ぎて大川の天上より落つるをみ、俯《ふ》して奔雷《ほんらい》を地下に聴く、これ那智《なち》の瀑布《ばくふ》。

（十六）満眸《まんぼう》みな梅、月色皎々《こうこう》、他にいささかの一物をみず。

日本風景の瀟洒《しょうしゃ》、美、跌宕《てっとう》なるところこのごとし、そのこのごときあるそもそも故あり、いわく、

一、日本には気候、海流の多変多様なる事
二、日本には水蒸気の多量なる事
三、日本には火山岩の多々なる事
四、日本には流水の浸食激烈なる事

この四のものを逐次縷述《るじゅつ》するにさきだち、日本国の日本海岸と太平洋岸との百般上に太差《たいさ》あることを知了せざるべからず、ただその大体を表記し、もって嘵嘵《ぎょうぎょう》たる縷述《るじゅつ》に代えんか

日本海岸

（一）日本海岸は傾斜急劇なるところ多く懸崖《けんがい》も多し。
（二）日本海岸は曲屈少なし、ゆえに短。
（三）日本海岸は曲屈少なし、ゆえに港、嶴《おう》、熱閙《ねっとう》なる埠頭《ふとう》少なし。
（四）日本海岸には沖積平原わりあいに少なし。その平原と称するものも岡台《こうだい》の連浜まで延長する間に緩慢なる斜面をなすところをいうもの多し。

太平洋岸

（一）太平洋岸は傾斜急劇なるところ少なく懸《けん》崖《がい》も少なし。
（二）太平洋岸は曲屈多し、ゆえに長。
（三）太平洋岸は曲屈多し、ゆえに港、嶴《おう》、熱《ねっ》閙《とう》なる埠頭《ふとう》多し。
（四）太平洋岸には沖積平原わりあいに多し。岡台《こうだい》の連浜まま延長する間に緩慢なる斜面をなすところのいわゆる平原とては少なし。

（五）日本海岸の地質は堅硬なるところ多し。

（六）日本海岸の土地は沈降もしくは減少するところ多し。

（七）日本海岸には鉱山ことに多し。

（八）日本海岸の風位は規律正し。ことに冬季は強半西北風吹く。この西北風はアジア大陸より直ちに吹きいたるゆえに本来はなはだ乾燥せるものなれども、日本海を経過する間その発上したる水蒸気を収納し、これを伝送して日本本州の分水脊をなせる山脈の頂巓《ちょうてん》に衝突し、この水蒸気はすなわちここに凝結して、分水脊以北なる土地を湿潤模糊《もこ》たらしむ、ゆえに冬中曇天多く、雪を降らすこと多量。
冬季は湿気多く、夏季乾燥す。
年内を概するに太平洋岸より晴天少なし。

（九）日本海岸は北方にあるが上に、その気象はアジア大陸の感化を亨《う》け（すなわち大

（五）太平洋岸の地質は疎鬆《そしょう》なるところ多し。

（六）太平洋岸の土地は昇起もしくは増加するところ多し。

（七）太平洋岸には鉱山ことに少なし。

（八）太平洋岸の風位は変化あり。しかれども夏季はたいがい東南風吹く。この東南風はインド洋、シナ海を経て吹きいたる、ゆえに本来ははなはだ温熱なるがうえに、インド洋、シナ海を経過する間季候風中なる多量の水蒸気を収納し、これを日本に伝送し来りために梅雨をかもす。また八、九月の候にいたればインド洋を経て大雨暴風の来襲すること多し。
冬中晴天多く、雪を降らすこと少量。
夏季は湿気多く、冬季乾燥す。
年内を概するに日本海岸より晴天多し。

（九）太平洋岸は南方にあるがうえに、その気象はシナ海、インド洋の感化を亨《う》け（す

陸的）、かつ日本海の中央には寒帯海流流《りゅう》駛《し》するをもって、気候寒冷。

（十）日本海岸は潮汐干満の差少に、最退潮の間といえども干《ひ》潟《がた》をみるなし。潮水は月の盈虧《えいき》に応ぜず。

（十一）日本海岸は冬春の間風濤《ふうとう》険悪、船舶の難破するもの多し。

（十二）日本海岸の気圧は概して太平洋岸より強し。しかれども太平洋岸よりも湿気の多量なる地方も多し。気圧暑中強。

（十三）日本海の蒸発は太平洋よりも遅緩《ちかん》なり。その塩分は太平洋よりも少量。しこうして晴天少なし。ゆえに製塩の事業盛んならず。

（十四）日本海に注入する川河は北流す。

（い）石狩《いしかり》川（石狩）……………対

（ろ）御物《おもの》川（羽後《うご》）……………対

なわち洋海的）、かつその沿岸には赤道海流流駛《りゅうし》するをもって、気候温暖。

（十）太平洋岸は潮汐干満の差大に、四、五尺ないし一丈にいたり、また干《ひ》潟《がた》数里をみる。潮水は月の盈虧《えいき》に応ぜず。

（十一）太平洋岸は夏秋の間風濤《ふうとう》険悪、船舶の難破するもの多し。

（十二）太平洋岸の気圧は概して日本海岸より弱し。しかれども日本海岸よりも湿気の少量なる地方も多し。気圧寒中強。

（十三）太平洋の蒸発は日本海よりも急速なり。その塩分は日本海よりも多量。しこうして晴天多し。ゆえに製塩の事業盛んなり。

（十四）太平洋に注入する川河は南流す。

十勝《とかち》川（十勝）

北上川（陸中、陸前）

（は）信濃《しなの》川（信濃《しなの》、越後）……対

（に）犀《さい》川（信濃川の一幹流、信濃）……対

（ほ）神通《じんずう》川（飛驒《ひだ》、越中）……対

（十五）日本海中にある島嶼《とうしょ》は海岸に幷行《へいこう》す、すなわち海岸に沿いて横線的に並列す。これらの島嶼は、火山脈の海中に走りて、低所は海中に沈没し最高点のみ海上に崛《くっ》起《き》しもって島を成すものにして陰然《いんぜん》二群島を成す。これらのうちいまだまったく本土より分離せず島と成らざるもの多し。

（い）羽後の男鹿《おが》半島より起こり、日本海に入り、羽前の飛島《とびしま》、越後の粟生《あわ》島を崛起し、越後に上り、角田山、弥彦《やひこ》山、米山《よねやま》、妙高山を崛起し、ついに富士山火山脈に合するもの。

（ろ）火山脈佐渡に起こり、能登《のと》半島に上り、宝立山、高洲山、鷹爪山を経、ふ

利根《とね》川（上野《こうずけ》、武蔵《むさし》、下総《しもうさ》、常陸《ひたち》）

天竜川（信濃《しなの》、遠江《とおとうみ》）

木曾川（信濃、美濃《みの》、尾張《おわり》、伊勢）

（十五）太平洋中にある島嶼《とうしょ》は洋岸に幷行《へいこう》せず、すなわち飛び石のごとく縦線的に洋中に羅列《られつ》す。これらの島嶼は、火山脈の洋中に走りて、低所は洋中に沈没し最高点のみ洋上に崛起しもって島を成すものにして歴《れき》然《ぜん》二群島を成す。これらはみな本土よりまったく分離しことごとく真正の島と成れり。

（い）伊豆七島および小笠原列島。富士山火山脈の南走し洋中に入りたるものにして、大島より八丈島を崛起《くっき》し、小笠原十七島を崛起し、明治二十四年新版図《はんと》に入りたる硫黄《いおう》三島にいたるもの。

（ろ）大隅《おおすみ》列島および沖縄列島。火山脈遠く南洋諸島に起こり、台湾島を経、

たたび海に入り、隠岐《おき》の島後《どうご》、島前《どうぜん》、長門の見島、壱岐《いき》島を崛起《くつき》し、平戸島、五島にいたるもの。

(十六) 日本海岸には概して砂糖、煙草《たばこ》、藍《あい》の類を産出するところ少なし。

(十七) 日本海岸は在来交通の利便ははなはだ少なし。

(十八) 日本海岸は太平洋岸よりも人口少なし。

(十九) 日本海岸にてはいまだ日本歴史中の重要なる事件を演出せしことなし。

(二十) 日本海岸はいまだ発達進暢《しんちょう》せず、今日より発達進暢《しんちょう》せんとするもの。

(廿一) 日本海岸はロシア、満州、シナの北部、朝鮮に対するもの。

如縄路傍北溟通。不与南方景象同。
随月潮頭無大小。礁崖濤勢有雌雄。
天開鴉帯崦嵫日。海遠鴻呼靺鞨風。

沖縄列島を崛起し、大隅《おおすみ》列島より薩摩《さつま》に上り、桜島《さくらじま》を崛起し、霧島山を経て肥《ひ》前《ぜん》に入るもの。

(十六) 太平洋岸には概して砂糖、煙草《たばこ》、藍《あい》の類を産出するところ多し。

(十七) 太平洋岸は交通の利便ははなはだ多し。

(十八) 太平洋岸は日本海岸よりも人口多し。

(十九) 太平洋岸にては在来歴史中の重要なる事件を演出し、王覇《おうは》歴代の興亡多くはここに決せり。

(二十) 太平洋岸ははなはだ発達進暢《しんちょう》し、日本の文化は多くここにあつまりたるもの。

(廿一) 太平洋はシナの南部、南洋諸島、オーストラリア、米国に対するもの。

紅暾直上乱松辺。万井人家乍粲然。
水合群流帰大壑。山拕余勢赴平川。
少連逸事哀残闕。武衛遺民痛変遷。

孤客老懐自諳得。越山四度七年中。

市川寛斎

(縄《あみ》の如《ごと》き路傍《ろぼう》北溟《ほくめい》に通じ
南方の景象と同じからず。
月に随《したが》う潮頭　大小無く、
崖を碰《う》つ濤勢《とうせい》　雌雄《しゆう》有り。
天は開き　鴉《からす》は帯ぶ　崦嵫《えんじ》の日、
海は遠く　鴻《おおとり》は呼ぶ　靺鞨《まつかつ》の風
孤客《こかく》の老懐《ろうかい》　自ら諳《そらん》じ得《え》、
山を越えること　四度《よたび》　七年の中。)

満眼昇平今有象。蘆花洲化稲花山。

曾《そ》我《が》耐《たい》軒《けん》

(紅暾《こうとん》　直《ただ》ちに上《のぼ》る　乱松《らんしょう》の辺《ほとり》、
万井《ばんせい》の人家　乍《たちま》ち粲然《さんぜん》たり。
水は群流に合《がっ》して　大壑《だいがく》に帰り、
山は余勢を拕《ひ》いて　平川に赴く。
少《わか》くして逸事《いつじ》に連なり　残闕《ざんけつ》を哀《かな》しみ、
武《ぶ》もて遺民《いみん》を衛《まも》りて　変遷《へんせん》を痛む。
満眼　昇平《しょうへい》　今象《しょう》有り、
蘆花《ろか》の洲《す》　稲花《とうか》の山に化す。)

不信人間竟無力。
欲倩神斧破天慳。
遺恨力薄破未了。
枉教馮夷癡且頑。
大塊文章看何日。
黒風白雨妙義山。

人間竟《つい》に力無しとは信ぜず、
神を倩《やと》いて斧《おの》もて天慳《てんけん》を破らんと欲す。
恨《うら》みを遺《のこ》す　力薄くして破ること未だ了《おわ》らず、
枉《みだ》れて馮夷《ふうい》をして癡《おろ》かに且《か》つ頑《かたく》なら教《し》む。
大塊《たいかい》の文章　何《いず》れの日か看《み》ん、
黒風　白雨　妙義山。

矧《しん》川《せん》生

二　日本には気候、海流の多変多様なる事

日本、細長き島国、蜿蜒《えんえん》として北より南に延び、その間わたること実に三十度たり、北の方北極圏をへだたるるわずかに十度半、南の方熱帯圏に入る一度半強、気候宛《えん》として半寒帯、温帯、熱帯を包羅《ほうら》せり。海流や、太平洋沿岸の南半は赤道海流（黒潮）の洗うところとなり、北半には寒帯海流（親潮）駛《し》走《そう》し、日本海沿岸にもまた赤道海流の一派（対馬《つしま》海流）注ぎ来り、寒帯海流（リマン海流の余派）その間に錯流《さくりゅう》し、日本実に寒熱二海流の会所にあたる。風候にいたりては、冬春の間はアジア大陸より西北風蓬々《ほうほう》としていたり、五月、六月、インド洋上季候風変化の余派いたり、九月、十月、またいたり、しこうして沖縄台湾の辺は東北貿易風吹くこと嫋々《じょうじょう》。すでにしかり、日本や、寒温熱三帯の間に拠在《きょざい》し、寒熱二海流の会所にあたり、変風、季候風、恒風の三風域にまたがり、加うるに日本の地勢たる、幅せまきが上に、高崇たる山脈の聳立《しょうりつ》するをもって、海岸より山巓《さんてん》にいたるまで気候の偏差多様にし、熱帯、温帯、半寒帯、寒帯を併有す、むべなり造化の万象、その開闔《かいこう》変化の状、昇降奇正の形、生育植養の功を日本の内にあつめたることや。

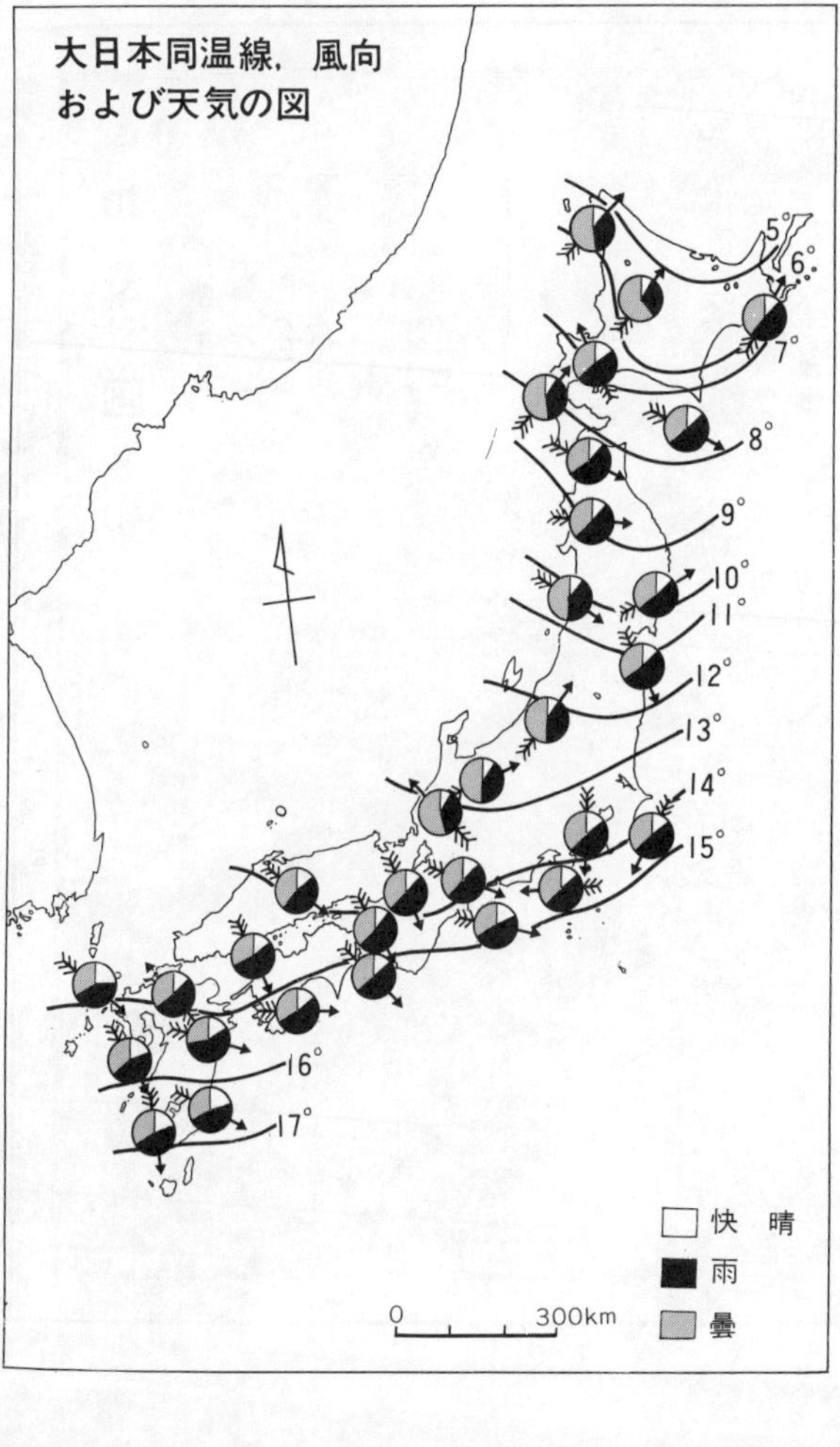
大日本同温線，風向
および天気の図
5°
6°
7°
8°
9°
10°
11°
12°
13°
14°
15°
16°
17°
快　晴
雨
曇
0
300km

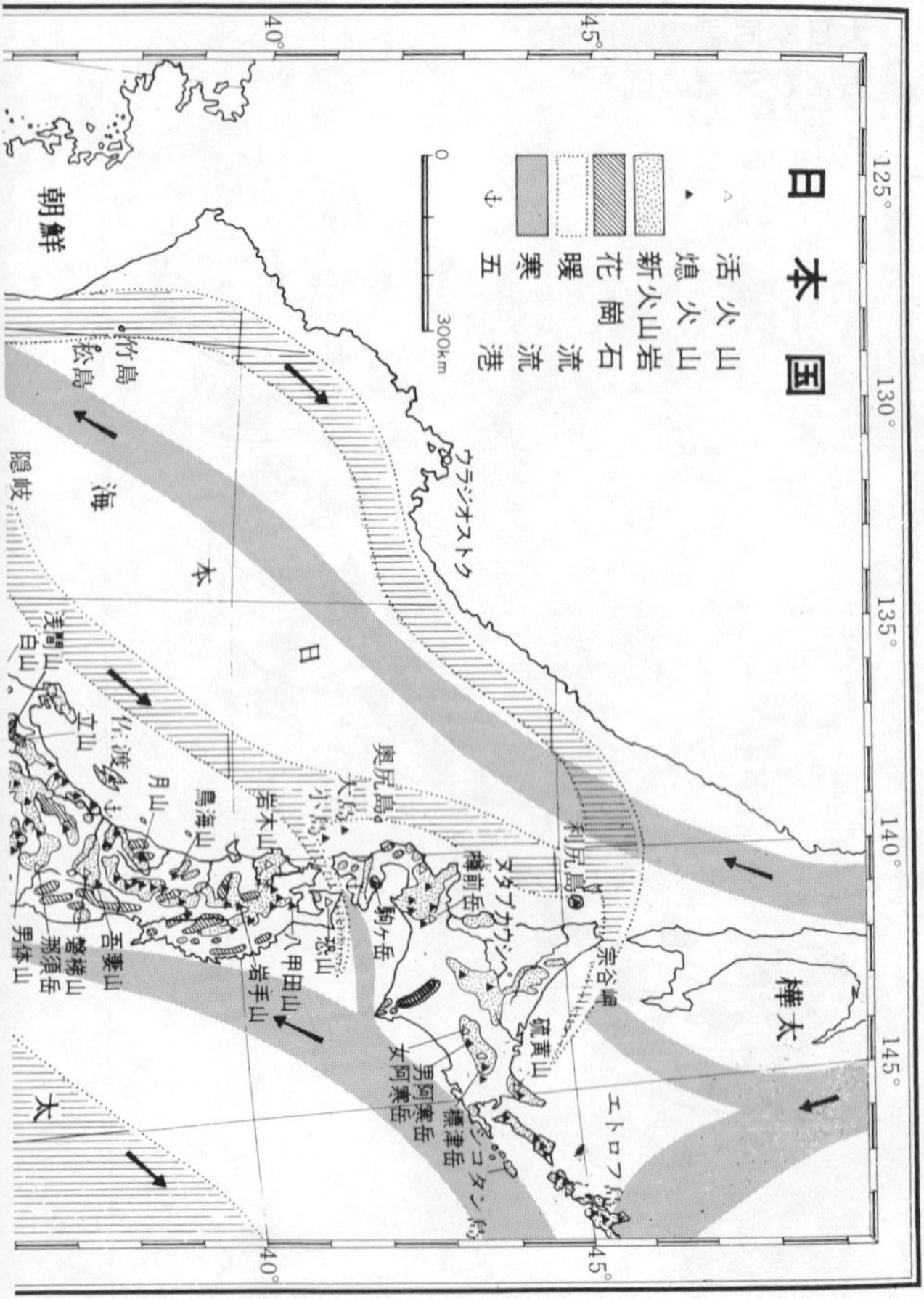
日本国
活火山
熄火山
新火山岩
花崗石
暖流
寒流
五港
0
300km
125°
130°
135°
140°
145°
40°
45°
朝鮮
竹島
松島
隠岐
日
本
海
ウラジオストク
樺太
エトロフ島
シコタン島
宗谷岬
利尻島
奥尻島
大島
小島
硫黄山
男阿寒岳
雌阿寒岳
樽前岳
駒ヶ岳
恐山
八甲田山
岩手山
岩木山
鳥海山
月山
佐渡
立山
浅間山
白山
吾妻山
磐梯山
那須岳
男体山
太

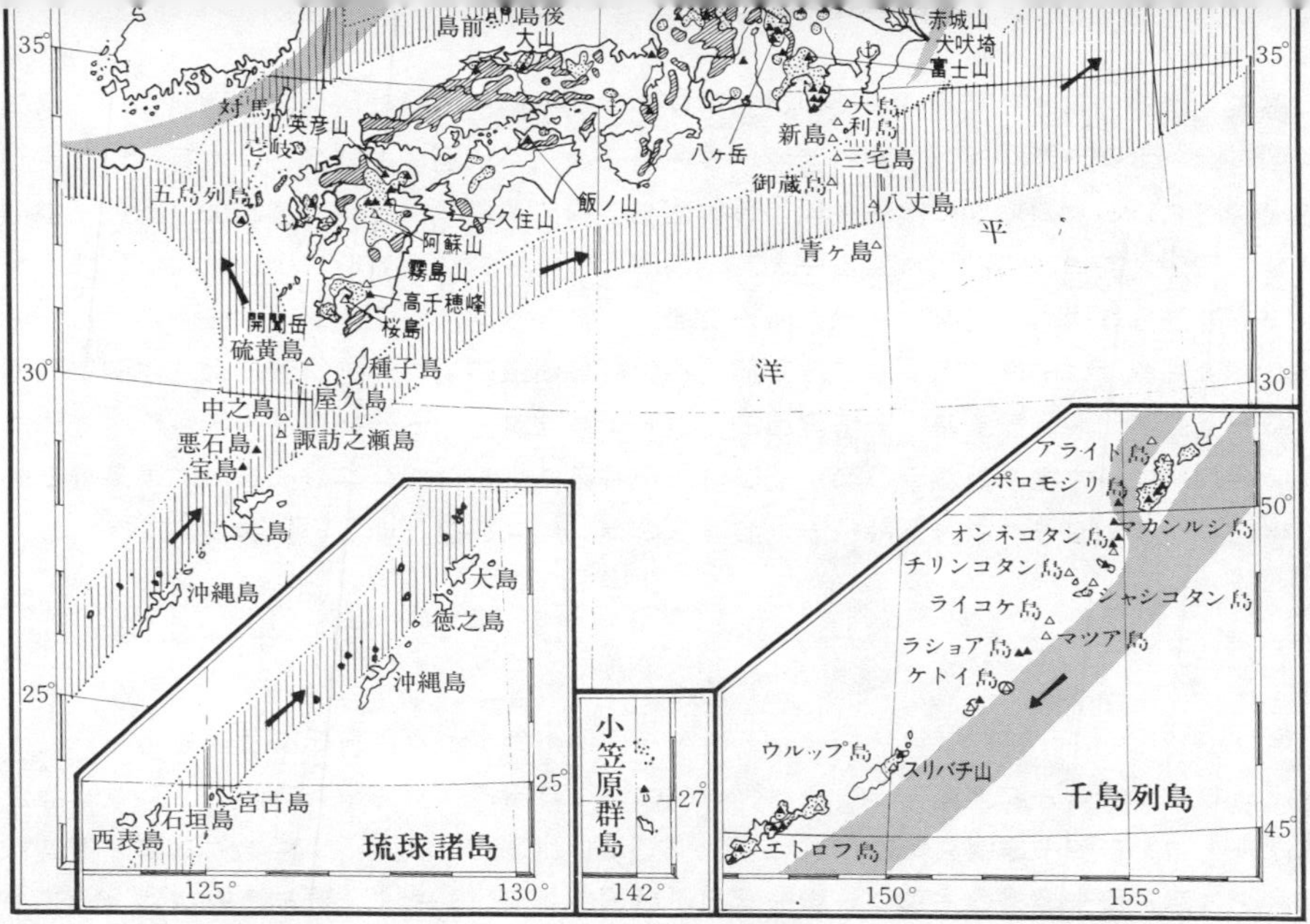
島前
島後
大山
赤城山
犬吠埼
富士山
対馬
英彦山
壱岐
五島列島
久住山
飯ノ山
八ヶ岳
大島
利島
新島
三宅島
御蔵島
八丈島
青ヶ島
阿蘇山
霧島山
高千穂峰
開聞岳
桜島
硫黄島
種子島
屋久島
中之島
諏訪之瀬島
悪石島
宝島
大島
沖縄島
平
洋
琉球諸島
大島
徳之島
沖縄島
宮古島
石垣島
西表島
小笠原群島
千島列島
アライト島
ポロモシリ島
マカンルシ島
オンネコタン島
チリンコタン島
シャシコタン島
ライコケ島
マツア島
ラショア島
ケトイ島
ウルップ島
スリバチ山
エトロフ島
35°
30°
25°
125°
130°
142°
27°
150°
155°
45°
50°

かつそれ日本の地形、一葦水《いすい》の海峡を隔てて朝鮮半島より満州の寒帯平原に通じ、北海道より樺太島《からふと》（サハリン）を経て髪のごときの峡水、直ちにシベリア寒帯平原に入り、また千島列島よりたちまちカムチャツカに連なり、しこうして南の方沖縄列島より台湾を経て、インド、シナ、南洋諸島と応接す。これをもってその

（一）生　物

のごとき、寒熱二帯のもの相錯互《さくご》し、万尋《ばんじん》の雪塊、上に北極光《オーロラ・ボレアリス》高く半空をめぐり、その影氷海を掩映《えんえい》して地平線外はるかに紅を抹するところ、一群の海豹《あざらし》声を和して長《とこし》えに嘯《うそぶ》き、膃《おっ》肭《とせい》獣身をかすめて相躍るの辺（千島列島）より、白珊瑚礁《さんごしょう》上、椰樹《やじゅ》影《かげ》婆娑《ばさ》、鳳梨《パイナプル》、朱欒《ザボン》、芭《ば》蕉《しょう》、鳳尾松《そてつ》、翠色滴《すいしょくしたた》れんとし、榕樹《あこう》蓋《かさ》のごとく、乳枝地に垂れて根を生じたちまち幹と成り、さらに乳枝を生じて新乳枝また新幹と成り、宛然《えんぜん》人をしてインド、アフリカの内地に携え去るの感あらしむるところ（榕樹《ようじゅ》は土佐の蹉跎《さだ》岬、同岬上の諸島、紀伊、日向《ひゅうが》、大隅《おおすみ》、薩摩《さつま》、沖縄、澎湖《ほうこ》、台湾等に繁殖《はんしょく》す。珊瑚礁《さんごしょう》は沖縄列島の一部、小笠原列島に見る）にいたるまで、造化はここに一幅の妙画譜《がふ》を開展す。冬中富士川の谿間《けいかん》に入らんか、谿《たに》の乱竹、雪に圧せられて、折れて戛々《かつかつ》響きをなすや、猿の禀性《りんせい》もと怯懦《きょうだ》なるをもって、ために恐慌《きょうこう》し、凄絶《せいぜつ》哀絶《あいぜつ》

なる啼声《ていせい》を放ちて声々相和すを聞く、日本人あるいは覩聞《とぶん》してもって尋常の事となす、しかも累雪《るいせつ》の下に竹薮猿声（共に熱帯生物）を覩聞すとは、とうていインド、アフリカの人の脳裡に描くあたわざるところ、寒帯、熱帯の風物を兼併する、宇内《うだい》むしろ日本のごときところあらんや。かつや夏間は降雨しきりにいたり、その量多大、加うるにその間の温度はなはだ高きをもって熱帯植物よく豊茂《ほうも》し、諸般植物もまた蒼翠《そうすい》秀潤いたるところ熱帯地方にあるの観あらしむと想えば、また温帯、半寒帯に生育する

（二）松柏《しょうはく》科植物

は国中いたるところにこれをみる。けだし松柏《しょうはく》科植物の日本国中いたるところに存在する、これ日本国民の気象を涵養《かんよう》するに足るもの、日本人間々桜花をもってその性情を代表せしむ、桜花もとより美にして佳《か》、かつその早く散るところうたた多情、これ人にあわれまれ惜しまるるところなるも、たちまちにして爛漫《らんまん》、たちまちにして乱落し、風に抗するあたわず雨に耐ええず、いたずらに狼藉《ろうぜき》して春泥《しゅんでい》に委するところ、むしろ日本人が性情の標準となすべけんや、松柏科植物はしからず、ひとり隆冬を経て凋衰《ちょうすい》せざるのみならず、矗々《ちくちく》たる幹は天を衝《つ》き、上に数千鈞《きん》の重量ある枝葉を負担しながら、孤高烈風をしのぎて扶持《ふじ》自ら守り、節操

雋邁《しゅんまい》、庸々《ようよう》たる他植物に超絶するがうえに、その態度を一看《かん》せば、幾何学的に加うるに美術的を調和するところ、たれか品望の高雅なるを嘆ぜざらんや。想う松柏の矗々《ちくちく》天を衝《つ》くは本性たり、しかも根を託するの土壌や少量に、四囲の境遇もまた逆ならんか、たとえその幹をして天を衝《つ》かしむあたわざるも、豪気《ごうき》ついに屈せず、断岸絶壁石面稜層《りょうそう》の上といえどもなおかつ根を硬着《こうちゃく》し、幹や、枝や、葉や、四時よく風、雨、霜、氷、雪に禦敵《ぎょてき》し、他の生平艶《せいへいえん》を競い媚《び》を呈せる軟弱の植物は枯死し尽くすも、ひとり堅執して生存し、たまたま斧《おの》をもって斬伐《ざんばつ》せられんか、いささかの未練を遺《のこ》すなくして昂然《こうぜん》たおるるところ、他の花木の企つところにあらず、真に日本人の性情中の一標準となすに足れり。スイスの歴史を立論するものいわく、スイスの歴史は不羈《ふき》独立を酷愛《こくあい》する民人の歴史なり、しこうしてスイス史の精粋《せいすい》は、蒼健高聳《そうけんこうしょう》なる松林の中に成育せるシュウィッツ、ウリ、ウンテルヴァルデン三州の民人に存す、松もって三州民人の性情を感化し、いわゆるテル（仮成人物なりといえども、当時の情勢いわゆるテル一流の人物を輩出《はいしゅつ》せしや必然）松林の中より身を挺でてオーストリアの苛《か》政《せい》に抗し、近古三州の民人松林の中より首としてローマ法王および僧侶の非行を倡《とな》えたりと。ひとりスイス人のみならず、古《いにしえ》のノルマン民属、今のロシア人も、また松林の下に豪健硬勁《こうけい》なる性情を涵養《かんよう》されきと。松や、松や、なんぞ民人の性情を感化するの偉大なる、特に日本は松柏科植物に富むこと実に全世界中第一、すなわち黒松《おまつ》、赤松《めまつ》、五鬚松《ごようのまつ》、リュウキュウマツ、海松《ちょうせんまつ》、檜《いぶき》、杜松《ねず》、ハイネズ、シマムロ、杉、樅《もみ》、アオボウモミ、トドマツ、シラビソ、ハリモミ、トウヒ、エゾマツ、コウヨウサン、金松《こうやまき》、水松《すいしょう》、イチイ、キャラボク、落葉松《ふじまつ》、羅漢《ま》松《き》、竹柏《なぎ》、公孫樹《いちょう》、羅漢柏《あすなろ》、ヒノキ、サワラ、ヒムロ、側柏《このてがしわ》、イトスギ、ニオイヒバ、ヒヨクヒバ、ゴロウヒバ、オニヒバ、スイリュウヒバ、榧《かや》、粗榧《いぬがや》、むしろ列挙するに遑《いとま》なからんとす、これ日本人の性情を感化するに足るもの、なんぞ漫《みだり》にイギリス人をしてその槲《かしわ》、スコットランド人をしてその山毛欅《ぶな》、フランス人をしてその落葉松、イタリア人、スペイン人をしてその橄欖《かんらん》を誇揚《こよう》せしめんや。対馬《つしま》の海岸をよぎり、その懸崖《けんがい》直立数百尺、西北風蓬々《ほうほう》として黄海《こうかい》より吹きいたり、怒潮百砕、崖《がけ》に激して万斛《ばんこく》の白雲をふくところ、岩石の罅隙《かげき》より松樹のいささかも屈撓《くつとう》せずして生長し、あるいは聳直《しょうちょく》風をしのぎ、あるいは欹斜《きしゃ》して水をさぐらんとするの状をみるもの、たれかかの元寇《げんこう》のさい、州の目代《もくだい》右馬允《うまのじょう》七郎宗助国（文永十一年十月六日）が慨然《がいぜん》八十余騎を拉《らっ》して胡元《こげん》の戦艦九百余艘《そう》三万余人を反撃し、三子親姻《しんいん》と共に身を国に殉じたる偉跡に酷類《こくるい》するを想起せざらんや。日本は「松国」なるべし、「桜花国」と相待たざるべからず。

田代の七ツ釜（越後国中魚沼郡中深見村字田代にあり）
十日町より信濃川に沿いてさかのぼり南の方一里二十三町大字水沢にいたりさらにおよそ一里清津橋を渡り左折して信濃川の支流清津川の左岸をさかのぼり小径に入り清津川の支流釜川を徒渉してその右岸をさかのぼりついに達し得　信越鉄道豊野停車場より清津町までおよそ十七里、橋より七ツ釜までおよそ三里

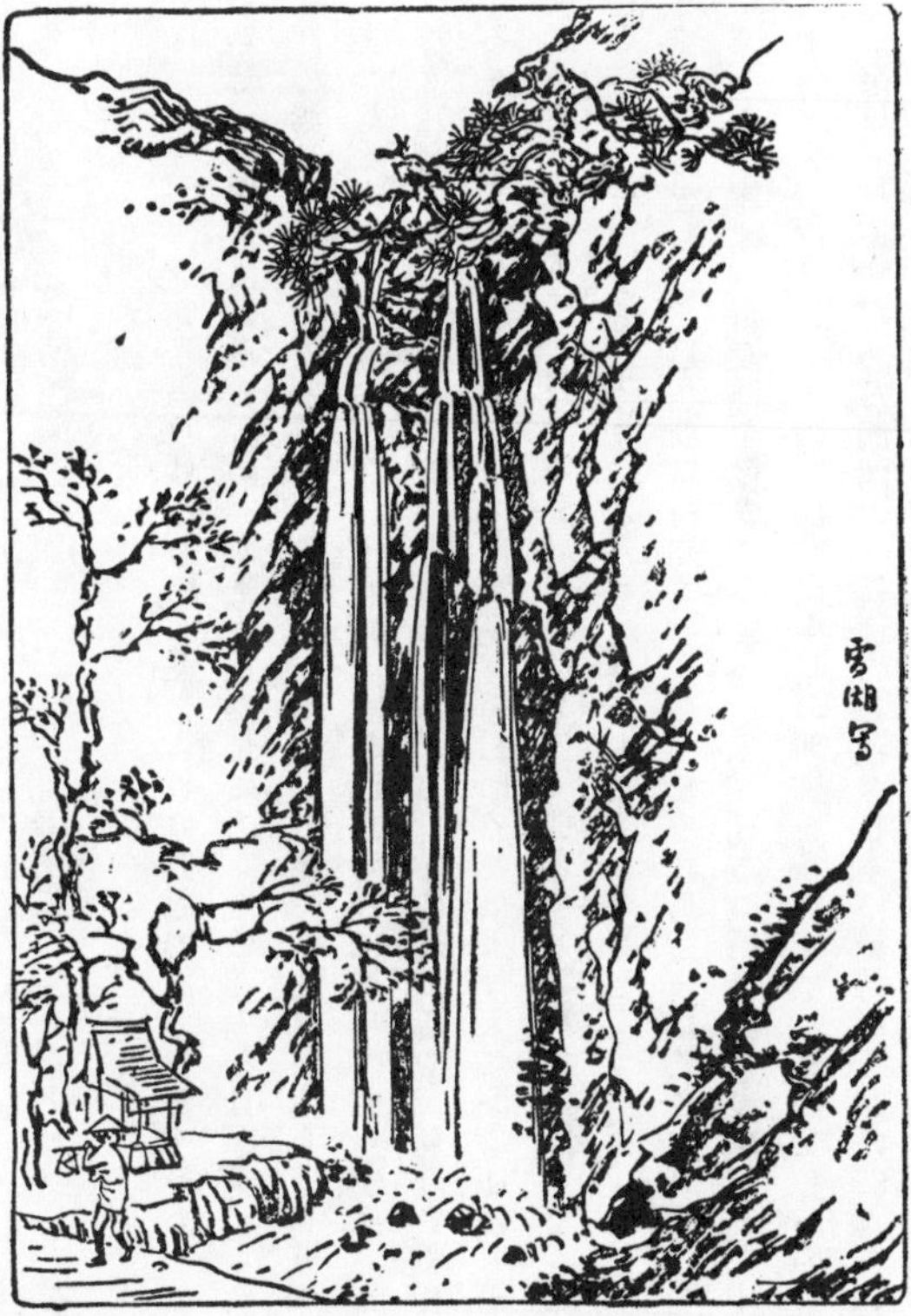

小野の滝（木曾街道上松駅より須原駅にいたる途上左側）
高さ百尺幅六尺　渓水風越山より発し花崗岩をうがち来り断崖にかかりて瀑布をなす水色晶明

（二）禽鳥類

にいたりては、寒帯よりするもの、熱帯よりするもの、みな日本をもって集会所とし、かつ熱帯より寒帯にいたるもの、寒帯より熱帯に去るもの、みな日本をもって経過所とし、「鵲《かささぎ》の渡せる橋」のごとくす。これをもってか日本に翺翔《こうしょう》する禽鳥《きんちょう》三百八十一種中百四十六はまったく寒帯種に属し、百三十九は「旧北地方」種に属し、四十七は熱帯種に属し、しこうして残余の四十九は日本絶特のものにかかる。かの丹頂鶴《たんちょうづる》や、巻旋《けんせん》せる長き細き気管を有するをもって一たび鳴きてその声劉亮《りゅうりょう》、いわゆる九皐《こう》より天に聞こゆるもの、これシベリア、朝鮮を冲《つきぬ》けて日本にいたるところ、かの「島巡り鷺《さぎ》」や、アマ鷺や、新秧《しんおう》十里、一望蒼茫《そうぼう》、その白色をもってこの間を点綴《てんてつ》するもの、これ熱帯地方より来るところ。かつや日本の地、四方をめぐらすに洋海をもってし、別に特立するをもって、禽鳥もまたここに到来して特立するもの多く、ために新種、新変種を化成するにいたる、日本に絶特なる禽鳥の多在するはこの所因、ダーウィン、ウォレースの「島国は生物の新種を多成す」と立説せしもの、日本これを例証して余りあり、すなわち鵂鶹《きゅうりゅう》の一新種のごとき日本に絶特なるものあり、いずくんぞ知らんその門巷蕭条夜色悲。
鵂鶹声在月前枝。
誰知孤帳寒檠下。
白髪遺臣読楚辞。

門巷《もんこう》蕭条《しょうじょう》として　夜色悲し。
鵂鶹《きゅうりゅう》の声　月前の枝に在り。
誰か知らん　孤帳《こちょう》寒檠《かんけい》の下。
白髪の遺臣　楚辞《そじ》を読むを。

栗本匏庵《ほうあん》

と賦《ふ》せしめたる鵂鶹《きゅうりゅう》のごときも、また悲涼凄楚《せいそ》の声をもって長嘯《ちょうしょう》するところの一新種にあらざるなきを得んや。想うにこの個の鵂鶹、月前の枝にありて声々悲涼凄楚《せいそ》、この亡国の遺臣をして数茎の白鬢《はくびん》を添えしめたるならん。

ひとり禽鳥類のみならん、

（四）　昆虫類

にいたりても多種に、寒帯、温帯、熱帯のものひとしく生息し、特に

（五）蝴《こ》蝶《ちょう》

のごときは、「旧北地方《プレアークチツク》」現存の種類中（五百余種）、三分の一（百七十余種）は、日本国じゅうに欣々《きんきん》として翩翻《へんぽん》し、かつ日本の気候たる、温度の偏差多様なるをもって、螟蛉《めいれい》の期節中に感受せし温度にしたがい、同一種のものといえどもその状態を多様に変化して現出し、いわゆる「同種変形」を作り、同族中の異種よりもかえってその差異を顕著ならしむ。しかれば日本国じゅうに翩翻《へんぽん》する蝴蝶《こちょう》の種類はいよいよ多々なるがごとき観あるがうえに、

（六）日本の花

はその種類真に多々、白色、黄色、赬黄《ていこう》色、紅色、赤色、青色、紫色のもの、濃淡相競いて乱開し、紛披掩映《えんえい》、日本の宇宙はみな花、すなわちこの間に戯舞し翩翻《へんぽん》し、あるいは香を窃《ぬす》み、あるいは宿を借るもの、いかんぞ「類形」の原則上、その色をこの花に類せしめその羽の光沢をこの花に似せざるなけんや、日本国じゅうの禽鳥、蝴蝶の瑰麗燦爛《きれいさんらん》たるもとより所因あり。試みに日本の花卉《かき》のたいていを列挙すべきか。

（次表参観）

この錦繍《きんしゅう》の間、蒼健高聳《そうけんこうしょう》せる松柏《しょうはく》科植物を点綴《てんてつ》す、花これと映発していよいよ鮮、ますます麗、西京の嵐山のごとき実にこれ。もしそれ花のみならんか、いかんぞその鮮麗を添うに足らんや、松柏科植物を待ちていよいよますますその鮮麗を添う、桜花のごとき特にしかり。けだし桜花と松柏とを調合安排《あんばい》せしものをもって日本人将来の特性となさざるべからず、挙《きょ》目《もく》の風物は真にこの特性を涵養《かんよう》するに足る、人あについにこれに辜負《こふ》せんや。

これを要するに、日本国の位置にして縦線状に綿亙《めんこう》せずして、地平線状に横たわらんか、いかんぞ気候、海流、風位、生物の変化、このごときあらんや、いかんぞ江山の洵美《じゅんび》このごときあらんや、真個の天縦。一百年前、石見《いわみ》の医人橘南谿《たちばななんけい》なるもの、日本の東西に歴遊し、帰来記するところまたもって参考となすに足るものあり、いわく、

先《まず》日本にて論ずれば日本は一つの島山にして其島山の絶頂といふは信濃国なりそれより四方へなだれ下り東西の国あり南北の国あり南面北面それ〴〵の向き〴〵あり薩摩《さつま》大隅《おおすみ》日向《ひゅうが》の地は甚南《じんなん》にありて最暖気の国也雪霜氷の類は其方角によりて全く無き所ありそれゆゑ彼地いかなる高山深谷といへども三冬にわたりて雪有る事無し又人家に火《こ》燵《たつ》といふものなく足袋《たび》頭巾《ずきん》の類用るに及ばず尤《もっとも》冬は天気常に晴朗にして風亦強からず

此ゆゑに冬も虫蟄《ちつ》せず蜘蛛《くも》蚊虻《あぶ》蛇虺《まむし》の類四時有り亦草木も是に応じ蘇鉄《そてつ》蘭《らん》の類も自然生の山有り人家の庭にも直に植てよく繁茂す桜に冬より咲花《しょうか》あり梅も落葉せず葉有ながら花咲く葉と花と一度に見る事は珍敷《めずらしき》事也柑欄《かんらん》竜眼肉皆実のる松竹よく栄ふ北国は是に異なりて高山深谷は四時雪消せず冬は氷柱《つらら》軒端にくだりて水晶簾《すだれ》のごとく氷厚く堅きこと玉石のごとし大河急流といへども皆氷りて車馬水上を往来す此ゆゑに足袋頭巾冬春の二季はしばらくもはなすべからず火燵《こたつ》のみならず囲炉裏《いろり》甚大にして昼夜盛に火をたく又九十月の比《ころ》より春三四月の比までは毎日毎夜天気曇り雪ふらざれば雨降霰《あられ》あり北風また常に烈敷《はげしく》して面《おもて》をむくべからず此故に秋冬春は虫絶て無し夏も甚少し草木も皆色白く其種類も南方よりは現少なし竹絶て無し松も又甚稀なり梅桜桃山吹藤躑躅《つつじ》梨李《すもも》石榴《ざくろ》抔《など》雪消て後に開くゆゑに皆四五月の比《ころ》に一様に花咲なり梅は若葉出ると花咲と一度にして葉花を一度にみる南国の梅は葉下落して花咲き北国の梅は葉出て花咲く気候の相違かくのごとく甚し此ゆゑに北方は寒烈の気にて水までも堅く南方は暖和の気にて石までもやはらかなり北方は巌石《がんせき》堅剛なりゆゑに山岳峨々《がが》として高く聳《そび》え是に応じて海甚深し越中立山の沖に当れる海ふかさ三百尋《ひろ》の余に及べるにても知べし山高き所は其海必深し南方は石やはらかなるゆゑ土地に骨無く山岳高く聳ることあたはず南蛮の諸国高山無く海また甚浅し地球の中にて凡《およそ》日本程山高く海深き国は稀《まれ》なり此事万国の地理を論ぜる書に委《くわ》し日本の内

にても南方の山は平穏にして巌石なく樹木茂れり土地だにかくのごとくなれば人の気も剛柔の相違あり獣も北方は猛悪のもの多し鷹鷲の類も北方の者に慓悍《ひょうかん》の気あり毒有る物香《にお》ひ有る者は北方には稀にして南方に多し只《ただ》中部の地は四時の気候正しく生類も中和の気を受得て剛柔の偏なく万物ゆたかに借りて実に王者の住所なり

日本の生物に関する品題

これ日本の生物に関する文、詩、歌、俳諧《はいかい》、画、彫刻の品題なり、植物、動物の日本固有のもの、もしくは日本固有の風物にして、欧米人のその国にありてみるあたわざるところのみを撰択す。日本の文人、詞客、画師、彫刻家、風懐の高士は、すべからく欧米人のその国にありてみるあたわざるところを取り品題となすこと可、

（一）新秧《しんおう》満頃、白鷺《しらさぎ》魚を窺いて悄立《しょうりつ》す。
（二）荒城古戍《こじゅ》、夜深く鵂鶹《きゅうりゅう》孤棲して欠月に嘯《うそぶ》く。
（三）紫騮《しりゅう》嘶《いなな》きて桜花の雪に入り去る。
（四）夕陽倒射、公孫樹《いちょう》葉黄金を累《かさ》ぬる間、浮図塔脊その上に露《あら》わる。
（五）小豆《あずき》花の深きところ草虫鳴く。

（六）南燭《なんてん》の実珊瑚《さんご》を綴る、一双の繍眼児《めじろ》これを啄《つつ》き来る。
（七）瀑布直下、カヤクグリ鳥一群、巖樹の間に翺翔《こうしよう》和鳴す。
（八）谷内の村墟《そんきよ》、梅花遮蔽《しやへい》、屋脊《おくせき》少しく露わる。
（九）霽後《せいご》の秋水、菱《ひし》を採るの小艇蕩漾《とうよう》す。
（十）火山岩磊落《らいらく》、潮水に浸して半ば露れ、カラスバト鳥その上に停まる。
（十一）華表柱頭、暮煙《ばえん》まさに合し、林梢微茫《りんしようびぼう》、青鵠《あおばと》還り去る。
（十二）曙色《しよしよく》満天、水光千頃《けい》、暁露蓮花《ぎようろれんか》を洗いて淡紅滴《したた》れんとす。
（十三）夕陽松樹にあり、馬を下りて古陵《こりよう》を吊《とぶら》うところ、頭白の鳥啼《な》く。
（十四）海豹《あざらし》氷塊の上に嘯《うそぶ》き、峭帆《しようはん》北風を剪《き》りて飛ぶ。
（十五）新漲柳根《しんちようりゆうこん》を齧《か》み、菰蒲《こほ》深きところ、一隻の鯇魚《さんしようお》遅疑して游行す。
（十六）秋雨一過、爽籟《そうらい》とみに起こり、白桐《きり》樹上、残瀝《ざんれき》点滴、老葉と共に飛ぶ。
（十七）菜のはなや月は東に日は西に。　蕪村《ぶそん》
（十八）菜のはなのなかに城あり郡山《こおりやま》。　其角《きかく》

色	白	
春（晩冬より初春にわたるものをも合す）	薔薇《ばら》科	梅・桃・李・杏・梨・林檎・郁李《にわうめ》・梅桃《ゆすらうめ》・木瓜《ぼけ》・山《さん》櫨《ざし》・鶏麻《しろやまぶき》・シロバナイチゴ・コデマリ・ハゼバナ・ユキヤナギ
	殻斗《かくと》科	槲《かしわ》・柯樹《しいのき》・オオナラ・コナラ
	十字花科	薺《なずな》・莱菔《だいこん》・蕪菁《かぶら》
夏（晩春より初夏にわたるものをも合す）	百合《ゆり》科	カノコユリ・タモトユリ・オニユリ・紫萼《ぎぼうし》・鷺《さ》
		毛玉鳳花《ぎそう》・ホウチャクソウ
		シラフジ・シロツメクサ・葛《くず》・胡豆《いわふじ》
	錦葵科	錦葵《あおい》・木槿《むくげ》・茴《きり》麻《あさ》・野西瓜苗《ぎんせんか》
	薔薇科	薔薇《ばら》・玫瑰《はまなす》・カナメガシ・コゴメウズキ
	蘭科	カヤラン・カコラン・フウラン・石斛《せきこく》
	芸香科	柑・臭橙《だいだい》・柚・枳《きこく》
	毛茛科	鉄線蓮《てっせん》・牡丹・芍薬
秋（晩夏より初秋にわたるものをも合す）	蓼科	蕎麦《そば》・水蓼《かわたて》・馬《いぬ》蓼《たで》
	菊科	菊・翠菊《えぞぎく》・茵蔯《かわら》蒿《よもぎ》
	木犀《もくせい》科	木犀《もくせい》・茉莉《もうりんか》・ヒラギ
	穀精草科	穀精草《はしくき》・オオホシクサ
冬（晩秋より初冬にわたるものをも合す）	厚皮香科	山茶《つばき》・茶梅《さざんか》・茶《ち》茗《や》
	薔薇科	薔薇・枇杷《びわ》・梅
	五加《うこぎ》科	金剛纂《やつで》
	菊科	菊
	木犀科	ヒラギ
	石蒜《せきさん》科	水仙

白

木蘭《もくらん》科　玉蘭《はくもくれん》・辛夷《こぶし》
石楠《しゃくなげ》科　山躑躅《つつじ》・イワナシ
葡萄《ぶどう》科　葡萄・ヤマブドウ
荳《まめ》科　紫雲英《れんげそう》・胡豆《いわふじ》
菊科　蒲公英《たんぽぽ》・萵苣《ちさ》
蘭科　朶々香《しゅんらん》・雀髀斛《おさらん》
山茱萸《さんしゅゆ》科　八角楓《うりのき》
厚皮香科　山茶《つばき》

虎耳草《ゆきのした》科　溲疏《うつぎ》・ヒメウズキ・虎耳草《ゆきのした》
木蘭科　天女花《おおやまれんげ》・莽草《しきみ》
厚皮香科　ナツツバキ・木《ま》天蓼《たたび》
茜草《あかねぐさ》科　巵子《くちなし》・満天星《はくちょうげ》
忍冬《にんどう》科　ツクバネソウ・コツクバネソウ
菊科　菊・ウスユキソウ
罌粟《けし》科　罌子粟《けし》・虞美人草《ひなげし》
旋花《ひるがお》科　牽牛《あさがお》・旋花《ひるがお》
馬鞭草《ばべんそう》科　海州常山《くさぎ》・ビジョザクラ
沢瀉科　沢瀉《さじおもだか》
睡蓮科　蓮
千屈菜《みそはぎ》科　安石榴《ざくろ》
夾竹桃科　夾竹桃《きょうちくとう》
海桐《とら》科　海桐花《とべら》
柿樹科　柿

莧《ひゆ》科　鶏冠《けいとう》・千日紅《せんにちそう》
錦葵《あおい》科　木芙蓉《ふよう》
荳科　シラハギ
牻牛児科　鳳仙《ほうせんか》
石竹科　ナデシコ
旋花科　牽牛《あさがお》
桜草科　珍珠菜《とらのお》
千屈菜科　千屈菜《みそはぎ》
敗醤科　オトコエシ

冬季間は花はなはだ少なし、しかれども園丁の労苦培養の結果として化成したる寒菊あり、寒牡丹あり、冬桜あり、冬至梅あり。要するに原種より変種を新創する技倆にいたりては日本の園丁は実に万国に冠絶す

白	黄
木犀科　女貞《たまつばき》 楊柳科　白楊《きわた》 樺木科　赤楊《はんのき》 松柏科　公孫樹《いちよう》 瑞香科　ジンチョウゲ 忍冬科　錦帯花《はこねうつぎ》 昬形科　野芝麻《おどりこそう》 毛茛科　獐耳細辛《ゆきわりそう》 菫菜科　マルバスミレ 五加科　五加《うこぎ》	菊科　蒲公英《たんぽぽ》・萵苣《ちさ》・金盞草《きんせんか》・鼠麴草《ははこぐさ》 木犀科　迎春花《おうばい》・連翹《れんぎよう》 胡桃科　胡桃《てうちぐるみ》・山胡桃《おにぐるみ》 荳科　錦鶏児《むれすずめ》・レダマ 木蘭科　南五味子《さねかずら》 毛茛科　側金盞花《ふくじゆそう》
桑科　楮《こうぞ》 殻斗科　櫟《くぬぎ》 鼠李科　棗《なつめ》 漆樹科　塩膚木《ぬるで》 桔梗科　小山菜《ほくろぶくろ》 景天科　景天《べんけいそう》 繖形科　水蘄《せり》 胡椒科　蕺菜《どくだみ》 金粟蘭科　金粟蘭《せんりよう》 柳葉菜科　芰《ひし》 葫蘆科　胡蘆《ひようたん》	葫蘆《ひようたん》科　胡瓜《きゆうり》・越瓜《しろうり》・菜《あお》瓜《うり》・甜瓜《まくわうり》・南瓜《とうなす》・糸瓜《へちま》 菊科　菊・日《ひ》向葵《まわり》・旋《お》覆花《ぐるま》 錦葵科　草綿《わた》・黄槿《はまぼう》 睡蓮科　萍蓬草《こうほね》・蓴《じゆんさい》 金糸桃科　金糸桃《びようやなぎ》・金糸梅《きんしばい》 荳科　槐《えんじゆ》・百脈根《みやこぐさ》
竜胆科　竜胆《りんどう》 玄参科　キンギョソウ 鳶尾科　文珠蘭《はまゆう》 禾本科　蘆《あし》 薑科　蘘荷《みようが》	菊科　菊・藤菊《くじやくそう》 薑科　芭蕉・曇華《だんどく》 木犀科　木犀《もくせい》 錦葵科　黄蜀葵《とろろあおい》 敗醤科　敗醤《おみなえし》
茶梅《さざんか》、山茶《つばき》はもと半熱帯植物に属す、しかも茶梅は晩秋より、山茶は中冬より開花し、積雪層氷の中といえども依然たり、このごとくしてその数十なる変種はたいがい翌年四月頃まで開花を連続す、これ海外人の最も驚嘆するところとす	菊科　菊

黄	頽黄	
薔薇科 棣棠花《やまぶき》 石楠科 メシャクナゲ 瑞香科 黄瑞香《みつまた》 忍冬科 接骨木《にわとこ》 十字花科 蕓薹《なたね》 山茱萸科 山茱萸《さんしゅゆ》 蘭科 エビネ	石楠科 山躑躅《つつじ》 楊梅科 楊梅《やまもも》 蘭科 エビネ	薔薇科 梅・桃・桜桃《さくら》・ヒガンザクラ・榲《まる》
薔薇科 薔薇 無患樹《むくろじ》科 七葉樹《とちのき》 殼斗科 栗 天南星科 天南星《てんなんしょう》 蕕草科 雨久花《みずあおい》 毛莨科 毛莨《きんぽうげ》 牻牛児科 酢醤草《かたばみ》 景天科 費菜《きりんそう》 唇形科 鈴子香《じゃこうそう》 百合科 萱草《わすれぐさ》 十字花科 山萮菜《わさび》	燈心草科 燈心草・タマイ・イヌイ 莎草《かやつりぐさ》科 カヤツリグサ 紫葳科 紫葳《のうぜんかずら》 鳶尾科 射干《ひおうぎ》 松柏科 竹柏《なぎ》 千屈菜科 安石榴《ざくろ》	薔薇科 薔薇・シモツケソウ・玫瑰《はまなす》
莧科 鶏冠《けいとう》 荳科 キハギ 玄参科 キンギョソウ 天南星《てんなんしょう》科 芋《いも》 無患樹《むくろじ》科 茘枝《れいし》 金糸桃《びようやなぎ》科 小連翹《おとぎりそう》 竜胆科 センブリ	榛《はしばみ》科 榛《はしばみ》 松柏科 イチイ 旋花科 牽牛	蓼科 金線草《みずひきぐさ》・藍《あい》・水《かわ》蓼《たで》・馬《いぬ》蓼《たで》
蠟梅科 蠟梅《ろうばい》 木犀科 迎春花《おうばい》	冬季間は山野ことごとく頽《てい》黄《こう》色を帯ぶ	厚皮香科 山茶《つばき》・茶梅《さざんか》

紅および赤

桲《めろ》・海棠《かいどう》・木瓜《ぼけ》

石楠科　山躑躅《つつじ》・山巌《きりしま》・石楠《しゃくなげ》

厚皮香科　山茶《つばき》・茶梅《さざんか》

木犀科　女貞《たまつばき》

忍冬科　錦帯花《はこねうつぎ》

桜草科　クリンソウ

毛茛科　獐耳細辛《ゆきわりそう》

豆科　紫雲英《れんげそう》

蘭科　エビネ

錦葵科　錦葵《あおい》・草綿《わた》・ボンデンカ

毛茛科　牡丹・芍薬

罌子粟科　罌子粟《けし》・虞美人草《ひなげし》

千屈菜科　百日紅《さるすべり》・安石榴《ざくろ》

豆科　合歓《ねむのき》・アカツメクサ

馬鞭草科　頳桐《とうぎり》・ビジョザクラ

菊科　紅藍花《べにばな》・アザミ・タンポポ

百合科　山丹《ひめゆり》・萱草《わすれぐさ》

蘭科　石斛《せきこく》・綬草《もじずり》

夾竹桃科　夾竹桃《きょうちくとう》

木蘭科　天女花《おおやまれんげ》

石楠科　杜鵑花《さつき》

睡蓮科　蓮

茜草科　売子木《さんだんか》

茄科　曼陀羅花《ちょうせんあさがお》

藜科　菠薐菜《ほうれんそう》

石竹科　ナデシコ・石竹《からなでしこ》・剪秋羅《せんのう》

菊科　菊・翠菊《えぞぎく》・藤菊《くじゃくそう》

千屈菜科　千屈菜《みそはぎ》・エゾミソハギ

旋花科　牽牛・蔦蘿《るこうそう》

莧《ひゆ》科　鶏冠・千日紅《せんにちそう》

薑科　美人蕉《ひめばしょう》

豆科　馬棘《こまつなぎ》

錦葵科　木芙蓉《ふよう》

厚皮香科　茶梅《さざんか》

秋海棠科　秋海棠

牻牛児科　鳳仙《ほうせんか》

茄科　烟草

玄参科　キンギョソウ

茜草科　女青《やいとばな》

薔薇科　薔薇

芸香科　茵芋《みやましきみ》

毛茛科　牡丹《ぼたん》

青および紫

菫菜科	紫花地丁《すみれ》・コスミレ・ミヤマスミレ
馬鞭草科	紫珠《むらさきしきぶ》・山棠子《やまむらさき》・樹《き》・コムラサキ
荳科	蘇方木《すおう》・胡豆《いわふじ》
木蘭科	木蘭《もくれん》
石楠《しゃくなげ》科	山躑躅《つつじ》
木通科	通草《あけび》
瑞香科	芫花《ちょうじざくら》
毛茛科	獐耳細辛《ゆきわりそう》
紫草科	紫草《むらさき》
百合科	山慈姑《かたくり》
菊科	萵苣《ちさ》
荳科	藤・豌豆・菜豆《いんげんまめ》・緑豆《やえなり》・小豆・刀豆《なたまめ》・
鳶尾《えんび》科	燕子花《かきつばた》・玉蟬花《はなしょうぶ》・渓蓀《やまめ》・蝴蝶花《しゃが》
錦葵科	錦葵《あおい》・木槿《むくげ》
馬鞭草科	蔓荊《はましきみ》・ビジョザクラ
茄科	茄《なす》・枸杞《くこ》
楝科	楝《せんだん》
玄参科	白桐《きり》
芸香科	仏手柑《ふしゅかん》
木蘭科	浮爛羅勒《はおのき》
旋花科	牽牛《あさがお》
桔梗科	小山菜《ほたるぶくろ》
虎耳草科	アジサイ
唇形科	野鳳仙花《つりふねそう》
牻牛児科	夏枯草《うつぼぐさ》
天南星科	ニワセキショウ
蔛草科	蔛草《こなぎ》
睡蓮科	芡《みずぶき》
蘭科	竹葉蘭《さきようらん》
菊科	翠菊《えぞぎく》・蘭草《ふじばかま》・紫《し》菀《おん》・女菀《ひめしおん》・茵蔯《かわらよ》蒿・オオノギク
毛茛科	白頭翁《おきなぐさ》・附子《とりかぶと》・チドリソウ
荳科	胡枝子《はぎ》・マルバハギ
桔梗科	桔梗《ききょう》・山梗菜《さわぎきょう》
桜草科	珍珠菜《とらのお》
旋花科	牽牛
薔薇科	地楡《われもこう》
唇形科	茺蔚益母草《めはじき》
竜胆科	竜胆《りんどう》
馬鞭草科	ダンギク
天南星《てんなんしょう》科	蒟蒻《こんにゃくいも》
菫菜科	ユウチョウカ

三　日本には水蒸気の多量なる事

日本、四面みなめぐらすに大瀛《だいえい》の水をもってす、水蒸気の多量なる知るべきのみ、いわんや温暖海流（黒潮およびその支流）の蒸発を促すあり、温暖海流の寒冷海流と相衝突するあり、加うるに西北風はアジア大陸より日本海の水蒸気を拉《ら》していたり、東南風は多湿なるインド洋より来る、しこうして国の中央には峻崇《しゅんすう》たる山脈海岸線と相并行《へいこう》して連続す、水蒸気のこれに撞撃《とうげき》して凝結するもとよりしかり。

（一）　日本における水蒸気の現象

これをもって朝暾《ちょうとん》僅かに昇るや、光線はこの水蒸気の分子を透して来り、紅靄《こうあい》濃淡、曙色《しょしょく》彩色をなし、しこうして夕陽西山に舂《つ》かんとするや、余照は暮雲に掩映《えんえい》して五彩色をなし、残煙は沈まんとしてなお樹梢《じゅしょう》に棲《す》む。このごときの景象、多く大陸に見ざるところ、大陸の文人、詩客が雲の形容を誤り、その画師が雲をもってことさらに譎怪《きっかい》に描くは、

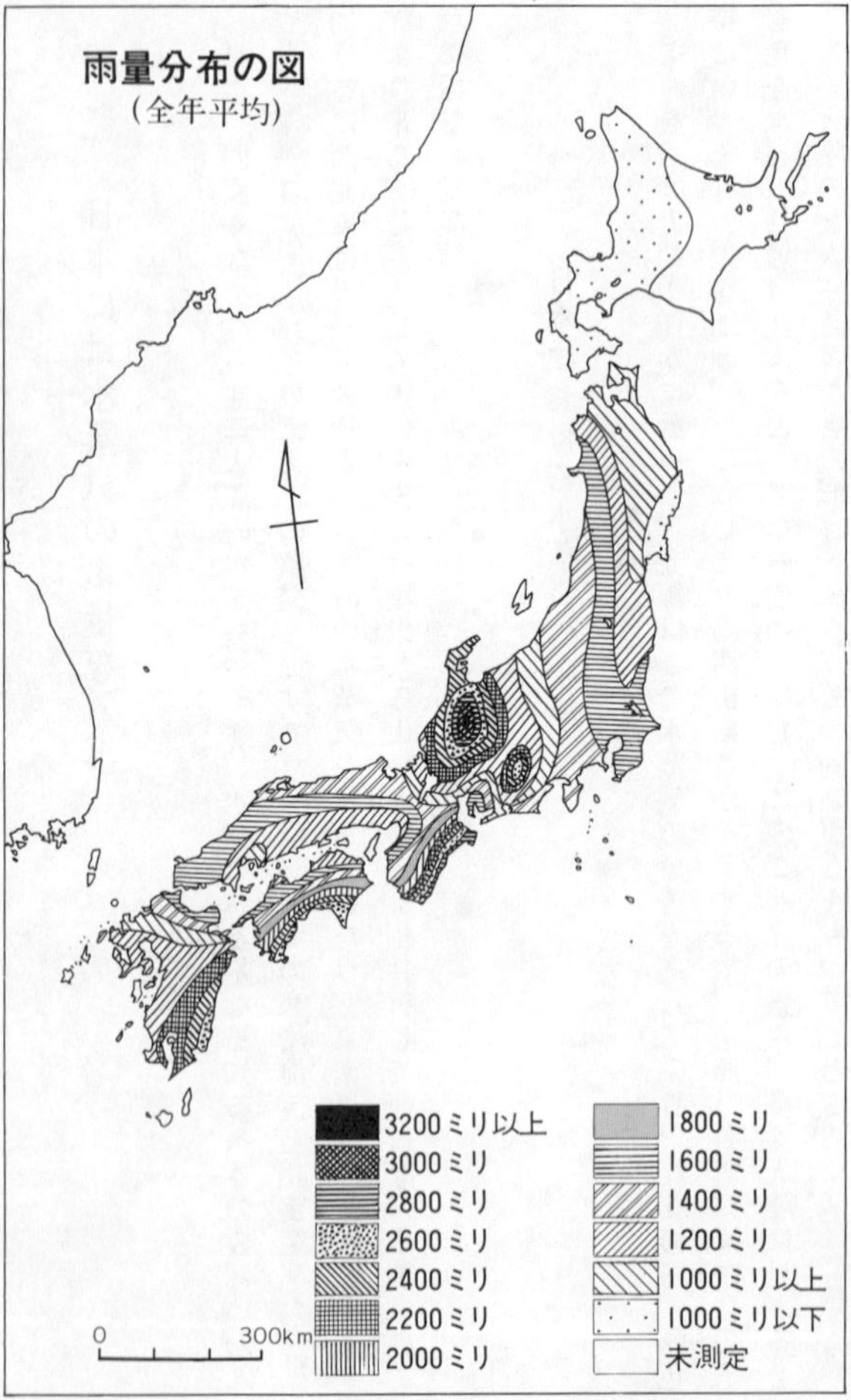
雨量分布の図
(全年平均)
3200ミリ以上
3000ミリ
2800ミリ
2600ミリ
2400ミリ
2200ミリ
2000ミリ
1800ミリ
1600ミリ
1400ミリ
1200ミリ
1000ミリ以上
1000ミリ以下
未測定
0
300km

けだし多く水蒸気の変化を目睹《もくと》せざるをもって然るか。その陽春三月、百花乱発するの候にいたれば、這般《しやはん》の水蒸気は霞となり、

小夜《さよ》ふかくかすみの網にいる月を　　正《せい》徹《てつ》
ひくやみなとの海人《あま》のよび声

霞の網や、海人《あま》喚声の分明なるや、その水蒸気の多量なること測り知るべきのみ。すでにしてインド洋上、貿易風、季候風と相交錯し、季候風の北進するや、天象雨気を催《もよ》おし、ようやくにして「卯の花くたし」となり、「五月雨《さみだれ》」（梅雨）となり、「虎の涙雨」となり、多感の詩人をして

霏々漠々満天墜。　霏《ひ》々《ひ》漠《ばく》々《ばく》　満天より墜ち、
云是名妓於菟涙。　是れを名妓於菟《おと》の涙と云う。
於菟曾在大磯里。　於菟　曾《かつ》て大磯の里に在り、
玉貌華顔抜於萃」　玉貌　華顔　萃《すい》より抜く」
一夜奇縁昵十郎。　一夜　奇縁ありて　十郎と昵《した》しみ、
慵向他人進杯觴。　慵《ものう》く他人に向って杯觴《はいしょう》を進む。
豈図孤負鴛鴦枕。　豈《あ》に図《はか》らんや　孤り鴛鴦の枕に負《そむ》き、
提剣去赴復讐場」　剣を提《さ》げて走《ゆ》きて復讐の場に赴くを」

東山道の春。

東海道の初夏。

山陰道、北陸道の夏。

紀南半島、四國の南半、九州の秋。

北海道の冬。

黄泉報父死何烈。　黄泉《こうせん》　父の死に報いること　何ぞ烈なる、
翠閨棄妾恨何滅。　翠閨《すいけい》　棄てられし妾の恨み　何ぞ滅する。
富士山下独躊躇。　富士山の下　独り躊躇《ちゅうちょ》し、
涕涙万行滴不絶」　涕涙《ているい》　万行　滴《したた》りて絶えず」
涙能化花竟凋萎。　涙は能く花を化して　竟《つい》に凋萎《ちょうい》させ、
涙能染竹有枯時。　涙は能く竹を染めて　枯るる時有らしむ。
妾涙好作満天雨。　妾の涙は好く満天の雨と作《な》り、
長灑富士山下祠。　長《とこし》えに富士山の下の祠《し》に灑《そそ》がん。

村上仏山

の句あらしむ。九月、十月、インド洋上、季候風の南退し、貿易風と相交錯するや、いわゆる「二百十日」前後の天候を現し、すでにして冬季に入り、たまたま太平洋上の温暖海流、所在の蒸発を促し、空気まさに希薄となるや、アジア大陸上なる重厚の空気はこれに乗じて衝きいたり、西北の方向を取り、日本海を経て、その間の水蒸気を携え来り、たちまちにして日本の中央に連続する大山系に撞撃《とうげき》し、ついにここに凝結して、いわゆる

大岳削成三万丈。　大岳　削成《さくせい》す　三万丈、
絶巓縹緲有無中。　絶巓　縹緲《ひょうびょう》たり　有無の中。

吹散雪氷来作雹。　雪氷を吹き散じ　来りて雹《ひょう》と作《な》る、
濤声動地北溟風。　濤声《とうせい》　地を動かす　北溟《ほくめい》の風。

大山　仁科白谷《にしなはっこく》

の状をなし、このごとくして中央大山系以北の地に「雪空」をなし、「雪もよい」をなし、「雪おこし」をなし、六花繽紛《ひんぷん》、山陰、北陸、東山、北海の四道、一面の銀世界となるはこの故、まさにこれ

立山如玉立。　立山　玉の如く立ち、
上有太古雪。　上に太古《たいこ》の雪有り。
三伏炎蒸日。　三伏《さんぷく》　炎蒸《えんじょう》の日なるも、
寒光猶凛冽。　寒光　猶《な》お凛冽《りんれつ》たり。
況此深雪時。　況んや　此の深雪の時をや、
望之皆欲裂。　之を望めば　眥《まなじり》　裂けんと欲す。

立山　大窪《おおくぼ》詩仏

(二)　東山道の水蒸気（春）

アジア大陸よりの西北風、日本海を経過する間に、その水蒸気を拉《らっ》して吹きいたり、日本中央の大山系（すなわち東山道諸国の中央に重畳《ちょうじょう》せる山系）に撞撃《とうげき》するや、水蒸気はここに凝結して霜となり、氷となり、霰《あられ》となり、雪となり、山道諸国を充塞《じゅうそく》するも、四月春気ようやく発し、

はるはいまかすみぞわたる最上《もがみ》川　　昊　氏
滝のこほりもとけやそむらむ

の候にいたるや、あたかも側金盞花《ふくじゅそう》は陽皇の正使として、南谿《なんけい》消氷雪の下、まず咲いて来り、ついで赤楊《はんのき》は流れそむる澗水《かんすい》の上、副使としてその叢生《そうせい》花を示す。すでにして温度とみに高昇、雪にわかに解け、

ゆき解けや鴨《かも》も首ふる最上川　　素《そ》　盈《えい》

の候となるや、石楠《しゃくなげ》、梅、桃、桜、李《すもも》、梨《なし》、杏《あんず》、カツラ、玉蘭《はくもくれん》、木蘭《しもくれん》、辛夷《こぶし》、一時に競発し、紅なるもの、白なるもの、黄なるもの、紫なるもの、円きもの、細きもの、珠玉のごときもの、体式雷同せず、あるいは火山下に倚《よ》り、あるいは花崗岩《かこうがん》の懸崖《けんがい》に臨み、あるいは桟橋《さんきょう》に沿いて潭水《たんすい》を探り、あるいは嶺上《れいじょう》の茅店《ぼうてん》を環《めぐ》り、あるいは故関の曙色《しょしょく》に開く、葛《かつ》因是、句あり「梅桃杏《あんず》李《すもも》次第無し。二十四番一時の風」と、このごときの景象南方人士のみるあたわざるところ。けだし山道各地百花の一時に競発するは、冬季中蕾芽《らいが》の多量の水蒸気に涵養《かんよう》せられ、

内心鬱勃《うつぼつ》、春来温度の激昂に刺激せられすなわち発奮するによる。試みに東山道各地と、東海道各地と冬季中の湿度および春来温度の変化を比較せんか。

	地名	北緯（度、分）	海抜（尺）	湿度（一〇〇をもって飽和とす）十二月	一月	二月	三月	平均	温度（摂氏）一月	二月	三月	四月	五月	六月
東山道	岐阜	三五、二七	四九、五	八〇	七七	七二	七二	七五、三	二、五	三、四	六、九	一三、七	一六、九	二一、三
	長野	三六、四〇	一三八七、三	七九	八四	七八	七三	七八、五	零下二、二	零下〇、一	四、四	九、八	一四、五	一九、二
	宇都宮	三六、三四	四二三、五	七四	六九	六六	七二	七〇、三	零下〇、四	一、八	六、八	一〇、一	一六、七	一八、九
	福島	三七、四五	二〇四、六	七七	七九	七六	七五	七六、八	〇、四	一、五	六、一	一一、〇	一五、一	一九、〇
	石巻	三八、二六	一四七、八	七九	八二	八〇	七五	七九、〇	零下〇、八	〇、一	四、五	九、一	一三、六	一六、九
	宮古	三九、三八	一〇〇、三	七一	七一	七三	七三	七三、〇	零下一、二	零下〇、六	二、六	七、七	一一、七	一五、一
	青森	四〇、五一	一四、二	七九	八一	七九	七六	七八、八	零下三、一	零下二、六	〇、八	六、七	一一、三	一五、八
	山形	三八、一四	五〇一、三	八四	八七	八三	七六	八二、五	零下二、〇	零下〇、九	四、三	九、四	一五、一	一八、七
	秋田	三九、四三	三三、七	八四	八四	八二	七八	八一、五	零下一、九	零下一、六	二、三	八、一	一二、九	一七、五
東海道	津	三四、四三	八六、一	七三	六六	七二	七二	七〇、八	三、九	五、六	八、四	一三、二	一七、五	二一、〇
	名古屋	三五、一〇	五〇、二	七五	七三	六九	六九	七一、五	二、〇	三、九	八、四	一二、九	一八、六	二〇、九
	浜松	三四、四三	九一、四	六八	六四	六二	六七	六五、三	四、四	四、九	八、二	一三、五	一七、〇	二〇、八
	沼津	三五、〇六	三三、七	六九	六六	六七	七〇	六八、〇	四、八	五、一	八、五	一三、四	一六、八	二〇、七
	東京	三五、四一	六九、三	六九	六六	六七	七〇	六八、〇	二、六	三、五	七、〇	一二、二	一六、五	二〇、三
	銚子	三五、四四	九、二	七三	六八	六八	七二	七〇、三	五、二	六、〇	九、七	一三、六	一六、九	二〇、〇

山道の各地、冬季中、水蒸気の多量なる、春来温度の変化劇烈なるこのごとし。百花の一時に競発するもとより然り。山道、奥羽の人、満眸《まんぼう》白雪を看熟《かんじゅく》する十旬、しこうしてたちまち春色の燦爛《きんらん》たるに会う、その特に春を激賞する故なしとせんや。

（三）東海道の水蒸気（初夏）

東京城中の春光まさに尽く。あたかもインド洋上の季候風はこの時より北進し来り、その感化として眼前の風物はまさにこれ

浅茅原上雨濛濛。　浅茅原《あさじがはら》の上　雨　濛々《もうもう》たり。
班女廟前草接空。　班女《はんじょ》の廟前《びょうぜん》　草　空に接す。
杜宇声々啼不歇。　杜《と》宇《う》　声々　啼《な》いて歇《や》まず。
鏡池一面落花風。　鏡池一面　落花の風。
亀田《かめだ》鵬斎《ほうさい》

のごときあり。すでにして藤花、燕子花《かきつばた》おわる。すなわち去りて東海道に上らんか、六郷《ごう》、鶴見河畔、沖積層《ちゅうせきそう》平地十里、季候風北進の感化はいよいよ顕著に、梅雨冥々《めいめい》、河水平常よりたかまること数尺、分流して諸溝渠《こうきょ》に入り、その声湯々《とうとう》、新秧《しんおう》勃然《ぼつぜん》、鮮緑《せんりょく》満目。けだし日本

をして米産国たらしめたるもの全然季候風の感化（梅雨および温度の高昇）による。ようやく大磯にいたる、高麗山、途に当たる、喬木《きょうぼく》暢茂《ちょうも》、蒼翠《そうすい》秀潤滴《したた》れんとす、想う大磯の地、海岸をへだたる三、五町にして山脈逶迤《いい》す、万頃《ばんけい》の太平洋面より発上する水蒸気は、東南風と共にこの山脈に撞撃《とうげき》し、山脈以南一帯のところに英々浮動す、高麗山はこれに潤沢《じゅんたく》せらるるが上に、古来高麗《こま》神社の霊場として樹木の伐採を禁ず、その喬木の暢茂《ちょうも》して蒼翠《そうすい》秀潤滴《したた》れんとするもの故なしとせず。けだし日本国植物の蒼翠《そうすい》秀潤なるは、実に水蒸気多量の感化による、加うるに神社、仏閣の樹木は、古来伐採を禁止せるをもって、いよいよますます暢茂《ちょうも》し、自ら山林保護法を実際に励行し来る、神社、仏閣の樹木伐採禁止の効能は冥々《めいめい》なるがごときも実ははなはだ顕著。国府津《こうず》にいたる、駅背《えきはい》なる丘陵の南面いたるところ柑《かん》を植う、花まさに乱発、半丘みな雪、けだし柑はもと熱帯植物、しかもよくこの間に繁生し、ここより南方一帯伊豆《いず》半島、紀南半島ひとしくその名産をもって鳴るは、実に水蒸気の多量なると、地勢南方に斗出《としゅつ》するが上に、温暖海流（黒潮）の近岸を流駛《りゅうし》するの三感化による。沿道の石材、たいがいは安山岩、凝灰岩《ぎょうかいがん》を用う（いわゆる「相模《さがみ》石」、「伊豆《いず》石」。この岩アジア大陸に多く見ず）、これもと多孔なるもの、すなわち水蒸気の潤沢により、苺苔《ばいたい》これを蒸し、蘿葛《らかつ》これをまとい、千歳《ざい》の下、古城断礎《だんそ》の間、将軍の碑《ひ》を読むに当たり、土花寸々、人をして懐古の情に禁《た》えざらしむ。小田原を去り、函嶺《はこね》に入る、地質とみに激変、沖積層および第三紀層この所に尽きて、新火山岩のみ累積《るいせき》す、草樹鬱葱《うつそう》、またこれ水蒸気の多量なると、黴敗《ばいはい》せる新火山岩のことに肥沃《ひよく》なるをもっての故。山嶺《さんれい》を下らんか、駿河《するが》の平野たちまち開展し、早くみる幾群の村娘は歌を和して新茶を採ることを。茶もと熱帯植物、しかもその日本の最主産物と化成せるは、気候の比較的に温暖なると、地味のこれが発育に順適するによるといえども、また水蒸気多量の感化最もあずかるところ。富士山一万二千余尺この間に聳立《しょうりつ》す、東海より東南風の吹き携える水蒸気は、寒冽《かんれつ》なる山巓《さんてん》の空気と撞撃《とうげき》し、宛《えん》として白綿を曳《ひ》くに似、しこうして晨夕《しんせき》空気の運動静穏となるや、この綿に似たる白雲はようやく下降して山腹以下に繚繞《りょうじょう》するをみる、その

　心あての雲間はなをもふもとにて

　　おもはぬ空にはるるふじのね　　　　大菅中養父《なかやぶ》

のごとく、晨夕《しんせき》行客の富士山巓《さんてん》を白雲の上に仰望するはこの故、もしそれ日光これを射らんか、濃紅淡紫、千変万幻、けだし画師の最も太悟すべきところ。富士、大井、天竜の諸江を渡る、諸江ひとしく源を、日本中央の大山系に発す、大山系もと高崇《こうそう》、ゆえに所在の空気は寒冽《かんれつ》にして蒸発力はために遅緩《ちかん》に、加うるに冬間堆積《たいせき》せる氷雪は夏季にいたり漸次に融消《ゆうしょう》するをもって、源水はなはだ多量、これ富士、大井、天龍諸江の激烈なるにも関せず、夏に入りてよく流水の滾々《こんこん》たる所因。次いで遠江《とおとうみ》、参河《みかわ》、尾張《おわり》、伊勢《いせ》、近江《おうみ》の諸州を過ぐ。沿道の

濤声《とうせい》（遠州洋の）、機声《きせい》（参《み》河《かわ》木綿《もめん》を織る）、鶏声《けいせい》（尾《お》張《わり》熱田《あつた》神社の）、漁歌の声（伊勢海の）、児童読書の声（近江《おうみ》村邑《そんゆう》の）、みな水蒸気多量の感化により、聞き得たりことにその音響の分明なるを。行々《ゆきゆき》ついに旧都に入る。

（四）山陰道、北陸道の水蒸気（夏）

山陰、北陸の各地、冬季中、アジア大陸よりの西北風は日本海を経、海の水蒸気を拉《らっ》して吹きいたり、日本中央の大山系に撞撃《とうげき》し、ここに凝結《ぎょうけつ》するをもって、水蒸気多量に、氷雪四境を充塞《じゅうさい》す、しかも夏季はこれと全然相異なり太平洋岸（東海道等）は、インド洋上なる季候風に感化せられたために湿潤多雨となるも、日本海岸（山陰道、北陸道等）は、この感化を享《う》くること些少《さしょう》に、山陰道の初夏早くすでに

郭公《ほととぎす》こえ晴れ〳〵しいつも山　出雲山　寛之《ひろゆき》

の象あり。いよいよ夏に入りて晴雨計の昇降ますます些少に、空気乾燥にして天候齊整《せいせい》、日本海は波穏やかにして鏡面のごとく、ただ朝暮陸風海風の規律正しく交《かわ》る交《がわ》る吹き来りて雪のごとき蕎麦《そば》の花を揺曳《ようえい》するのみ。しかれども冬間における水蒸気多量の現象は隆夏にいたるも歴々とし、大山《だいせん》（伯耆《ほうき》富士）峰頂の谿間《けいかん》時に残雪をみ、人をしてうたた

伯耆《ほうき》富士松江の夏に蓋《ふた》すなり　松江　三《み》千《ち》風《かぜ》

の感あらしむ。

北陸道に入る、金沢の市上、南に白山の雪色を望み、街頭児童の笹が枝に雪を包みて「白山の雪々々々」と喚《よ》ぶを聞く、声々清涼滴《したた》れんとす、いずくんぞ知らん、その「松江の夏に蓋《ふた》す」るの冷気、笹《ささ》が枝内一掬《きく》の雪、まさにアジア大陸より西北風の冬間拉し来れる水蒸気の変形なるを。越中に入り、神通《じんつう》川を渡る、水量漾々《ようよう》、鱒《ます》魚潑剌《はつらつ》、これ南方連岳の峰頂より解け去りたる雪水による、またアジア大陸より西北風の拉《らつ》し来れる水蒸気の変形。神通河畔《かはん》、剣《つるぎ》岳、後立山、立山、赤鬼ケ岳、鑓《やり》ケ岳（山の各名称すでに円錐《えんすい》形の兀立《ごつりつ》するを示す、おのずから火山的のもの）を仰ぎ望まんか、稜々《りょうりょう》たる峰頂ひとしく白雪を冠むり、真にこれ

たち山にふりおける雪をとこ夏に　池主
みれどもあかずかむがらならじ

玉山壁立撫青空。　玉山　壁立して　青空を撫《ぶ》し、
鉄鎖援雲摩月宮。　鉄鎖　雲を援《ひ》いて　月宮に摩《せま》る。
晩嚼会仙壇畔雪。　晩嚼《ばんしゃく》す　会山壇の畔《ほとり》の雪、
朗吟飛下北溟風。　朗吟す　飛下　北溟《ほくめい》の風。

立山　亀田鵬斎

榛名《はるな》山葛籠《つづら》岩《いわ》（雅称「九折岩《つづらおりいわ》」上野国西群馬郡榛名山神社入り口の左側（南行）にあり） 渓水、雨、霜、氷、雪、大気、風の火山岩を浸食して化成す

泥　柱（越前国坂井郡浜坂浦）　柱の高さ五十尺余　水分、海風、海風の携帯せる水蒸気、その他内部外部諸般の浸食によりついにこの譎怪《けつかい》なる柱を削出《さくしゆつ》す

針木嶺《はりのきれい》の山道、登ること千八百メートル（海抜）、隆夏実に雪を蹈《ふ》む、登ることさらに八百メートル（海抜）、嶺頂《れいちょう》に達し、脚を雪上に停めて南望せんか、八ケ岳《やつたけ》、駒ケ岳《こまたけ》（信濃《しなの》）の間、あたかも富士の芙蓉《ふよう》八朶《だ》を認む、真個に一幅の油画、画師の品題に入る至妙のところ（第百一ページと参照すべし）。けだし日本中央の大山系や、冬間水蒸気の多量により、氷雪満積、しこうして隆夏その一たび融消せしもの、今少しく寒冷なる温度に遭遇せば、さらに凍氷《とうひょう》していわゆる「氷田《グレシャー》」を化成せしや必然、ただ温度の少しく高きがためについにここにいたらず、日本に「氷田」をみるべからざるははなはだ遺憾、しかれどもすでに榕樹《ようじゅ》、椰樹《やじゅ》を見、かねてまた「氷田」をみんとす、これ貪欲饜《あ》くを知らざるもの、すでに隆夏針木嶺上二里四方の雪田をみ、また嶺の谿間《けいかん》に「氷河」をみる、またもって「氷田」の看を傚して可。

これを要するに

あら世話し花見る中へ越の夏　　不《ふ》筌《せん》

の句、日本海岸における夏季の来状の全班を蔽《おお》う、十七字、まさに百巻の地文学者、万千の気象的材料にまさる。

（五）　紀南半島、四国の南半、九州の水蒸気（秋）

あき風の骨見付けたる鳴門《なると》哉　百和

と、秋風早く鳴門海に吹きいたるや、紀南の大半島はたちまちにして黄金世界と化成し、玉柑累々《ぎょくかんるいるい》、けだし太平洋より吹きいたる水蒸気の紀州山系一帯に撞撃《とうげき》して凝結し、西方、南方一面を雲包霧《む》裹《か》すると、温暖海流（黒潮）の近洋に流駛《りゅうし》すると、地形南方に斗出《としゅつ》して気候の特に温暖なると、この三の者実に「沖の暗いのに白帆が見ゆるアレハ紀の国蜜柑《みかん》船」（なんらの詩趣なんらの活画図、神韻《しんいん》千古）の句あらしむる所因。

四国の南半（土佐全国、阿波《あわ》の一部）も、また太平洋より吹きいたる水蒸気の四国中央の山系に撞撃《とうげき》して凝結することとなれば、北半（阿波《あわ》の大半、讃岐《さぬき》、伊予《いよ》の大半）と全然気象を相異にし、天候多雨、熱帯植物よく暢茂《ちょうも》し、一般植物もまた欝葱《うっそう》す。もしそれ秋風一陣九十九里湾に入るや、たとえ秋山は春山に似ず一般に明浄拭《めいじょうぬぐ》うがごとく、秋江は水涸《か》れ砂長きものなるも、しかも四国の南半は日本国中にて最も水蒸気多量のところ、その現象は躍如《やくじょ》として一景一境に代表せられ、阿土二国の境界なる魚梁瀬《やなせ》山脈は白雲縹渺《ひょうびょう》として背腹を捲《ま》き、かの一代の英物たる野中兼山《のなかけんざん》が心血を濺《そそ》ぎて鑿通《さくつう》せし各処の溝渠《こうきょ》運河は水量ことに多々に、紙、鰹節《かつおぶし》、煙草《たばこ》を搭載《とうさい》せる小艇絶えず上下相来往し、四万十《しまんと》川（一名渡川）は汪々《おうおう》として湖水のごとく、幅あるいは二十町、深さときに十尋《ひろ》、中に白渚青嶼《はくしょせいしょ》ありて、煙霧香溟《こうめい》、岸を隔つるの人家隠見出没の間にあり、想う四国の南半益大のところにこの湖様の大江ある、実に所在水蒸気の多量に源因し、いわゆる「四万十《しまんと》」条の溪水《けいすい》（造大にもせよ）合流するをもってなり。

秋すでに四国に来る、九州あに動かざらんや、一朝

彦の岳や色なき風もけさの秋　彦山　三千風

にいたり、岳下の耶馬溪《やばけい》（原名山国《やまくに》）は

肌《はだ》入れた羅《ら》漢《かん》もありてけさの秋　耶馬溪羅漢寺　涼《りょう》袋《たい》

となり、涼気すでに紫海に横たわりて、

西肥城郭古諸侯。　西肥の城郭　古の諸侯《しょこう》、
満目人煙接地浮。　満目の人煙　地に接して浮く。
紫海潮声高永夜。　紫海の潮声　永夜に高く、
天山雪色入深秋。　天山の雪色　深秋に入る。
白沙衰艸行臨野。　白沙　衰艸《すいそう》　行きて野に臨み、
落日涼風独倚楼。　落日　涼風　独り楼に倚《よ》る。
十歳竜鍾書剣客。　十歳　竜鍾《りょうしょう》　剣客を書し、
追懐往事不勝愁。　往事を追懐して　愁いに勝《た》えず。

佐賀　古賀穀堂

の候に入るや、ひとり西肥のみならず、「銀杏《ぎんなん》天を挿《さしはさ》みて故国を知る」という阿虎《あこ》の故城（熊本城雅名「銀杏城」）に公孫樹《いちょう》黄金を布《し》き、筑前、筑後の江堤に櫨紅錦《はぜこうきん》を曝《くゆ》らし（櫨は九州の秋を代表す）、日向《ひゅうが》の連山に柯樹《しいのき》黄ばみて、薩摩の火山岩上に柿、桃葉衛予《まゆみ》色を染む、栗、ドウダンツツジ、ナラ、桜桃《さくら》、南燭樹《なんてん》、山毛欅《ぶな》、槲《かしわ》、地錦《つた》、またひとしく葉を染め来り、柑類また累々《るいるい》、紅色、黄色、黄丹色、黄金色、白銀色は、濃淡深浅、樟《くす》、棕櫚《しゅろ》、竹、鳳尾松《そてつ》の鮮緑色とその間に錯繡《さくしゅう》し、秋雨瀟々《しょうしょう》のとき、これを眺観せば、さらに一層々の彩色を添う。

海外の人の談たまたま秋間彩色の多種多様なることに及ぶや、すなわち北アメリカ北部の森林を説き、かつドイツの山中における槲《かしわ》属植物の黄葉を艶称す、しかもその種類きわめて些《さ》少《しょう》、もとより槲《かしわ》、オオカシ、血櫧《あかがし》、麪櫧《しらかし》、ウラジロカシ、石櫧《いちいがし》、アラカシ、チリメンガシ、ホソバガシ、ヒリュウガシ、ヤナギガシ、ハゴロモガシワ、枹《こなら》、オオナラ、ミズナラ、柯樹《しいのき》、サツマシイ、櫟《くぬぎ》、アベマキなる十七種二変種の槲《かしわ》属がいっせいに黄葉する日本の秋色と比観すべきにあらず。むべなり欧米の秋色をいうもの、一たび日本の秋をみるや、たちまちにして憮然《ぶぜん》自失すること、宛然一千四百余の彩色を所有して宇内《うだい》第一と誇揚せるドイツの一染工場主をして、二千の彩色を所有せる日本京都の川島氏に会せしむと一般。すでにして

やつしろや蜜柑の秋も今三日　八代　支《し》考《こう》

となり、秋やようやく九州を払い去る。

（六）北海道の水蒸気（冬）

西北風、アジア大陸より日本海を経、海の水蒸気を拉《らっ》して吹き来り、北海道中央の大山系に撞撃《とうげき》するや、たちまち凝結して雪意ようやく動き、九月下旬、凍雨霏々《ひひ》、木葉まさに飛びて林梢蕭疎《りんしょうしょうそ》、石狩岳上早く白縞《しろしま》を被《おお》うるをみ、十月中旬、札幌市西の手稲《ていね》山上雪すでに下り、十二月下旬以降、玉屑淅瀝《ぎょくせつせきれき》、ことごとく石狩の平野を蔽《おお》う。この際淡墨色の同雲空に連なり、天色糢糊《もこ》、たちまちにして雪を下すものは西北風の日本海上なる水蒸気を拉しいたりたるがためのみ。雪すでに石狩の平野に下る、橇《そり》車三々五々陸続《りくぞく》来往す、これ奇観、しかも奇観中の最奇観は実に原人時代の山林中に雪の満積せるところこれなり。想い起こす、混茫《こんぼう》一白、楡《にれ》樹樹枝玉をかけ、その間蝦夷松《えぞまつ》、棋楠《おんこ》の聳立《しょうりつ》して皎光翠色《こうこうすいしょく》相点綴《てんてつ》するところ、両群の鴻雁《こうがん》同雲を度《わた》りて、一驀《ばく》の天風ときに氷海を剪《き》りて来る、北方豪健の象歴々《れきれき》眼にあり、真個に文人、画師の気局を恢弘《かいこう》するに足るところ。東海岸にいたりては、寒冷海流北極圏より来り、三冬の間、海上一面に氷封し去る。けだし水は凍氷のさい容量の百分の七増殖するをもって、氷のますます張り詰むるや、ついに亀裂《きれつ》を生ず（信濃《しなの》諏訪《すわ》湖の氷封する間、諏訪《すわ》明神《みょうじん》の狐の「神渡り」とて氷面に一条の大割線を生ずるや、爾後《じご》人馬の安慮して氷上を渡過するもこの理と一。氷厚さ四寸よく騎兵隊を渡らしめ得）、ここにおいてか人馬その上を渡り、かつコマイ魚釣り（コマイ魚は冬間根室《ねむろ》湾中に群游す、氷に小穴を穿《うが》ちて海水まで貫き、鉤《はり》をこの中より垂るれば、すなわち餌《え》にかかりて多く獲《う》。冬間諏訪湖の氷上、「氷引き」とて漁人の鯉、鮒《ふな》、鯰《なまず》魚、アカウオを釣るもこれと同一趣向）の小屋氷上いたるところに点散す、これ南方人士のみるあたわざるところ、また一奇観。

（七）　山陽道、四国の北半

日本国に水蒸気の多量なる、これその江山《こうざん》を洵美《じゅんび》ならしむる所因、しかも水蒸気の多量なるところのみとせんか、景物一様、ときにあるいは遺憾あり。この間にさいし山陽道、四国の北半は、北は中国の中央を横絶する山系により、アジア大陸より日本海を経吹到《すいとう》せる水蒸気を遮断《しゃだん》し、南は四国の中央を横絶する山系に頼り、太平洋より吹到《すいとう》せる水蒸気を障屏《しょうへい》す、これをもって空気特に乾燥、天色海光うたた朗らかに。

　うみすゞし百八灯の星のかげ　厳島《いつくしま》　　不言《ふげん》

の象あり。潮水もまた空気の乾燥なるがゆえに蒸発劇甚《げきじん》、ために塩分を含有すること多量、これ山陽道、四国の北半に製塩業の盛んなる所因。その磯《そ》馴《なれ》松《まつ》の陰、塩焼く賤《しず》が苫屋《とまや》より煙

石見の海岸および鶴島

（石見国浜田湾）

海水の浸食せる巉巌《ざんがん》の上に亭々たる松樹兀立《ごつりつ》す

岩尾の滝

(周防《すおう》国玖珂《くが》郡神代村岩尾にあり　山陽鉄道神代停車場の側)
瀉《しゃ》下する五十尺、中間に巉巌突如と出ずるをもって、水勢ここに挫折したために撒下《さんか》六坪にわたるもまた瀑淵きわめて浅し傍近山岳連なりしかも海をへだたるわずかに五町、山上瀬々の内海の佳観を望むの高く颺《あが》りていっそうの歌趣を添うもの、また空気の乾燥なるに因る。

これを要するに、いたるところ水蒸気多量なるの間、この一部分の乾燥なる箇所を遺す、乾湿相待ちて日本国の景象かえって大観を加う、天の日本を恵する大また妙。

水蒸気多量の現象、その痛奇なるものは、

（八）迷景

にしていわゆる「蜃気楼《しんきろう》」なるものこれ。古来これを記するもの、その間妄誕《もうたん》の理屈を存するも、現象の実際をいうところにいたりては取るべきもの多し、いわく、

初は幕を引るがごとくなりしがしばらく見る間に城廓のごとく矢倉《やぐら》高塀《たかへい》やうのものも見え矢間《やざま》などのごときものも見えしか又暫する間に松原の如く絵に書る天《あま》の橋立《はしだて》などの様に見えし夕暮に及ひ風少し出たれば漸々《ようよう》に消失《きえうせ》て跡かたもなくなりしなり富山よりは纔《わづか》に六里を隔てたる所なれば城下の人々皆見物したく思へども何時に結ぶもしれがたく又むすひたる時急に人して告《つげ》しらすには其間には消失て見るべからず此ゆゑに魚津《うおづ》近所の海辺の人は例年見る事なれど二三里を隔てたる地方の人は一生涯つひに見ざる人多し余か越中《えっちゅう》にありし時も三四月の間を魚津に逗留《とうりゅう》して蜃楼《しんろう》を見るべしと人々にすすめられ余も

亦年頃の望なりしかど富山にありし比《ころ》は正月二月なればそれより三四月まで越中に逗留せん事あまり永々《ながなが》しければ残念なりしかども見ずして越後にこえたり越後の糸魚川《いといがわ》にて松山茂叔に此事を語りしに此人も糸魚川の海中遙《はるか》に山の出来たるを見たり漁人《ぎょじん》のいひしはこれは塩山《えんざん》といふものにて折々見ることなりといひしと語られき余初め唐人《とうひと》の作れる詩抔《など》を見て思ひしは蜃楼は大洋にある事にて陸地近き入り海にはなきことのやうに心得しが魚津の地理を見るに左にはあらず魚津は北海に臨める地なるに向ふの方七八里と思ふ程に能登《のと》国の山を屏風《ひょうぶ》のごとくに見る魚津の海は東よりの入海なり海中より蒸登る陽気向ふの山に映じて色々の形を見る也向ふに当なく数百千里見はらしたる大海にては陽気のぼるといへども向ふの当無れば映ずることなくして人の目に見えかたしとそ覚ゆ伊勢の桑名《くわな》の海にも三十年五十年の内にはたま／＼蜃楼を結ふ事ありといふ是も向ふに尾張《おわり》三河の山を受てあるゆゑなるべし又安芸《あき》国にてもたま／＼は有りと云是も向ふに山あり（東遊記）

魚津の所在たる富山湾は、山岳をもって囲繞《いじょう》し特に東南には氷雪を堆積《たいせき》せる立山《たてやま》の連山ありその峰頂より吹き下ろせる風は湾の水面を吹き回り、水面上の空気を上層より数等寒冷ならしめ、空気の密薄を下層と上層とことに差違《さい》せしむ、この時に当たり太陽の光線魚津より映ずるものは、これと直ちに対岸せる能登半島の連山の東側南側に反射し、たまたま空気の密薄劇甚《げきじん》なるに逢遇して屈折《くっせつ》し、つい

に迷景を生ずるものとす、南谿（『東遊記』の著者）の紀するところ信然々々

伊勢国四日市の海面を那古浦といふ（中略）此浦より春夏のあいだ蜃楼海上にたつ諺《ことわざ》に云伊勢太神宮尾の熱田《あつた》宮へ神幸あるといふ其形鳳輿《ほうよ》行幸旌蓋《せいがい》前後にあり又は諸侯《しょこう》行列の体又は楼台宮殿の相鮮かに見へて漁人時々見る事あり忽須臾《しゅゆ》のあいだに消え〱となる又尾州鳴海《なるみ》の浦などにも春の頃見ゆると也又西国北国などにもあり按《あんず》るに潮水の気陽精に乗じて立昇るなり陽炎《かげろう》の類にやあらん（東海道名所図会）

那古浦蜃楼記

静者天地之質也。動者天地之気也。質者姑不論焉。夫一気之運動転旋也。含気者皆与焉。神仙人霊禽獣鱗虫。有逍遙者。有苦労者。有顕見者。有隠匿者。彼此万態。皆一気哉。吾郷四日市駅之為地也。在勢湾北畔。而遠望東南数十里。面于大洋海門矣。是海門也。南界勢之熊岳。北則尾州海嶠也。其間亦数十里。有鼈洲及小洲数処。点々如盆池設石然。吾郷所望不能挹取其微而已。春夏之交。数月中一日。晴霄和気。雲静風収将雨之前。自熊岳至尾之嶠。忽爾烟靄靉靆。失海門所在。而地如連接。靄上有物。如雲烟変態。或台閣。或門闕前有干旄。後有輦路。行伍排列森森孑孑。奇観不可説也。須臾湮滅。而山海

景象復平常矣。其顕見也。発南。而移転。而失北。古今不違。歳率五七回。若二三回。或不見焉。不過吾郷畔数千歩。盖所以為吾郷名勝也。土人伝道。二所皇太神廟遊幸于尾之熱田神廟也。博物者云。勢湾之北畔。産蜃也尚矣。盖以為其所吐也。嗚呼神霊之遊幸也。蜃之吐気也。天理不可窮。神慮不可測。若夫天地間之一気。運動転旋。為奇観為名勝者非邪（下略）

寛政七年乙卯夏五月　　勢州四日市駅庁馬曹　西村貞　節《せつ》甫《ほ》

（静なる者は天地の質なり。動なる者は天地の気なり。質なる者は姑《しばら》くは論ぜず。夫《それ》一気の運動転旋するや、気を含む者　皆な焉《これ》と与《とも》にす。神仙、人霊、禽獣《きんじゆう》、鱗虫《りんちゆう》に、逍遙する者有り、苦労する者有り、顕見《けんけん》する者有り、隠匿《いんとく》する者有り。彼此《ひし》万態にして、皆一気なるかな。吾が郷の四日市駅の地為《た》るや、勢湾の北畔に在りて、遠く東南数十里を望めば、大洋の海門に面す。是の海門や、南界は勢の熊岳、北は則ち尾州の海嶠《かいきよう》なり。其の間また数十里。鼈《べつ》洲及び小洲の数処有り。点々として盆池に石を設けるが如く然り。吾が郷望む所　其の微を挹取《ゆうしゆ》する能わざるのみ。春夏の交、数月中の一日、晴霄《せいしよう》和気あり。雲静かに　風収まり　将《まさ》に雨ふらんとするの前、熊岳より尾《び》の嶠《きよう》に至る。忽爾《こつじ》にして烟靄《えんあい》　靉靆《あいたい》たり。海門の在る所を失いて、地は連接するが如し。靄《あい》の上に物有り、雲烟《うんえん》の変態するが如し。或いは台閣《たいかく》、或いは門闕《もんけつ》。前に干旄《かんぼう》有り、後に輦路《れんろ》有り。行伍の排列、森森孑孑《げつげつ》にして、奇観説く可からず。須臾《しゅゆ》にして湮滅《いんめつ》し、山海の景象復《ま》た平常たり。其の顕見するや、南より発して移転し、北に失す。古今違《たが》わず。歳に率《おおむ》ね五七回あり。二三回の若《ごと》きは、或いは見えず。吾が郷の畔より数千歩に過ぎず。蓋《けだ》し吾が郷の名勝と為す所以なり。土人伝道す、二所の皇太神廟《こうたいしんびょう》尾の熱田神廟に遊幸《ゆうこう》するなりと。博物なる者云う、勢湾の北畔、蜃《しん》を産むや尚《ひさ》し、蓋し以て其の吐《は》く所と為すなり、と。嗚呼《ああ》神霊の遊幸するや、蜃の気を吐くや、天理窮《きわ》む可からず、神慮測る可からず。若《も》し夫《そ》れ天地間の一気、運動転旋すれば、奇観と為り名勝と為るは非なるか。〔下略〕

のごときこれなり、これ「神霊之遊幸《しんれいのゆうこう》」にあらず、「蜃之吐気《しんのとき》」にあらず、水蒸気と太陽の光線とに交渉せる一現象のみ、日本人幸いに水蒸気の多量、岬湾《こうわん》の出入多々、高山の海岸を囲繞《いじょう》せる国土にあるをもって多くこれに逢遇《ほうぐう》す。

以上水蒸気多量の感化するところ、佳なるもの奇なるものにとどまる、しかれどもその日本国の現象に感化する、あに単に佳なるもの、奇なるものにとどまらんや、豪放の特に豪放、跌宕《てっとう》のもっとも跌宕なるものにいたりては、実に

（九）颶《ぐ》颱《たい》

これなりとす。これ秋間九月、十月、インド洋上季候風の南退するにあたり、気象とみに激変し、ために太平洋上（特に薩南《さつなん》列島、沖縄列島の間）に起こるもの。曲亭《きょくてい》馬琴《ばきん》は近代の俊髦《しゅんぼう》、その著《あらわ》せる小説、些事《さじ》といえどもいやしくもせず、資《よ》るところの材料ことごとく拠《よ》るあり、みな知者に斟《しゃく》してしこうして後執筆す、今『椿説《ちんぜい》弓張月《ゆみはりずき》』中掲ぐるところの沖縄海上颶颱《ぐたい》の紀事を閲了《えつりょう》するに、荒天の前における快晴、水蒸気の糢糊《もこ》荒天の予兆《よちょう》として交鰩魚《とびのうお》の飛揚《ひよう》、海蛇《くらげ》の浮出、みな実境に逢遇せしものに拠るにあらずんば知るべからざるところ、その間荒唐《こうとう》の言辞もまたありといえども、叙事至緻《しち》至密、実境躍如《やくじょ》、取るべきものはなはだ多し、加うるに文字踔厲《たくれい》跌宕《てっとう》すなわち抜粋して鄙筆《ひひつ》に代えんか。

この日天よく晴て一点の雲なく渺々《びょうびょう》たる洋中波静にして順風に真帆揚《あげ》たるに日ははや入はてゝ月は海よりさし昇り頃しも秋の最中なれば金波笘《とま》を漏《も》り玉兎《ぎょくと》浪を走り汐風《しおかぜ》いとゞ冷やかなりかくて暁方《あけがた》ちかくなるまゝに霧いとふかくたちこめて咫尺《しせき》の間も見わきがたく船は潮に引れけん午の比《ころ》及に霧は霽《は》たれど何処《どこ》の澳《おき》とも思ひわかず時に魚ありその状鯉《こい》の如くにして鳥の翼あり蒼文白首嘴《そうぶんはくしゅくちばし》赤く其音鸞雞《らんけい》に似て波の上に群《むらが》り飛ぶことといく

ばくといふをしらず且《しばら》して水面穢《けが》れ泡だちて米糟《こめぬか》を散せるごとく夥《あまた》の海蛇《くらげ》浮出て船の左右に充満たりこれたゞ事にあらずとて衆皆面をあはしつゝ思ひ惑《まどわ》さるものなし当下為朝《ためとも》は水と天との景迹《けいせき》に目をつけて大に驚き白縫姫《しらぬひ》に宣《のたま》ふやうわれ西国に成長し又伊豆の島島に十年の春秋をおくりしかば渡海の風信自然にくはし大約南海は三月清明のゝち地気南より北にゆくこゝをもて南風を常とす又九月霜降の後地気北より南にゆくこゝをもて北風を常とすもしその例に反《そむく》ときは風の怒らざることなしそれ大風烈しきを颶《ぐ》といふ又甚しきを颱《たい》と称《とな》ふ颶は常に驟《しゅう》に起り颱は漸《ようやく》ありて来たる颶は瞬《しゅん》のうちに発《おこ》りて倏《すみやか》に止み颱は一昼夜或は数日にしてなほ止まず正二三四月は颶おほし五六七八月は颱おほし渡海の船颶に遇《あう》ときはなほ脱《のが》るゝことありもし颱に遇ときは当《あたり》がたし十月以後は北風常に作《おこ》るしかれども颶颱に定期なし五六七八月は南風に颱ありその風発《おこ》らんとするときに北風まづ至り転じて東南となり又転じて南となり亦転じて西南となる颶颱のはじめて発らんとするときにまづかならず雨降るそのとき半天に一朶《だ》の雲出づまた断虹《だんこう》のごときものありこれその応なり又颱の起るときに帆《ほ》のごとき雲出づ又半天に及て稍鱟《うんきゆう》の尾に似たる雲となるはそも前象なり鱟《うんきゆう》は蟹《かに》に似て南海に生じ十二の足腹の両旁より出、眼は背の上にありてその口は胸の下にありこのもの海を過る毎に相負て背を示し風に乗じて遊行す海人これを鱟帆《うんきゆうほ》と呼ぶ其皮殻 甚《はなはだ》堅し異国の人これを冠にすといへりあれ見たまへ今も又黨《うんきゅう》に似たる雲半天にあり嘗聞《かつてきく》颱発《おこ》らんとすれば海水穢《けが》れ泡《あわ》たちて海蛇《くらげ》夥《あまた》水上に浮み文《とびの》鰩《うお》魚群り飛ぶ舵工《だこう》これを見るときはふかく怕《おそ》れ遠く慮《おもんぱか》りて帆を収め舵を厳重にしてこれを避《さけ》もし準備速ならざれば船忽《たちまち》地に傾覆《くつがえら》ざることなし今三ツの不祥悉《ことごと》く備るものどもなどて帆をおろさゞるといきまき給へば白縫姫はさらなり衆皆舌を振て驚き睇つゝ帆を引おろしさて碇《いかり》をおろさんとするに底ふかくしてその綱とゞくべうもあらざればこはいかにせんとていよゝ周章《しょうしょう》す浩処《こうしょ》に遙に後れたりける舜天丸《しゅんてんまる》の船やうやくに乗着て間ちかく艚《そう》ならべ八町礫紀平治高間太郎等舳《じく》先に蹲踞《そんきょ》し主の船に対てまうすやう今暁より狭霧《さぎり》ふかくたちこめて船のゆく所をしらず東へ赴くべき船の南へ流されたるかとおぼし加旃《これにくわえて》何となく海の気色の怪しく見え候を君にはいかにおぼしめすやらんと問を為朝見かへりて汝達がいふごとくわが船南へ漂流せしに疑ひなし故いかにとなれば文鰩魚《とびのうお》の群がり飛ぶをもて是をしれり彼《かの》魚は南海に多しおもふに薩摩潟を去ること数十里なるべし見よ半天に怪しき雲あり且水の上に海蛇《くらげ》夥《おびただ》しく出たるぞ即《すなわち》悪風起らんとするの前象なる今これを避んとするに船を入るべき湊口《そうこう》なし只手を空して死を俟《まつ》のみ薄命の係るところわれに於てせんすべをしらず今さら驚く事かはと回答給ふに件《くだん》の両人眉《まゆ》を顰《しか》めしかりと雖《いえ》ども知つゝこれを防《ぼうせ》ざるは智の足らざるに似たり船大きやかなれば風波も輙《たやす》く傾覆《くつがえ》すに至らず稚君《わかぎみ》の御船と殿の御船を繫《つなぎ》て連環し衆人力を勠《あわ》して艚《こく》ならばいかでか必死を脱れ給はざらんと信だ

ちて既に纜《ともづな》を投かけんとするを為朝急に押とゞめ汝達の言差《たが》へり親子ひとつ船にありてその厄難を等しく禀《うけ》んこと究めて宜《よろし》からずわが主従三十余人命凶なるものゝみにはあらじかの網に入る魚も十に二三は脱るゝものを抑《そもそも》為朝伊豆の大島にありしときはつちやう以下の七島に往来し早潮黒潮の灘《なだ》をすら屑《いさぎよし》とせず千里の波濤を家として一たびも大風に吹流されたる事なかりき皆是神仏の擁護《ようご》あるに似たりしかるに今華洛《からく》に推渡《おしわたつ》て君父《くんぷ》の仇たる清盛を狙撃《うた》んとするに狭霧に舵をとり惧《あやまり》て　剰《あまつさへ》風濤の難に親子主従悉く大魚の腹に葬《ほおむら》れなば天なり命なりすべて一年十二ケ月悪風の発《おこ》る日あり八月十五日を魁星颱《かいせいたい》と称す箕《き》壁翼軫《へきよくしん》の四宿はなみ風を起す事を主《つかさど》るとぞ我これをしらざるにあらずきのふ魁星颱の日期に船出して事なく今日に至て颱にあはゞとても脱《ぬけ》がたき主従が命ならずやといらへ給ふ其言いまだ訖《おわ》らず船の前後に竜あらはれて水の沸《たぎり》たつ事二三丈瞬間に風颯《さつ》と吹来る程こそあれ天驟《にわか》に結陰《けついん》大雨盆を覆《くつがえ》すがごとく降《ふり》そゝぎ四方野干玉《ぬばたま》の烏夜となりて面をあはするも迭《たがい》にその人を見ず只声をしるべとしておの〳〵罵《ののし》り励し力を戮《あわ》して艫舳《ろかい》を操《あやつ》り命かぎりに働けども風雨ます〳〵烈くて船は只管《ひたすら》に跳《おど》り繞《めぐ》り浪を打入るゝことしば〳〵なれば水を浚乾《さらいかわか》すに遑《いとま》なく衆皆瞑眩《くるめき》て撲地《ぼくち》と仆《たお》れ舜天丸の乗給へる船もいづちゆきけんおぼつかなきにありとも見へずはゝ木々は其処《そこ》かこゝかと呼び給へど絶て答るものもなく吐嗟《とき》船は目今《もつこん》傾覆《けいふくす》べう見えたりける当下《とうか》白縫は潮垂るゝ両の袖を絞あげよろめく足を

声かためて声をふりたて御曹司《おんそうし》かくては万死に一生を得がたし（中略）しかれども風雨はなほ止ずして海の鳴音凄《すさま》じく船は鞠《まり》を蹴《け》るごとく高く揚《あが》りて半天に至り或は傾きおちいりて浪よりも低く沈みもやらず浮もやらず廿余人の郎党は白縫入水し給ふといへども終に応《こたえ》なきを視て今はかうと思ひたえ舷《ふなばた》に手をかけてやうやくに身を起し吾儕《ごせい》木原山に参りつかへしより以来命は君にたてまつりぬ倐《たちまち》琴高が鯉に跨り烈子が風に御《の》るにあらずは脱れ給ふべくはおぼえず誘給へ死出の先登《せんとう》つかまつるべしといひも果ずおの〳〵刀を引抜て或はさしちがへ或は腹かき切り舷より転堕《ころげおち》て名をだにしらぬ荒海の底の水屑《すいせつ》となりにけり（下略）

水蒸気の感化、以上にとどまらず、妙に人工人作上に現象するものあり、しこうして特にその妙なるを

（十）東京における水蒸気の現象

となす。想う東京の地位たる、陽に海門を擁し、左に隅田《すみだ》の長江を控え、水蒸気多量、毎歳五月中旬より十月にいたる間、湿度常に八十度以上（一百度を飽和とす）を示し、煙霧時時冥合《めいごう》す、しかも天巧《てんこう》人作の相調和融渾《ゆうこん》して大観を表出するは実にこのときにあり。もしそ

れ暁色微茫《びぼう》、水蒸気は満天に縹緲《ひようびよう》して大海のごとく、堂塔、殿閣《でんかく》、層楼《そうろう》、その間より隠見断続し、ときに鐘声（「上野か浅草か」）殷々《いんいん》としてこの大海中より迫り来る。須臾《しゆゆ》にして曙光《しよこう》は、水蒸気の間を透し来り、宮城の粉壁まず紅を抹《まつ》するや、頃刻《けいこく》万変、三十万の人戸一時に顕現し、人をしてそぞろに蜃気楼を眺観するの感あらしめ、芙蓉《ふよう》峰万仭《ばんじん》、また莞爾《かんじ》として半空に露わる。たちまちにして煙霧また蒸上、人戸、層楼、殿閣、堂塔、一々取次《しゆじ》に大海中に没し、芙蓉《ふよう》峰また没して

霧時雨《きりしぐれ》富士をみぬ日ぞ面白き　　芭　蕉

の観を呈し去る。たちまちにして風いたり、煙霧掃《はら》われ、堂塔、殿閣、層楼、人戸、また浮かび出で、光線と水蒸気との態遇《たいぐう》により、前度とその観を改めて顕現し、芙蓉また観を改めて来り、

くも霧の暫時《ざんじ》百景つくしけり　　芭　蕉

の句を想起せしむ。すでにして夕陽西に舂《つ》き、鐘声《しようせい》あたかも前度と音響を異にしていたり、ようやくにして反照収まり、紅色黄色まさに天象を去るや、煙霧また起こり、淡紫色の水蒸気は城楼をこめ、純白色の水蒸気は澧田の江上に横たわるとみれば、卒然として煙散じ、

霧晴て不二を積けりかかり船　石川島　鷺《ろ》洲《しゆう》

の都鳥《みやこどり》と共に上下するをみる。急遽《きゆうきよ》にして水蒸気大いに湧《わ》き、空水一色、市燈《しとう》はその間よ

り明滅し、電燈の青熒《せいけい》なるものはさらに青熒《せいけい》を添う。要するに、東京における水蒸気の現象や、天巧人作《てんこうじんさく》妙に相調和融渾《ゆうこん》し、転遷《てんせん》幾回晦明《かいめい》四時、出没無窮《むきゅう》、彩色多変、太観いずくんぞここに過ぐるあらんや、だれか言う、東京は太俗のところと。

水蒸気の感化、日本の風景煥《かん》を発するの外、魁偉磊落《かいいらいらく》なるものあり、その浸食はすなわち

（十一）岩石の霉敗《ばいはい》

を誘致し、脆弱《ぜいじゃく》なる地皮は外部より洗い剝《は》がれ、かつ内部より劇しく分解せらる、しこうしてこれこのもっとも多湿なる日本に多しとす、その顕著《けんちょ》なるは、

此山のすがた世に類なき奇異のありさまなれば神霊ある事むべ也かゝる名山にかならず霊あり故に祈ればしるしありとぞしられける　秋里籬島《りとう》

という妙義山（上野《こうずけ》）これ、しかれどもいずくんぞ知らん、この「霊」なるものは、神にあらず、鬼にあらず、実に雨水、氷雪が火山岩を浸食し、表面の脆弱《ぜいじゃく》なる土壌を洗い剝《は》がし、かつ内部より劇しく分解せし結果ならんとは。五剣山（伊予）のいわゆる「五剣」もまた同一の作用により劇しく彫鏤《ちょうる》さるるところ。またかの斎藤拙堂《せつどう》をして

有揺石《ゆるぎいし》者。在大盤石上。高及人頷。可重数千鈞。以手撼之。則兀々動揺。理之不可詰者

也
（揺石《ゆるぎいし》なる者ありて、大盤石《だいばんじゃく》の上に在り。高さ人の頷《あご》に及ぶ。重さ数千鈞《きん》なる可し。手を以て之を撼《ゆす》れば、則ち兀々《ごつごつ》として動揺す。理の詰《つ》める可からざる者なり。）

と記せしめたる笠置《かさぎ》山中（山城）の揺石《ゆるぎいし》のごとき、なんぞ「理之不可詰者」（理の詰《つ》める可からざる者）あらん。けだしこの「大盤石」は花崗石、揺石もまた花崗石、その質きわめて堅硬、しこうして「大盤石」と揺石との間にある脆弱なる部分は、水分のために洗い剝《は》がれ、分解せられ、堅硬なる部分のみこれに拮抗《きっこう》して残留し得、揺石は上部大に、下部ようやく細く、しかも重力の中心外に出でず「大盤石上」に屹立《きつりつ》し「以手撼之。則兀々動揺」（手を以て之を撼《ゆす》れば、則ち兀々《ごつごつ》として動揺）するのみ、みなこれ水の作用。
もしそれ日本国にして水蒸気の多量ならざらんか、天の文、地の章、いずくんぞこの洵美《じゅんび》あらんや、この錦繡《きんしゅう》あらんや、これ大陸に棲息《せいそく》するものの多く享受するあたわざるところ、造化《ぞうか》や日本の文人、詞客、画師、彫刻家、風懐の高士に福する多し。

日本の水蒸気に関する品題

これ欧米人のその国にありてみるあたわざるところを撰択せざるべからず。

（一）こさ吹きて曇りつる蝦夷《えぞ》の春の夜の月。

（二）富士の峰尖《ほうせん》、白雲の上に露《あら》われ、太平洋の地平線上旭日《きょくじつ》まさに昇り、この白雲を下層より黄金色、黄丹色、紅色、紫色と漸次に抹《まつ》し来る。

（三）お富士さん霞のころもぬがしやんせ
　　　雪のはだへが見たうござんす　　蜀山人《しょくさんじん》

（四）峰腰（富士）一片雲。　峰腰《ほうよう》（富士）一片の雲。
散作千山雨。　　散じて千山の雨を作る。　　茶　山

（五）半空湧出両浮図。　半空に湧出《ようしゅつ》す　雨の浮図《ふと》。
更有伽藍俯九衢。　更に伽藍《がらん》の九衢《きゅうく》に俯する有り。
十二帝陵低不見。　十二帝陵《ていりょう》　低くして見えず。
黒風白雨満南都。　黒風　白雨　南都に満つ。　　竹　外

（六）笠島や箕輪《みのわ》をかけて行く時雨《しぐれ》。　清　民

（七）みち汐よ鳥海山の八重かすみ。　素　盈

（八）初虹や橋またひとつ雄鹿の島。　朝　四

偶爾相逢無一事。
留君半日看雲生

偶爾《ぐうじ》相逢うも一事無し。君を留めて半日雲生を看る。

払苔独坐清渓上。
無絶毀誉到耳辺

苔を払いて独り坐す清渓の上。毀誉《きよ》の耳辺に至るを絶つ無からんか。

世間適意誰如我。
枕石閑観山海経

世間意に適《かな》う　誰か我の如しぞ。石を枕に　閑《しず》かに山海経《せんかいきょう》を観る。

雪湖生画
矧川生題

（九）朝ぼらけ宇治のかは霧たえだえに
　　あらはれ渡る瀬々《せぜ》のあじろ木。　　権中納言定頼《さだより》

（十）卯《う》花雪の如く、杜宇《とう》声々、梅雨霏々《ひひ》。

（十一）長空一碧《べき》、たちまちにして半天一点の黒雲をみる、雲疾《と》く馳《は》せて、地平線上に下降し、靄霧《あいむ》冥合《めいごう》、颶颱《ぐたい》まさに来らんとして、汀上《ていじょう》の椰樹《やじゅ》三五株、頂上の葉早く翻《ひるがえ》りて幹とようやく直角をなす。

（十二）籬落《りらく》の秋霽《しゅうせい》、夕陽反射、霜後の柿実、その葉と共に丹紅《たんこう》燃えんとす。

（十三）矢《や》矧《はぎ》川かすみの中を流れけり。　　李《り》　喬《きょう》

（十四）五月雨《さみだれ》や或夜ひそかに松の月。　　蓼《りょう》　太《た》

蘆荻花飛払渚汀。　蘆荻《ろてき》の花飛んで　渚汀《しょてい》を払い、
深秋時節恰繫舲。　深秋の時節　恰《あた》かも舲《れい》を繫ぐがごとし。
憑人勿説前朝事。　憑人《ひょうじん》　前朝の事を説く勿《な》かれ、
落月寒煙寿永陵。　落月　寒煙　寿永の陵《りょう》。
水瘦刀根不勝秋。　水瘦《すいそう》刀根　秋に勝《た》えず、
一年又過古毛州。　一年　また過ぐ　古毛州。

臨江閣上三杯酒。
紅樹夕陽吊故侯。

江に臨む閣の上　三杯の酒、
紅樹　夕陽　故侯《ここう》を吊《とむら》う。

矧《しん》川《せん》生

四　日本には火山岩の多々なる事

（一）アジア大陸の火山脈カムチャツカ半島より千島列島に入り、北海道に進入し、すすみて奥羽にいたり、三派に別れて中原《ちゅうげん》に朝宗《ちょうそう》し来る。（二）南洋の火山脈もまたフィリピン群島より沖縄列島にいたり、薩南列島を経て、九州に入りついに二派に別れ、一派は阿蘇《あそ》山を成して東走し、直ちに四国、紀伊にいたりて、参河《みかわ》に入り、一派は肥前の温泉《うんせん》岳を作る。北来の火山脈、南来の火山脈と相衝突するところを富士山辺とす。しこうして両々の火山脈相衝突するや、その勢力は地皮のもっとも脆弱《ぜいじゃく》なる箇所を求めて駛走《しそう》し去り、日本本州の真中央に一大火山脈を曳《ひ》き、直ちに伊豆半島、豆南《ずなん》七島、小笠原列島、硫黄《いおう》三島を聳起《しょうき》す。その他日本海中に一脈、日本海岸に沿いて一脈、日本海と中央大火山脈との間に一小脈を延縁《えんえん》す。これを要するに、日本国や、実に北来南来二大火山力の衝突点にあたり、火山の存在するもの無慮《むりょ》百七十個、しこうして全国表土の五分の一は火山岩より成る、これ日本の景物をして洵美《じゅんび》ならしめたる主源因。

（一）日本の風景と朝鮮、シナの風景

想う火山岩たる、もと地皮の皺縮《しゅうしゅく》せるさい、熱気を揮霍《きかく》し、余怒激《どげき》して爆然外に噴《ふ》き来り、噴き来りたる溶岩の外気に触れて収縮せしもの、ゆえにその状や槎牙《さが》重複、裂《さ》くるがごとく、欠くるに似、あるいは刻削《こくさく》せる壁のごとく、あるいは斧鑿《ふさく》せる柱に似、譎奇《けっき》変幻具状《ぐじょう》すべからず、日本表土の五分の一実にこの岩に成るとせば、景物の警抜秀俊《しゅうしゅん》なるもとより知るべきのみ。けだし朝鮮のごとき、多くは原始紀、太古紀の地質にかかり、火山岩たる少々。シナのごとき、北方は一面第四紀地層にかかり、平々たる水成岩延縁《えんえん》すること無慮《むりょ》四万二千方里（日本全面積の一倍七強）いわゆる「黄土」と称し黄河の濁江汪々《だくこうおうおう》としてその間に曲折し、注ぎて黄海に入り、上には黄雲惨澹《さんたん》とし、満眸《まんぼう》みな黄色、一山一峰のこの際に聳起《しょうき》するなく、風物の単一同様なる真個に行客を倦殺《けんさつ》せしむと、いわんやもしそれ北風直ちに蒙古《もうこ》よりいたるや、千里これを遮断《しゃだん》するものなく、いわゆる「黄風北来雲気悪」（黄風　北より来りて　雲気悪し。）（李夢陽《りむよう》）、黄塵《じん》紛々、戸障《こしょう》に入り、木葉を蔽《おお》い、田園に累《かさ》なり、泉水また黄濁、殺風景の極を尽くす、これシナ詩文人のややもすれば「黄塵万丈《こうじんばんじょう》」の語をなす所因、あえて日本のごとき火山岩国の浄山澄水《ちょうすい》間に使用すべからざる語、けだし

野曠天低日欲西。　野曠《ひろ》く天低うして　日は西せんと欲す。
北風吹雪雁行低。　北風　雪を吹いて　雁の行くこと低し。
黄河古道行人少。　黄河　古道　行人少《まれ》に、
一片寒沙没馬蹄。　一片の寒沙　馬蹄を没す。
屠《と》　隆《りゅう》

これ実にシナ北方の景象を描きて余蘊《ようん》なきもの、その南方にいたれば、十中の七八は、太古紀中古紀の岩石に成り、森林は幾千年来濫伐《らんばつ》し去りて巨木高樹の幽邃《ゆうすい》少なく（四川省、揚子江の上流を除きては）わずかに蕷薯《つくいも》一様の画を描きて仮形的に山水を眼前に現し、いわゆる「臥遊《がゆう》」してもっていささか自ら慰むるに過ぎず、もとより火山岩国たる日本の景象いたるところ警抜秀俊なるに似ず。

すでにしかり、日本は火山岩国たり、これをもって古来歌人の好みて吟詠《ぎんえい》するところ、たいがいは火山岩ならざるなし。

次表参観

しかれども日本の歌人は単に「山」として火山岩の山岳もしくは活火山を吟詠《ぎんえい》し、もしくは風懐《ふうかい》をこれに寄託せしのみにして、その火山岩の瑰偉《かいい》変幻なるところ、活火山の雄絶壮絶

岩木山（陸奥 津軽富士）つれもなき岩木の峰のいはつゝじ　おりてつたふるやまびともがな　家隆

岩手山（陸中）色みえて思ふ心は年もへぬ　いはての山のまきの下露　知家

月山（羽前）つきの山曇らぬ影はいつとなく　ふもとの里にすむひとぞ知る　加賀

信夫山（岩代）はつしぐれしのぶのやまのもみぢ葉を　あらしふけとはそめずやありけむ　七条院

安達山（岩代）みちのくのあだちの山もろともに　こゑはわかれのかなしからじを　忠文男

安積山（岩代）いにしへの我とはしらじあさか山　みえし山井のかげにしあらねば　蓮生

日光山（下野）雲きりもおよばで高き山のはに　わきててりそふ日のひかり哉　道興

四阿山（一名吾妻山 上野信濃境界）かみな月時雨はるればあづまやの　みねにぞつきはむねとすみける　西行

安蘇山（上野）我恋はあそ山もとの青躑躅　夏野をひろみ今盛りけり　為家

榛名（上野）菰刈いかほの沼のいか計り　波越ぬらむ五月雨の頃　順徳院

浅間山（信濃）信濃なる浅間の山も燃ゆなれば　ふじのけぶりのかひや無らむ　駿河

諏訪湖（信濃）すはの海の氷の上の通ひ路は　神の渡りてとくるなりけり　顕仲

箱根山（相模）眺めやる箱根の山をたがために　あくれば雪のふりおほふらむ　俊頼

蘆　湖（相模）玉くしげはこねの山のみね深く　みづうみみえてすめる月かげ　慶融

足柄越（相模）ゆきとくるしみゝにしだく鵠の　みちゆきにくきあしがらの道　西行

愛鷹山（駿河）浮雲のあしたか山ははやけれど　なづめる駒ぞすゝむともなき　道興

伊豆小山　千早振る伊豆の小山の玉椿　八百万代も色はかはらじ　鎌倉右大臣

富士山

大島（伊豆）行人もかりとこそきけ大島の
山もうきたるさみだれの空　堯恵

湯走山　伊豆の国山の南にいづる湯の
早きは神のしるしなりけり　実朝

宇津の山道（駿河）露しげき蔦のしげみを分越して
岡部にかゝるうづのやまみち　覚盛

戸隠山（信濃）吹きおろすみねの嵐もまされけり
響やたにの戸隠の山　堯恵

冠着山（信濃）雪たらぬふしとやいはん信濃なる
姨捨ちかき冠着の山　不知

立山（越中）立山にふりおける雪をとこ夏に
みれどもあかずかむがらならじ　池主

能登　波まよりけさこそみつれ遠さ立
舟木きるてふのとのしまやま
衣笠内大臣

杣山（隠岐）凩のおきの杣山吹しをり
嵐しをれても物思ふ頃
後鳥羽院

白山（加賀）しら山に年ふる雪やつもるらむ
夜半にかたしくふすまさゆなり　公任

春日山（大和）春日山麓のさとに雪きえて
春をしらする峰のまつ風　定家

三笠山（大和）君が代は限もあらじ三笠山
峰に朝日のさゝむ限りは　匡房

大江山（丹波）大江山生野の道は遠けれど
まだふみもみず天の橋立　小式部

手纏山（但馬）妹かくる糸井の里の手纏山
より／＼爰に宿りぬる哉　為家

因幡山（因幡）立別れ因幡の山の峰に生る
松としきかば今返りこむ　行平

高千穂峰（日向）くしふるの山にかすめる春の雨
天つうらよりくだるとぞみる　元長

阿蘇山（肥後）あそ山の中よりいづる白川の
いかでしらせむふかき心を
中務卿皇子

にして天地間の大観を極尽《きょくじん》するところにいたりては、いまだこれを写さざるなり、詩客、画師、彫刻家もまた多くしかり、これ千古の遺憾。

（二）　日本の火山「名山」の標準

春日潜庵《かすがせんあん》（京師の儒士《じゅし》、日本近代における陽明学の泰斗《たいと》）言あり、「山峙。川流。雲行。雨施。花之開。葉之落。鳥而飛。魚而潜。浩浩大化。不期而然者。躍如心目。不覚令人消化夙習。夫豈独点化同志也。我亦可以自点化焉」（山の峙《そばだ》ち、川の流れ、雲の行き、雨の施《うるお》い、花の開き、葉の落ち、鳥にして飛び、魚にして潜る。浩浩《こうこう》たる大化、期せずして然る者にして、心目を躍如《やくじょ》とす。覚えず、人をして夙習《しゅくしゅう》を消化せ令《し》む。それ豈《あ》に独り同志を点化せんや。我れも亦以て自《おのずか》ら点化す可きなり。）と。真然、真然、よく大極の妙を悟り、胸中に造化を融会するものにあらざるよりは、いかんぞこの言あらんや、しこうしてこの間特に人性を点化し、高邁《こうまい》にし、神聖にするもの実に山岳に過ぐるなく、山岳中、特に「名山」にありとす。

いわゆる「名山」の標準いかん、いわく、

一、山の全体は美術的体式と幾何《きか》的体式とを相調合安排《あんばい》せるもの、

二、しかれども一山中の境遇は変化多々にしてかつ不規律なるもの、

これなりと信ず。想う全体の美術的体式と幾何的体式とを相調合安排すとは、その美妙なる円錐《えんすい》形を聳起《しょうき》せる火山まさにこれにあらずや、しこうして火山中には槎牙《さが》拮倔《きつくつ》たる岩石あり、焰煙《えんえん》騰沸せる新火口あり、石壁峭立《しょうりつ》せる旧火口あり、副火口あり、硫気《りゅうき》噴孔あり、洞穴あり、火口湖あり、滙水湖《かいすいこ》あり、草樹の蒼翠《そうすい》秀潤せるあり、境遇の変化多々にしてかつ不規律なるもの実に火山に過ぐるなしとす。一百年前 橘《たちばな》 南谿《なんけい》『名山論』一編を著していわく、

余幼より山水を好み他邦の人に逢へば必ず名山大川を問うに皆各其国〱の山川を自賛して天下第一といふ甚だ信じ難し既に天下をめぐりて公心を以て是を論ずるに（中略）山の姿峨々《がが》として嶮岨《けんそ》画のごとくなるは越中立山《たてやま》の剣峰に勝れるものなし立山は登る事十八里彼国の人は富士よりも高しと云然れども越中に入りて初て立山を望むに甚高きを覚えず数月見て漸〻《ようよう》に高きを知る是は連峰参差《しんし》たるゆゑ也最高く聳えたがいに相争ふ程なる峰五ツあり剣峰も其一也其外にも峰〱甚《はなはだ》多く連り波濤のごとく連り皆立山なり此ゆゑにたとへば都の北山を望むがごとし遠くより見るに何れを鞍馬《くらま》山とも称しがたきがごとし是をみても人多能なる者は反《かえっ》て其名を失ふを慎むべし白山《はくさん》は只一峰にて根張も大に雪四時ありて白玉を削れるがごとく見るより目覚る心地す又山の姿のよきは鳥海《ちょうかい》山月山《がっさん》岩城《いわき》山岩《いわ》鷲《わし》山彦山《ひこさん》海門《かいもん》岳なり皆甚富士に似て一峰秀出画がけるがごとし又景色無双なるは薩摩の桜島山也蒼海《そうかい》の真中に只一ツ離れて独立し最嶮峻《けんしゅん》なるに日光映ずれば山の色紫に見へ絶

頂より白雲を蒸すがごとく煙り常に立登るたとへば青畳《せいじょう》の上に香炉を置たるがごとし大抵海内《かいだい》の名山是等に留るべし其山内の奇絶は又別に書あり今此所には仰望む所を論ずるのみ

と、南谿のいわゆる「名山」たる立山《たてやま》、白山、鳥海山、月山《がっさん》、岩城山《いわき》、岩鷲山《いわわし》、彦山《ひこさん》、海門岳《かいもんだけ》、桜島山は、ひとしくこれ火山にかかる、これら山岳のなにがゆえに「名山」なるやの理にいたりては、かれいまだ深く推究せず、かつそのことごとく火山たるを悟了《ごりょう》せざりしといえども、実際上目撃の結果、これら山岳をもって「名山」なりと判定し、しこうして今日そのことごとく火山たるを知らば、眼識古今真に期せずして相会したるもの。要するに名山とは火山の別称なり。

想う火山岩は天地間の大観を極尽《きょくじん》するものなり、人間にありて自然の大活力を認識せんと欲せば、これを看破《かんぱ》するに過ぐるなしとす、請《こ》う往きて火山に登臨せんか。

「名山」中の最「名山」を

(二) 富士山

となす。あに一辞一句だに自美自讃を要せんや、聴けこの山に対する世界の嘆声を。「富士」は蝦夷《えぞ》語「火ノ女主《ふじ》」より由来す、もって太古蝦夷人のこの山を崇拝しかつ愛慕せしを知る。

日本国。亦名倭国（中略）。東北千余里。有山。名富士。亦名蓬萊。其山峻。三面是海。一朶上聳。頂有火煙。日中上有諸宝流下。夜即却上。常聞音楽（下略）。

後《こう》　周《しゅう》（義楚《ぎそ》六帖）

（日本国、またの名　倭国《わこく》（中略）。東北千余里にあり。山有り、名　富士。またの名蓬萊《ほうらい》。其の山峻《たか》く、三面是れ海。一朶《いちだ》にして上聳《そび》ゆ。頂に火煙有り。日中　上に諸宝有りて流れ下る。夜　即ち却《かえ》って上る。常に音楽の聞こゆ（下略）。）

芙蓉独立臥清虚。　芙蓉《ふよう》独立し　清虚に臥《が》す、
始信大東天帝居。　始めて大東の天帝が居なるを信《し》る。
堪競俊才高復潔。　俊才の高く復《ま》た潔きを競うに堪《た》う、
気調来迫奈君如。　気調来り迫れば　君を奈如《いか》んせん。

朝鮮国文学　秋　月

人とはばいかがかたらん言の葉も
およばぬ富士の雪のあけぼの
琉球　読谷山王子

'Mons excelsus et singularis.'（〝秀麗無比なる山〟）　荷蘭《オランダ》　博士ケムフェル

"Not only do we find a vast number of native books describing this mountain, but every book treating of Japan which has been published in foreign countries, always finds occasion to mention the 'peerless Fuji.' In consequence of its height, the symmetrical curvature of its slopes, and its solitary grandeur, Fuji has become one of the most famous mountains of the world. Not only is this mountain an object of admiration to the European, but it obtains an equal if not greater share of admiration from the Japanese."
英国　博士ミルン

（この山を描写する無数の日本の書籍が存在するのみならず、異国にて上梓され、日本を話題にした書籍の、すべては、折につけては「無双の富士山」に言及している。その高度、その均整のとれた傾斜の曲線、その孤高の姿の為に、富士は、世界で最も有名な山となっている。この山は、欧州人にとって、讃嘆の対象たるに止まらず、日本人にとっても、それ以上とは言えぬまでも、同様の讃嘆の念を起させている。）

富士山に対する世界の嘆声このごとし、あに一辞一句だに自美自讃を要せんや、しかれども理学上その優絶なるところはついに説かざるべからず、けだし理学上富士山の優絶なるところは、その麓底《ろくてい》の平面より峰頂にいたるまで、同一距離の縦座標をもって山を幾個に横切し、一対の縦座標の加をその差をもって除するに常に不変数の商を得、宛《えん》として対数曲線の定則を表すにあり。この規律の斉整《せいせい》に加うるに、至妙なる美術的体式をもってす、むべなり

鍾得秀霊気。　　鍾《あつ》め得たり　秀霊の気、
築成東海湾。　　築き成る　東海の湾に。
天工尽于此。　　天工　此《ここ》に尽き、
不復出名山。　　復た名山を出さず。
石野雲嶺《うんれい》

の句や真に「天工尽于此」（天工此《ここ》に尽き）、日本人の富士山を誇揚《こよう》し、彫刻に、絵画に、詩文に、俳諧に、これをもって「名山」の宗と仰視するもの偶爾《ぐうじ》にあらず。富士実は全世界「名山」の標準。

風懐の高士、彫刻家、画師、詞客、文人にして、自然の大活力を認識し、卓落《たくらく》雄抜の心血を寄託せんと欲せば、主として火山もしくは熄火山《そくかざん》に登臨するにあり、すなわち全国の火山、熄火山を一々縷述《るじゅつ》せんか。

(四) 千島列島の火山

后土《こうど》の大活力、その胸腹より発し、爆然として擘《さ》き起こしたるものを千島列島となす、むべなりその景象のいたるところ磊落《らいらく》豪健なることや。試みに舟をこの間に行《や》らんか、無数の小富士山は我《わ》が帆を逐《お》い来り、近山は剝るがごとく、遠山は筍《たけのこ》の立つに似、人をして恍乎《こうこ》送迎に遑《いとま》あらざらしむ、沿岸また火山岩の峭壁《しょうへき》百尺、波浪疾《と》く馳《は》せ疾く撃《う》ち、天雪は浪雪と相交り、真に造化の偉観をきわむ。けだし日本風景の粋は火山および火山岩にあり、しこうして日本の火山および火山岩の粋は千島列島にあり。(千島および北海道の火山のみは尺度を用う)

阿《あ》頼《らい》度《と》島　千島列島の極北端　海抜六七二〇尺

島は一円錐《えんすい》体の兀然《ごつぜん》海上より聳立《しょうりつ》するに似たり、その形規律はなはだ斉整、その秀絶なる千島列島に冠たり、わが皇版図の極北に富士山を代表す。

波羅茂尻《ぼろもしり》島	帝国の極東たる占守の南にある大島	北端に活火山アシリマツキ（海抜およそ四千尺）あり。西南端にフス山（海抜およそ六千九百尺）あり、その形円錐状にしてはなはだ斉整。その他火山四個。
志《し》林《りん》規《き》島	波羅茂尻島の西南	平坦《へいたん》なる火山（海抜およそ二千五百尺）あり。北端に活火山ありといえり。
磨《ま》勘《かん》留《るし》島	波羅茂尻島の西南	全島一円錐《えんすい》体をなす（海抜一八七二尺）。島の中央に一火山ありと。
温《おん》禰《ね》古《こ》丹《たん》島	波羅茂尻の西南海上およそ二十カイリにあり	北西端に円錐的火山（海抜二四五五尺）あり。東南端に富士山状の火山（海抜三五七五尺）あり。二山の間に四個の円錐状なる火山あり。
加《か》亜《あ》連《れん》古《こ》丹《たん》島	温禰古丹島の西南	全島不規律なる火山状を現す。火山的大湖一個小湖二個ありという。
捨子《しゃし》古《こ》丹《たん》島	加亜連古丹島の西南およそ二十カイリにあり	北端に富士山状の活火山（海抜二二七三尺）あり。西南端に活火山（海抜およそ二千七百五十尺）あり、白煙常に蒸騰《じょうとう》す。二山の間土地平坦。

越《え》渇《かる》磨《ま》島　捨子古丹島の西北　全島宛《えん》として富士山状の火山（海抜三六三九尺）をなす山頂尖《せん》立《りつ》す。

知《ち》林《りん》古《こ》丹《たん》島　越渇磨島の西西北　全島円錐体なり、頂上（海抜二三一八尺）は二重富士山状をなせり。

雷《らい》公《こ》計《け》島　捨子古丹島の西南　海上より突起せる円錐体（海抜一三四三尺）、あるいはいう活火山なりと。

松《まつ》輪《あ》島　雷公計島の南南西　全島秀絶なる円錐体をなす、頂上（海抜五二三八尺）は少しく欠損す。

羅《ら》処《しよ》和《あ》島　松輪の西南十九カイリ　北南各一個の円錐山あり。南山（海抜三〇八二尺）は北山より高かつ大。

宇《う》志《し》知《しり》島　羅処和の西南十カイリ　北南二小島あり、共に火山的。南島に温泉あり、硫気《りゆうき》盛んに飛昇す。

計《け》吐《と》夷《い》島　宇志知二島の西南　この島（海抜三九四二尺）の中央なる山頂より蒸気を噴出すといえり。

新《しむ》知《しり》島	計吐夷島の西南海上およそ十八カイリにあり	北端に鋭尖《えいせん》なる円錐山（海抜三六六三尺）あり。中央にブレヴォスト峰（海抜三七八〇尺）あり。南端にも一火山あり。その他火山三個あり。
知《ち》理《る》保《ぼ》以《い》島	新知と得撫との間	北南二島より成る。北島に二円錐状活火山あり。南島は死火山なり。
得《うる》撫《つぷ》島	新知島の西南五十六カイリの海峡をへだつ	北端に平低なる円錐山あり、その北なる擂鉢《すりばち》山（海抜およそ四千尺）は鋭尖にしてしきりに硫気を噴く。中央に雪光山あり、欠頂円錐体にして秀絶。
択《え》捉《とろふ》島	得撫の西南にあり長およそ四十三里幅最広五里周回およそ二百八十里、千島三十二島中最大なるもの	モヨロ（海抜三四七五尺）、富士状をなし二火口あり、半月形の湖あり周回二里。チルップ、紗那の西北に立つ。シャショウン、紗那《さな》の東にそびゆ。ヘチラヌップ、留別の東南に秀《ひい》ず。単冠（表画にはストカップと記す）真個の富士。鶏冠（表画にはアトショと記す）、（海抜およそ四千五十尺）二重富士状をなし秀絶。ペレタラベツ、島の最南端にあり、硫気を噴く。

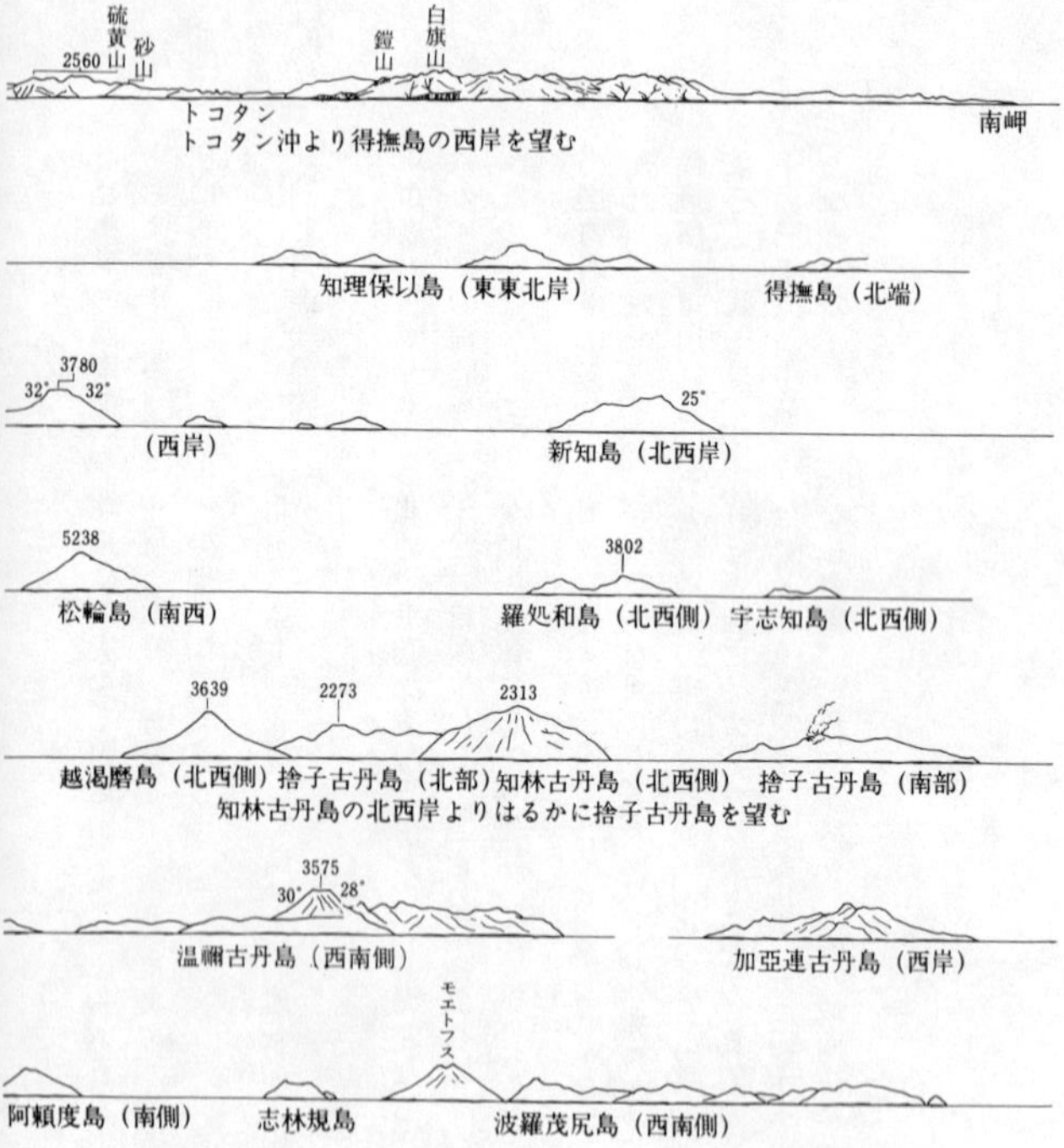

千島列島（西南より東北にいたる）
（農学博士横山壮次郎君の実地撮写するところによる）

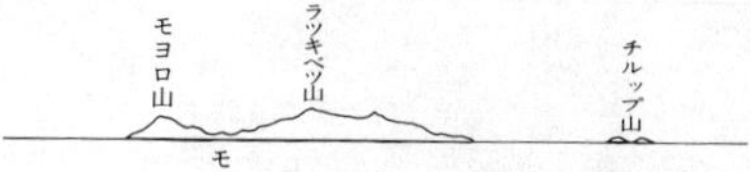

トコタン沖より択捉島の北端を望む

北岬

武魯頓島（北側）

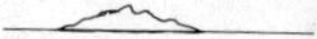

武魯頓島（東北）

計吐夷島（西北側）

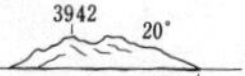

計吐夷島（西側）

新知島

雷公計島（北）　松輪島（北）

捨子古丹島　越渇磨島（北西）　捨子古丹島

捨子古丹島を南東に望む

知林古丹島（北）

磨勘留島の西南側をおよそ十浬に望む

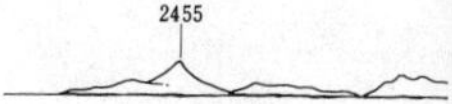

小千島海峡北口よりロシア領東薩加を北北東に望む

国《くな》後《しり》島　千島列島中の最南にあり北海道本地と八カイリの海峡をもってへだつ　チャチャノボリ（海抜五〇五八尺）、島の北端にあり、富士の上にさらに小富士を載するがごとし。ルルイ円錐山。ラウス（海抜およそ三千尺）、島の中央に兀立《こつりつ》す。タチウス（海抜およそ千五百尺）、その北に二湖あり、一湖（ポントーという）より硫黄《いおう》の熱湯を噴く、共に旧火口なるべし。

（五）北海道本島の火山

北海道本島、また火山多々。これを大別して三区分となす、（一）千島列島より連続せるもの、（二）後方羊蹄《しりべつ》山彙《さんい》に属するもの、（三）渡島《おしま》山系の東派。

一　千島列島より連続せるもの

硫黄山　知床《しれとこ》海角の中央辺　海抜およそ千五百尺、北側の側火口には熱湯沸騰し硫黄《いおう》の蒸気を噴出す。

良《ら》牛《うし》山　知床海角の中央辺　海抜およそ五千尺、硫黄《いおう》山の南隣にあり、欠損したる火口様のものあり。

摩周《ましゅう》、またマシュイ　根室《ねむろ》国西別河の源　マシュイ岳頂の湖はすなわち旧火口なり、風光絶佳。湖畔に新火口あり。

アトサノボリ　釧路《くしろ》国釧路湖の東　海抜およそ千六百五十尺、硫黄坑山として特に著名たり、噴煙ははなはだ壮大。

男《お》阿《あ》寒《かん》岳　釧路国阿寒湖の東　海抜およそ四千八百尺、秀絶なる円錐体を聳立《しょうりつ》す、山頂の眺望真に雄抜。

女《め》阿《あ》寒《かん》岳　釧路国阿寒湖西南　海抜およそ四千七百九十尺、頂に火口壁、熱湯池あり、四時硫煙を噴く。

ヌタクカウシベ　石狩国石狩河の源　海抜およそ七千尺、世のいわゆる石狩岳なるもの、西南側より煙気を噴出す。

オプタテシケ　十勝、石狩の境界　この山彙《さんい》に噴煙せる火山数個あり（表図中の男岳女岳もこの間にあり）。

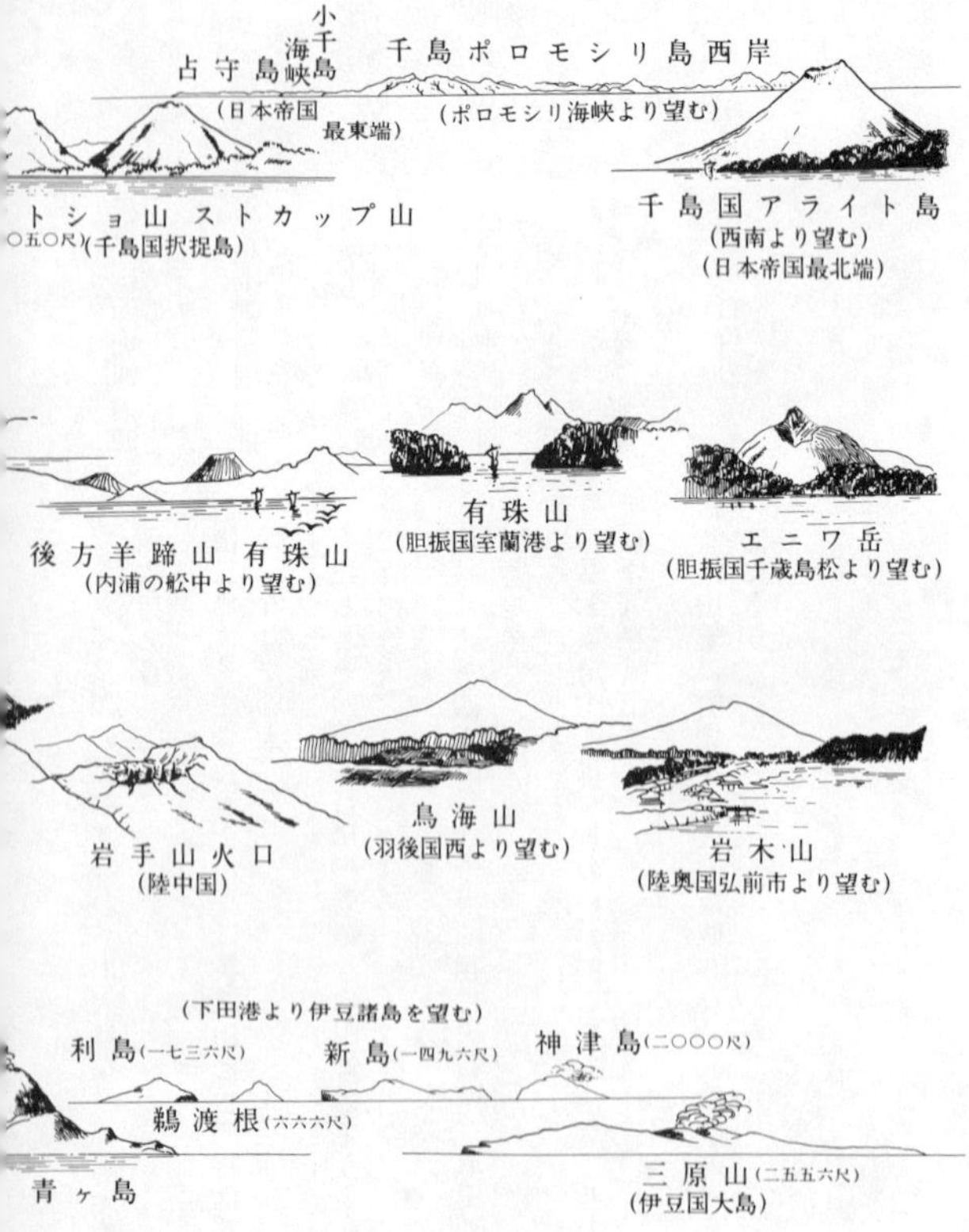

日本国の火山(東北より西南にいたる)
(名山はみな火山なり)

チャチャノボリ
(千島国国後島)
女岳 男岳
(石狩河口より東北に望む)
ラウス山
(千島国国後島中央)
大島
(渡島国)
西ゴアン山
後方羊蹄山
恵山
(渡島国恵山崎より望む)
駒ヶ岳
(渡島国蓴菜沼畔より望む)
雷電山
(後志国岩内町より
西南に望む)
男体山
(下野国)
磐梯山
(岩代国若松町
より望む)
富士山
(東海道上にて宝永山を合せ望む)
湯岳
根子岳
阿蘇山
(肥後国)
温泉岳
(肥前国西より望む)

二　後方羊蹄山彙《しりべつさんい》に属するもの

恵《え》庭《にわ》岳　胆振《いぶり》国支笏《しこつ》湖の北に峭然兀立す　札幌より南に望む　海抜三千八百尺、峭然《しょうぜん》たる火口あり、山頂に鋭尖《えいせん》なる岩塊あり、札幌農学校寄宿舎南室の玻璃《はり》窓に映発するもの実にこの岳、想い起こす、十年前この岳色の几前《きぜん》に落ちたることを、知らず岳色つつがなきや否や。

樽《たる》前《まい》山　胆振国支笏湖東南　恵庭岳と相対せり　海抜二千八百三十尺、千歳《ちとせ》村より川に沿い原人時代の山林をよぎり行くこと七里火口壁ありこの中の新火口より硫気と蒸気とを噴出す。

登《のぼり》別《べつ》　胆振国登別河上流　間歇《かんけつ》泉の池（火口）あり。数多の熱湯孔（温泉場）あり。硫気噴孔あり。

有《う》珠《す》岳　胆振国洞爺《とうや》湖の南　海抜およそ千八百六十八尺、二ヵ所より噴煙す、登臨せば風光ことに跌宕《てっとう》。

マクカリヌプリ　胆振の西北にあり　海抜六千四百尺、誤称後方羊蹄《しりべつ》山、火口あり、秀絶なる富士山をなす。

硫《い》黄《おう》山《のぼり》　後志《しりべし》、石狩の境界
海抜三三四七尺、数個の火口ありといえり岩内市街より東南五里。

三　渡島《おしま》山系の東脈

駒ケ岳　渡島《おしま》国函館市街より峠下、シコノッペを経、岳麓《がくろく》の焼山村にいたる八里二十三町、画師文人はかならず登臨すべし
海抜三千八百六十尺、函館の正北にあり、函館を出でて五稜郭《ごりようかく》、桔梗野《ききようの》牧場、七重試験場を歴覧し、峠下村を経、蓴菜《じゆんさい》湖畔の一亭に夕陽の湖水に倒射するをみ、この亭に一睡し、午後とく起ち、払暁《ふつぎよう》駒ケ岳の火口壁に登らんか、曙色《しよしよく》噴火湾より来り、蓴菜の湖光、函館の海色、これに映発し、真個一幅の活画図、いわんや脚底火山岩の磊落《らいらく》雄渾《ゆうこん》なるを添うるをや、文人画師もしくは風懐の高士は登臨することもっとも可。

恵《え》山《さん》　函館より湯ノ川、小安、戸井、尻岸内、ニダ内を経、山麓のドドホッケまで十五里二十三町
海抜およそ千九百十尺、函館を発し一里二十九町にして湯ノ川温泉場あり、行楽のところ湯ノ川を去り海岸に沿うこと十四里、山麓のドドホッケに達す、その間懸崖《けんがい》百尺、跌宕《てつとう》壮絶《そうぜつ》、ときに飛瀑《ひばく》の海中に直瀉《ちよくしや》するあるをみる、ドドホッケより登ること一時間にして山頂に達す、火口壁あり、壁の上部は純黄色をなし、常に皎白《こうはく》濃密なる硫気を噴出す。

征帆一たび噴火湾に入らんか、左に恵山《えさん》、駒ケ岳あり、前に有珠《うす》、マクカリヌプリ（後方羊蹄山）、硫黄山あり、右に登別《のぼりべつ》樽前《たるまい》（玳瑁山）、恵庭《えにわ》あり、八火山の秀色は歴々として双眸《そうぼう》に落つ、全世界中、またこの雄絶壮絶の観あらんや、むべなり「噴火湾」の称。

鴻爪雪泥幾往還。
征帆復過火山湾。
十年旧識孱顔好。
煙霽羊蹄山又山。
胡笳声歇水西東。
夾岸棋楠看欲空。
剥木舟遙人既去。
有珠山上月如弓。

鴻爪《こうそう》雪泥《せつでい》　幾《いく》たびか往還す。
征帆復《ま》た過ぐ　火山湾。
十年の旧識《きゅうしき》　孱顔《さんがん》好もし。
煙霽《は》れ羊蹄《ようてい》　山また山。
胡笳《こか》の声歇《や》み　水は西に東に。
夾岸《きょうがん》の棋楠《きなん》に　欲の空しきを看る。
木を剥《は》ぎし舟遙《はる》かに　人既に去る。
有珠《うす》山上　月弓の如し。

矧《しん》川《せん》生

（六）本州東北の火山

本州東北の火山に三主脈あり、（一）中央火山脈、（二）西岸火山脈、（三）寒風山火山脈。

一　中央火山脈

これ北海道火山脈より、津軽《つがる》海峡を経、陸奥《むつ》国斗南《となみ》半島の焼山《やけやま》、恐山に連なり、延縁《えんえん》して旧奥羽の境界となり、太平洋に注入する川河と日本海に注入する川河の分水脊《せき》となり、本州東北部の主軸をなし、南に下りて両毛の間に入り、ついに富士火山脈合するものとす、北方豪健の象を形成するもの実にこれ。

焼　　山　陸奥《むつ》下北《しもきた》郡の西部　斉整せる円錐体をなす、第三火口は欠損す、岩質はたいがい輝石安山岩。

恐《おそれ》山《ざん》　陸奥下北郡の中部　海抜およそ千メートル、硫気を噴く、旧火口の大湖（恐山湖）をなすものあり。

八《はっ》甲《こう》田《だ》山　陸奥東津軽、上北郡　海抜一八五二メートル、東津軽郡より上北郡に延縁す、火口三個あり。

赤　倉　山　陸奥東津軽、上北郡　十和田湖の北岸に秀起す、第三紀層高原より突立する熄《そく》火《か》山となす。

十《と》和《わ》田《だ》湖　陸奥上北郡より陸中鹿《か》角《づの》郡に開展す　海抜およそ四百五十メートル、湖中の「内海」は旧火口にしてその岸は峭壁に水ことに深く、晶明鑑《かがみ》のごとし、山影湖心に落ち、水色山光明媚《めいび》一幅の画図。

戸《へ》来《らい》岳　陸奥上北、三戸二郡　海抜一二一七メートル、十和田湖の東岸に兀立《ごつりつ》し上北、三戸《さんのへ》二郡にまたがる。

名《な》久《く》井《い》岳　陸奥三戸《さんのへ》郡の南部　海抜六五九メートル、三戸町の東にありて馬《ま》淵《べち》川の南岸に孤高天に衝《つ》く。

七《なな》時《し》雨《ぐれ》山　陸奥、陸中の境界　海抜一一六〇メートル、馬淵川上流の南に当たり兀然《ごつぜん》たるものこれなり。

森吉山　羽後北秋田郡東南阿《あ》仁《に》銀山より三里　阿仁銀山の東にそびゆ、奥山（海抜一四五九メートル）は円錐状をなす。前岳（海抜一二四九メートル）は旧火口の西壁をなす、岳上の眺望絶佳。

焼山
鬼ケ城山　羽後国北秋田郡同仙北郡と陸中国鹿《か》角《づの》郡との間に盤《ばん》屈《くつ》せる山塊　西の方森吉山より運《めぐ》り東して岩手火山彙に合し中央火山脈の北部膨張区域をなす。焼山山頂には南北およそ七、八町東西およそ五、六町なる楕円形の火口あり。内に一沼池あり熱水を盛りしきりに硫気と水蒸気とを噴出す。鬼ケ城山は焼山の北

サカビ山 元山　森吉山の東に綿亙《めんこう》せる活火山彙《い》たり　にあり。一小火口あり、明治二十年、この口より噴出せしことあり。サカビ山、元山は焼山の西にあり、硫気噴孔あり、硫気、水蒸気を噴出す。この所在には硫黄坑はなはだ多し。

岩手山《がんじゅさん》《いわてやま》　陸中国北岩手郡南岩手郡にまたがる盛岡市より山麓まで七里　海抜二一二六メートル　早天盛岡市を発せば二人曳き（人力車）にて午餐《ごさん》岩手山麓《ろく》なる大釈硫黄温泉に達す、それより十五町網張温泉にいたり、ここより山路嶮峻《けんしゅん》、山は三区域に別れ、一山（甲）の上に一山（乙）ありそのまた上に一山（丙）あり、みな火口の峭壁《しょうへき》たり、甲に二小湖あり、乙に宿泊の用に供する小屋あり、山に岩手山神社あり、健脚のものは黄昏《たそがれ》大釈に返り得。

駒ケ岳　陸中、羽後の境界　海抜一五五九メートル　陸中岩手郡国見温泉の北一里にあり、オナメ岳、大焼砂、長根は火口の墻壁《しょうへき》にして、男岳、女岳は壁中の二円錐山たり、麓《ふもと》に温泉多し。

酢《す》川《かわ》岳　陸中、陸前、羽後　陸中、陸前、羽後三国の間にまたがる、斉整せる円錐山にして火口あり。

吹《ふき》上《あげ》間《かん》歇《けつ》泉《せん》　陸前国玉造《たまつくり》郡鬼首《おにこうべ》村字吹上ゲ荒雄岳の麓にある二温泉　火山凝灰岩の間左右二口より噴出す、明治八年の震災前までは噴出一昼夜に十二回その高サ三十尺なりしも、現今は度数十回最高二十六尺に減ず、左口より噴出しおわれば右口より

明治二十六年六月、岩代《いわしろ》の吾妻山ふたたび爆裂す、理学士（地学専攻）三浦宗次郎、西山惣吉《そうきち》と共にすなわち山に登り、硫煙《りゅうえん》、熱灰、溶岩を冒し、里称「大穴」の西南なる新噴口を探討し、坦然《たんぜん》としてその所学を応用し、精査幾番、ついに「吾妻山の間歇《かんけつ》噴出性なる事」を憑証《ひょうしょう》し、斯学《しがく》に一有益材料を寄附す。

同七日、三浦、西山、ふたたび噴口に至らんとす、午前十時、大地にわかに轟然《ごうぜん》、満岳撼動《かんどう》、硫煙天を衝《つ》きて逆上し、熱灰飛風のごとく、溶岩乱雨に似、岩両士の頭脳を破砕し、すなわち場に斃《たお》る、斯学のために斃る。日本の武人、戦場に斃るる者、古往今来なんぞ限らん、ひとり斯学のために斃れたる者、『先哲叢談』前後両篇中、ただ一人あるのみ、しこうして今や三浦、西山ここにあり。

想う日本国の地質図中、秋田、本荘、男鹿島、足助《あすけ》、名古屋、豊橋の六幅および東京湾水底の調査は、実に理学士三浦宗次郎の頭脳に頼りて大成せしもの。しこうしてこの頭脳や斯学のために破砕して棺を蓋う、真個に日本理学社会の一好漢。

吾妻山の噴煙（噴煙遠望の状態）
（この山上斯学のために殉じたる故理学士三浦宗次郎君のみずから撮影せしところ）

噴出し雷鳴のごとき響きをなす。

荒《こう》神《じん》山・船岳　陸前中部と羽前中部との境界にあり

荒神山は北にそびゆ。船岳は荒神山の南に秀《ひい》ず。共に火口あり。二山の北西に当たり一火山ありと。仙台市よりこれら山岳を西北に望むを得。

泉《いずみ》岳　陸前宮城郡の中部

海抜一三七七メートル、円錐体をなし、火口あり、仙台より西北に望む。

蔵王岳　陸前、羽前の境界青根《あおね》温泉場より西

円錐体をなし、火口あり、頂にミツワケ神社あり、阿武隈《あぶくま》河系を下瞰《かかん》し、金華山太平洋を望む、仙台市より西南に当たり雪を戴《いただ》くものこれ。

虚《こ》空《く》蔵《ぞう》山　羽前山形市の西南

海抜一〇二三メートル、一名白鷹山、東西南村山、東西置賜《おきたま》五郡にまたがる。

信《しの》夫《ぶ》山　岩代《いわしろ》国福島町の北に当たり平原の間より兀然《ごつぜん》突起するをもってはなはだ顕著なり

福島町よりおよそ半里、山麓に公園地あり、神社あり、満山松樹叢生《そうせい》す、山頂より眺望せば阿武隈河の渓谷を下瞰《かかん》し画図中にあらしむ。信夫文字《しのぶもじ》摺《ず》り山は信夫山と異なり福島町より一里半のところにあり、この山にある「信夫文字摺り石」は火山岩にあらず、巨大なる花崗岩なり。

吾妻火山彙（吾妻富士、東吾妻山、硫黄山、吾妻山、一切経山、五色沼、家形山）	岩代国信夫《しのぶ》郡、安《あ》達《だち》郡、耶《や》麻《ま》郡より羽前国東置賜《ひがしおきたま》郡、南置賜郡の間にまたがる大山塊。全山塊はたいがい輝石安山岩より組成す間歇《かんけつ》活火山にして近年来ときどき爆裂す山彙中火口湖多し	岩代国福島町の西五里、温湯温泉より西一里半にして吾妻富士（一名小富士山、海抜一七三四メートル）突起す。吾妻富士の東に東吾妻山（海抜一六四六メートル）あり。硫黄山の正北に吾妻山（海抜一八六〇メートル）あり。吾妻山の北に一切経山（海抜一九一九メートル）あり。これらの諸山みな吾妻富士の環壁をなす。一切経山の北、五色沼《ごしきぬま》をへだてて家形山（海抜一七二四メートル）あり。これら諸山の間より近年来ときどき爆裂す。 吾妻富士は直径五百メートルあり。吾妻富士の西に桶沼《おけぬま》あり、旧火口にして直径百五十メートルあり。五色沼も旧火口にして直径五百メートル。
安《あ》達《だ》太《た》郎《ら》山	岩代安達郡北西部	火口あり、汽車二本松に達せんとす右窓を開けば当面の山すなわちこれ。
沼尻山	岩代耶《や》麻《ま》郡の東部安達太郎山の西方	猪苗代《いなわしろ》町の東北五里余にあり、山の八合目に温泉あり、所在は谿谷幽邃《ゆうすい》、澗水潺湲《かんすいせんかん》、山頂に平地あり、その四囲は断壁なり、けだし火口。
	岩代国耶麻郡の中央より少しく東方	岩代国猪苗代町より西一里半押立《おしたて》温泉（山の西南麓）を過ぎ、山ノ神社に詣で下瞰せんか、猪苗代湖を眼下に望み、山光水

磐《ばん》梯《だい》山《ざん》

にありて猪苗代湖の北、沼尻山の西に兀然峭立《ごつぜんしょうりつ》す
海抜一七七七メートル明治二十一年七月十五日の大爆裂後山の形勢一変せり

色真個に明媚《めいび》、画家大悟すべきところ、それより中ノ湯温泉にいたる、浴室の側噴煙二十余ヵ所あり、上ノ湯にいたる、噴煙三十余ヵ所あり、熱湯を迸出《へいしゅつ》す、それより湯桁山にいたる、山腹噴煙十ヵ所あり、湯桁山より三大湖を望む、すなわち明治二十一年大爆裂のさい新たに化成せしもの、湖中ボヤ魚、イワナ、鰌、鯉、鱒ことに多し、桑滄《そうそう》の変人をして驚殺せしむるに足る、それより火口にいたらんか、大噴煙十七ヵ所、小噴煙にいたりては百をもって数うべし、火口の墻壁《しょうへき》は直角をなす、口中小湖沼はなはだ多し。

那須岳

下野《しもつけ》那須《なす》郡北西部
海抜一九一二メートル

那須停車場より二人曳き人力車にて板室温泉（山の南麓）にいたり、それより登山せば一日にして停車場に返り得、山中に硫気噴孔百余あり。

鶏《けい》頂《ちょう》山《さん》

下野塩谷《しおや》郡の北部塩原温泉場の南
一名高原山
海抜一七九三メートル

塩原温泉新湯より二里、高原嶺にいたる、登ること一里嶺頂の弁天ケ池に達す、けだし旧火口なり、それより山頂《れいちょう》まで二十町、径路ことに嶮峻、山に鶏頂《けいちょう》山神社（祭神猿田彦命《みこと》）あり、山頂より眺望せば、富士山、男体山、月山《がっさん》、磐梯《ばんだい》山奔馬のごとく馳走《しそう》し、真に跌宕《てっとう》雄渾をきわむ。

日光火山彙		
赤《あか》薙《なぎ》山《さん》	海抜二二九〇メートル	旧火口あり、この口より日光「七滝」の一出ず、滝は稲荷《いなり》川の源をなす。
女貌山	海抜二三八四メートル	「七滝」を経て登ること便、硫気噴孔あり、山頂の眺望《ちょうぼう》は壮宏無比。
大真《おおま》名子《なご》山	海抜二三八五メートル	登り一里八町、山径の嶮峻《けんしゅん》たるところには鉄鎖をつなぎて登山者に便にす。
小真名子山	海抜二三四〇メートル	女貌山と大真《おおま》名子《なご》山の間に聳立《しょうりつ》す、旧火口あり、硫気噴孔またあり。
男体山	海抜二四八三メートル	中禅寺より二時間にして登る、山径ごとに嶮峻、山頂の眺望はなはだ壮宏。
白《しら》根《ね》山	海抜二三八六メートル	日光湯本より西に向かい登り得、火口あり、明治六年三月爆裂したり。
庚《こう》申《しん》山	海抜一八九六メートル	足尾町の西北にそびゆ、怪巌奇石累々《るいるい》、その変幻なる人を驚殺せしむ。
赤《あか》城《ぎ》山《さん》	上野《こうずけ》南勢多《せた》郡北部前橋市の北東に望見し得海抜一九四九メートル	前橋市より大胡村にいたり、ここより山頂にいたる四時間、旧火口二個あり、一は欠損し、一は湖をなす、湖より高きこと百メートル弱にして小沼あり、山に赤城神社あり、山頂よりは富士、甲斐《かい》ケ根、八ケ岳、立科《たてしな》、浅間、白根、武尊《ほたか》の諸山を眺望す、風懐の高士はすべからく登臨すべし。

榛《はる》名《な》山《さん》

上野《こうずけ》西群馬郡西南伊香保《いかほ》温泉場の西南に連亙《れんこう》す

榛名富士（最高点）海抜一四五七メートル

伊香保温泉より西へ登り、まず榛名富士に登るを要す、その眺望真に濶大、山を下り榛名湖に出ず、これ旧火口、湖畔に一小亭あり、午時これに倚《よ》りて行厨《こうちゅう》を開き山色湖光を喫するも快、亭を去り天神嶺に登る、嶺は伊香保より高き三百五十メートル、眺望絶佳《ぜっか》、嶺を下り渓《けい》に沿い榛名神社に詣《いた》る、廟《びょう》祠《し》壮宏、祠前に怪巌奇石多し、葛籠岩《つづらいわ》のごときその一。

二　西岸火山脈

これ陸奥《むつ》の岩木山より起こり、中央火山脈に並行し、日本海に沿いて、両羽の中央を南走し、越後の境にいたり、越後と岩代《いわしろ》の境界、上野と信濃《しなの》の境界を限り、浅間山辺にいたりてついに富士火山脈に合するもの、その間名山多々。

岩木山

陸奥《むつ》国中津軽郡より西津軽郡にまたがる弘前市の西北位に当たり平原に峭立《しょうりつ》す

一名津軽富士

弘前市より三里百沢（南麓）にいたり登る、登ること千四百メートル（海抜）鶏卵形の旧火口あり、広きところ百メートル、中に小池あり、ここより磊落《らいらく》たる安山岩を踏《ふ》み嶮《けん》を登るさらに二百メートル（海抜）山頂に達す、岩木川の全渓谷を下瞰《かかん》し眺望豁達《かったつ》、頂は欠損せるも全体を観察せば円錐《えんすい》状火山を顕示す、南麓百沢に岩木山神社（祭神大国主命）あり、旧

海抜一五九四メートル

津軽藩世々貲《し》を吝《おし》まず装飾す、金碧燦爛《きんぺきさんらん》、華麗荘厳、「奥の日光」の称あり。

鳥海山

羽後《うご》国由利《ゆり》郡。羽前国飽海《あくみ》郡にまたがる酒田町より五里六町にして日本海岸なる吹浦にいたりここより登山するをもってもっとも利便とす全山輝石安山岩より組成す

一名鳥ノ海山

山頂に鳥ノ海神社（祭神大物忌命《おおものいみのみこと》）あり夏間これに詣《もうず》るもの多し

新山（最高点）は海抜二一五七メー

酒田町より吹浦（山の西麓）にいたりて登る、ここより山頂まで九里と称すしかも六里に過ぎず、登ること三里鳥ノ海山神社の一ノ鳥居に達す、ここより山径嶮峻、登ること一里半にして隆夏雪をみる、雪を踏《ふ》む一里（里称「大雪路」）鳥ノ海遙拝殿《ようはいでん》に詣《いた》れば人は第一火口の峭壁上に立つ、眼下に鳥ノ海ありこれ火口の凹所《おうしょ》に消氷雪の湛《たた》えたるもの、それより積雪を踏み（「小雪路」）第二火口の墻壁《しょうへき》内に入り行くこと十四、五町にして本社に詣る、社の後ろに峭立《しょうりつ》する新山は鳥海山の最高点となす、頂に登りて四望せんか、東には陸羽の境界を限れる中央火山脈（日本本島の主軸をなす大山系）の連山奔《ほん》馬《ば》のごとく南走し、西には日本海浩渺《こうびょう》して、男鹿《おが》半島、飛島、粟《あ》生《わ》島、佐渡、煙波杳溟《ようめい》の間に点綴《てんてつ》し、南には最上《もがみ》川の渓谷を下瞰《かかん》し越後の山脈さらにその南に障立す、鳥海山頂の最奇観は払暁《ふつぎょう》その円錐形なる山影の日本海に倒映するこれなり、太陽の昇るやその影疾《と》く減縮するをもってこの景象をみんとせば、一夜を本社殿側の小屋に明かすこと可、文人画師たる者必ず登臨せん哉、「大小雪路」の間に白花の奇草ヒナザク

ートル　ラ、チョウカイフスマあり、その他奇異の植物少なからず、植物家また登臨すべし。

月《がつ》山《さん》　羽前東田川、最上《もがみ》、西村山三郡にまたがる　海抜一九六〇メートル、鶴岡町もしくは山形市より登る。月山の西北に湯殿山あり、北に羽黒山あり、合して「三山」と称し詣るものははなはだ多し。

朝日岳　羽前《うぜん》、越後《えちご》の境界　越後三面《みおもて》川の上流に峭立《しょうりつ》す、岳の北麓なる大鳥池はけだし旧火口なり。

飯《いい》豊《で》山　羽前、岩代《いわしろ》、越後　山頂（海抜一八八〇メートル）は花崗岩なるも麓《ふもと》は大半火山岩なりとす。

御《み》神《か》楽《ぐら》岳　岩代、越後の境界　海抜一二一九メートル、岩代河沼《かわぬま》郡と越後東蒲原《かんばら》郡にまたがる飯豊《いいで》の南西。

守《しゅ》門《もん》岳《たけ》　越後北南蒲原《かんばら》、古《こ》志《し》、北魚沼《きたうおぬま》四郡にまたがる　海抜千七百三十メートル、越後中部の川河多くここに発す、布引《ぬのびき》滝あり、高サ二十丈と称す、渓間《けいかん》「星の糞《ふん》」と里称せる黒曜石《こくようせき》および硫黄《いおう》を産す。

浅草山　越後北魚沼郡東北　海抜一六二二メートル、斉整《せいせい》せる円錐《えんすい》体をなす、山頂に旧火口一個あり。

駒ケ岳　越後北南魚沼二郡　守門岳の南西にあり、北南魚沼《うおぬま》郡にまたがる、円錐体をなし火口あり。

苗《なえ》場《ば》山《さん》　越後南魚沼郡南部安山岩より組成す海抜二一五五メートル　三国峠街道三俣村より神楽岡、御花圃《おはなばたけ》、馬ノ脊を超え頂に達す、「天然ノ苗場」と里称するは旧火口の欠損せるもの、能《の》登《と》、佐渡、富士山を望む、山海眺観の壮絶なる、実に越後に冠たり、頂には隆夏雪をみる。

白《しら》根《ね》山　上野《こうずけ》吾妻郡より信濃上高井郡にまたがる海抜二一四二メートル　草津温泉場より登ること千メートル（海抜）にして鶏卵形の火口あり、広きところ五百メートル幅百五十ないし二百メートル、その牆《しょう》壁《へき》は峭絶なり、しかれども東辺に低所ありてここより入りうべし、内に硫黄的熱湯の大湖あり。

吾妻山　上野、信濃の境界　海抜二三五七メートル、一名四阿《あずまや》山、斉整せる円錐体にして火口あり。

三　寒風山火山脈

これ羽後国男鹿《おが》半島より起こり、半島の東側に寒風山、西側に新山、本山を崛起《くっき》し、中央、西岸の二火山脈と並行して南南西に走り、日本海中に入り、飛島、粟生《あわ》島を崛起し、また陸に上りて直ちに越後の角田山《かくだ》を崛起し、日本海岸に沿いて西南走し、越後国中の諸名山を崛起して、信濃の境に入り、ついに富士火山脈に合するもの。

寒《かん》風《よう》山《ざん》　羽後南秋田郡男鹿《おが》半島の東側、八郎潟の西岸に聳立す　山頂に円形なる旧火口あり、周回一里余、全山輝石安山岩より成る。また山の傍近数里の間に火山岩屑《かざんがんせつ》散布す、温泉の湧《よう》出《しゅつ》するところあり。沿岸は日本海の怒浪石を撃《う》ち、風光の跌《てっ》宕《とう》なる東北地方に冠絶す。

弥《や》彦《ひこ》山　越後国西蒲原《かんばら》郡、三島郡の間にまたがる　海抜六三三メートル、日本海岸にそびえ、新潟市の西南にあり、山に弥彦《やひこ》山神社あり、山頂より日本海を望む。北方角田山との間に温泉あり。

米《よね》山　越後刈羽《かりわ》郡の西境　海抜九九一メートル、刈羽郡の西境よりつづきて中頸《くびき》城郡の東境に延縁《えんえん》す。

越後国中頸《なかくびき》城郡にあり、信濃《しなの》国境の北にそびゆ　直江津鉄道田口停車場より下車し、赤倉温泉にいたり、それより登ること可、妙高山阿弥陀《あみだ》堂（旧暦六月二十三日夜大開帳あり）へ霊拝者の登る道ありといえども嶮岨《けんそ》にして可ならず、赤倉山の硫気噴孔にいたる山径を取るを可とす、この硫

直江津鉄道北行の　気噴孔（はなはだ高度なる二温泉湧沸《ようふつ》す）を去るや隆夏とい

妙《みょう》高《こう》山《ざん》

汽車越後の境に入り車の左窓を開けば当面の山すなわちこれなり
赤倉温泉場より登るもっとも利便
海抜二四五四メートル

えども谿間《けいかん》処々に残雪をみる、また径のもっとも狭きところ（幅二寸弱）には鉄鎖を懸崖につなぎこれにたよりてもってわずかに通過す、硫気噴孔数所にあり、絶頂阿弥陀堂の側に泉水あり、寒冽《かんれつ》にして一飲歯牙《しが》ために冷、飲後四方を眺望せんか、東南に浅間、富士あり、南には黒姫の双尖駢立《へんりつ》し、その間より飯綱山を望み、南南西に剣ノ峰、西北西に焼山の円頂をみる、東北は越後の平野瀰望《びぼう》し、日本海は玻璃《はり》盤のごとく、盤上佐渡の青螺《せいら》を盛る、赤倉温泉場より往復七時間にして上下し得。

黒姫山

信濃上水内《かみみのち》郡北部

海抜一九八二メートル、信濃の北境にそびゆ、円錐《えんすい》体にして旧火口あり。

焼山

越後中頸城郡、西頸城郡の間にまたがる

海抜二四一〇メートル、全山輝石安山岩より組成し、山頂ははなはだ斉整《せいせい》せる円錐体をなし火口あり、また硫気噴孔あり、ただし溶岩は認めず。

高妻山

信濃上水内《かみみのち》郡西北

海抜二四二五メートル、信濃の北境（越後との）にそびえ、焼山の南にあり。

（信濃国上水内郡の長野町より直ちに登り得、荒安村より飯綱山麓の高原を経

戸《と》隠《がくし》山　西北、長野町の西北五里にあり中院もしくは宝光院までは道路宏濶にして嶮峻ならず海抜二四二五メートル

（原の最高所に鳥居あり）、半里弱にして道路左右に別る、右は中院道、左は宝光院道（十二町あり）、宝光院より老杉《ろうさん》を植えたる山道（やや嶮岨《けんそ》）を登り三十町にして奥院に達す、九《く》頭竜《ずりゅう》神社あり、社の神酒ははなはだ芳醇《ほうじゅん》。奥院のさらに奥に剣ノ峰あり、登り三里道路嶮峻《けんしゅん》なりといえども、山中の小屋に一宿し、翌旦太陽の昇るをみることに奇観たり、水蒸気の変幻開闔《かいこう》の現象を大悟せんと欲せばすべからく登臨すべし、必ずや得るところあり。

飯《いい》綱《ずな》山《さん》　信濃《しなの》上水内郡中央海抜一八三六メートル

戸隠道荒安村もしくは戸隠中院より登る、中院よりせば一時間半にして山頂まで登り得、山に飯綱山神社あり、頂に火口あり、眺望宏闊《こうかつ》。

冠《かむり》着《き》山　信濃国更級《さらしな》郡南境

更級郡、東筑摩郡の境界にあり、千曲《ちくま》川をへだて浅間火山彙《かざんい》に連絡す。

以上表記せるほか、（一）中央火山脈に前《まえ》乗《のり》山《やま》（陸中）、赤崩山《あかくずれやま》、飯森山（以上二山、羽前、岩代の境界）、七ツ森山（岩代、福島町の東東南）、鬼面《きめん》山、箕輪《みのわ》山、鉄《てつ》ケ杖《じょう》、和尚《おしょう》岳（以上四山、岩代、みな吾妻火山彙の南につづきたるところ）、会津布《ぬの》引《びき》山《やま》、白河布引山（海抜一〇

三〇メートル）、二股《ふたまた》山、小《こ》城《しろ》森《もり》、大城森、旭岳（海抜一九七〇メートル）、小野岳、明神岳、博士《はかせ》山《やま》（海抜一四七九メートル）、船ケ鼻山、七ツ森山（海抜一六七一メートル）、中山峠、長手《ながて》山《やま》（海抜一一六〇メートル）、燧岳《ひうちだけ》（海抜一九八〇メートル、円錐体をなし火口あり）、尾瀬沼（以上十四山一沼、岩代）、武《ほ》尊山《たかやま》（上野《こうずけ》、赤城山の北、海抜二〇七四メートル）の諸名山および旧火口あり、（二）西岸火山脈に赤安山（越後、御《み》神楽《かぐら》岳の西北）、猩々森《しょうじょうもり》山（岩代、越後の境界、御神楽岳の西南）、八十里越（海抜八四五メートル）、六十里越（海抜一三〇一メートル、以上二越、岩代、越後の境界）、岩菅《いわすげ》山（海抜二二五一五メートル）、横手山（海抜二一四七メートル、以上二山信濃、上野の境界）の諸名山あり、（三）寒風山火山脈に新山（海抜七二〇メートル）、本山（海抜六八三メートル、以上二山、羽後男鹿半島）、角田《かくだ》山《やま》（越後、新潟市の西南、弥彦山の北、日本海岸に聳立す）、黒姫山（海抜一〇九〇メートル、米山の東南）、不動山、鬼面山（海抜一六一五メートル）、雨飾山《あまかざりやま》（海抜二〇四〇メートル）、薬師ケ岳（以上五山、越後、みな妙高火山彙にあり）の諸名山あり。北日本の名山おわる、君請う登臨し、火口湖の晶明なる洌水《れっすい》に嗽《くちすす》ぎて、太古の雪を噛《か》み、天風に独嘯《どくしょう》して、長空に向かい浩歌《こうか》せんか、君や人間の物にあらず。

（七）中部日本の火山

中部日本の火山に二主脈あり（一）富士山火山脈、（二）立山火山脈。

一　富士山火山脈

これ東北火山脈中、寒風山火山脈の西南端なる妙高火山彙より東南走して浅間、富士を崛《くっ》起《き》し、伊豆半島を構造し、ついに太平洋に入りて、豆南《ずなん》七島、鳥島、小笠原列島、硫黄《いおう》三島を崛起《くっき》するもの、その間名山ことに多々列挙すべきか。

鏡台山　信濃《しなの》埴科《はにしな》、小県《ちいさがた》二郡松代町の背にそびゆ　千曲《ちくま》川の東岸に聳立す、姨捨《うばすて》山と相対す、姨捨山より月の昇るをみるにこの山岳の凹所に円月のかかるところあたかも鏡台のごとし、ゆえにこの名あり。

〔信濃国北佐久《きたさく》郡より上野《こうずけ》国吾妻《あずま》郡にまたがる〕　登山するに二径路あり、一は信濃沓掛《くつかけ》より北行一里半にして小浅間山副火口の麓にいたり、これより西に向かいて山頂に達す。一は追分より追分ケ原を北行し、一里赤滝（浅間山南

浅間山

この山はその噴火のことに強烈壮大なるをもって古来ことに顕著なるもまたこれに登臨するのはなはだ容易なるをもって知らる上り四時間半下り三時間弱に過ぎず

海抜二四八〇メートル

麓の「血ノ池」より流下する水の小瀑布をなすもの、高さ三間、水赭《しゃ》赤《せき》色を帯ぶ、けだし鉄分を多量に含有する浮き石の分解して成すもの）にいたり、径路ようやく嶮峻、二里余にして山頂に達す。現火口は直径三百メートル余、深さ測るべからず、四時水蒸気、亜硫酸ガス、硫化水素ガスを噴出す、現火口の西北に二里の弓状岩壁あり、近きを前掛山、遠きを牙《きば》山という、共に旧火口環壁の残留するもの、すなわち牙山は最旧火口、前掛山は旧火口、現火口は新火口なり、山頂より眺望せんか、北にはことごとく上野北部の山岳をみ、北東には榛名、赤城の連山めぐるがごとく、太平洋を煙波杳渺《ようびょう》のうちに認め、南に甲斐全国の山岳来り、富士山その上に孤聳《こしょう》し、南西に八ケ岳の円錐山頂を見、西に雄抜なる信濃飛驒の大山彙を見る。

和田峠

信濃小県、諏訪二郡中仙道にあり

海抜一五九七メートル

頂より五町にして東餅屋《もちや》あり、右（西行）に入り一丘に登らんか、東北に浅間山、東南に立科《たてしな》山、八ケ岳、西南に諏訪《すわ》湖、西に駒ケ岳、東に御岳を望み、四望壮宏雄抜。西餅屋の側なる「椽石《たるきいし》」は安山岩なり。

鷲ケ峰

信濃諏訪郡東北部

海抜一八八〇メートル、和田峠の東南に秀《ひい》ず、諏訪湖の東北に連立す。

立《たて》科《しな》山《やま》

信濃国北佐久郡より同諏訪郡にまたがる

海抜二五三〇メートル、信濃南佐久郡畑より登るを利便とす、全山玄武岩、輝石安山岩より組成す。頂は円錐体をなし旧火口あり、四望絶佳。

八《やつ》ケ岳《たけ》

信濃南佐久郡諏訪郡、甲斐北巨摩郡海抜二九三二メートル

八ケ岳山彙中の最高山赤岳には信濃南佐久郡板橋より樵径《しょうけい》にたより登り得。山彙中の南端権現岳には甲斐北巨摩郡長沢より登り得。両岳共に絶頂よりは信濃、飛騨の連山、富士、白根、金峰山などを望み得。

妙義山

上野国北甘楽《かんら》郡より同碓氷《うすい》郡にまたがるこの山彙は一中心より放射せる鋸《のこぎり》状の幾多山岳より成り旧火山にして激烈なる雨氷雪の浸食を被《こうむ》りたるもの

中仙道《なかせんどう》鉄道磯部停車場（温泉場）より下車し、一時間にして妙義村に達す、村より少しく登れば妙義神社あり、老杉鬱葱《ろうさんうっそう》す、社より二十五町にして奥院あり、一大巌洞あり、一危峰の絶頂に竹を編みて「大」の字をかく、長三丈幅二丈と称す、ここより仰望せば危峰怪嶺簇々《かいれいぞくぞく》として聳立し変幻真に無比、奥院よりいよいよ登ればますます嶮峻、山彙《さんい》中の白雲山、金洞山、金鶏山みな登るべし、金鶏山に「蠟燭《ろうそく》岩」あり、大黒山にいたる径上「一ノ石門」あり、鞍掛《くらかけ》山に「二ノ石門」、「三ノ石門」あり、大黒山に「髯摺《ひげす》り岩」あり、これ火山岩の柱

海抜一一六五メートル　のごとく聳立《しようりつ》するもの、要するに火山岩の譎奇《けつき》を極尽する実にこの山彙にあり。

⊙須走《すばしり》より登る　には深林の間を騎する二里「馬返し」にいたり、さらに二里「中食場」にいたり休憩す（一合目より八町下）、宿泊には八合目の小屋最可、九合目に迎浅間神社あり。

⊙吉田より登る　には深林の間を騎し二合目「馬返し」にいたり、五合目に達し初めて深林を去るを得、ゆえにその間風景は樹木に障屏《しようへい》せられ御殿場口、大宮口の道のごとく佳ならず。

⊙人穴《ひとあな》より登る　にははなはだ嶮峻《けんしゆん》、かつ径路深林の間にあれば風景樹木に障《しよう》屏《へい》せられ佳ならず、しかれども白糸《しらいと》ノ滝《たき》をみんと欲せば登りには他路を取り下りにはこの路を取ること可。

⊙大宮より登る　には村山にいたり、村山より三里八町「馬返し」にいたり、それより嶮峻、宿泊には五合目の小屋もっとも可、この道は古来登山者の多く取る所、ゆえに「表口」の称あり。

⊙箱根より登る　には蘆湖《あしのこ》を北にさかのぼりて西端に上陸し、駿河《するが》峠を越え、須山に出で、ここよりいわゆる「須山口」の路を取るをもっとも利便とす、宝永山北の側を過ぎ絶頂に達しうべし。

⊙御殿場停車場　より登るには中畑道を取り太郎坊にいたり、一合半、二、三、四、六、七、八、十合目（絶頂）を経、帰途には七合より灰砂上

駿河、甲斐
にまたがる
富　士　山
海抜三七七
八メートル

◉絶頂の旧火口
◉剣ケ峰の日の出
◉剣ケ峰の眺望
◉雲霧の大現象
◉富士山の反映
◉「絶頂回り」

を「直走り」下り、四時間にして御殿場に返り得。

火口（「内院」）直径六百メートル、深さ百六十七メートル、環壁を下り二十分間にして火口底に達し得、底は西より東に傾向し、灰砂纍々《るいるい》、澗水《かんすい》処々、壁の四周は峭絶《しょうせつ》す。

火口の西に剣ケ峰あり、富士の最絶頂とす、払暁峰に登りて日の出を待たんか太平洋の地平線上曙色《しょしょく》来り、紅紫万状、すでにして旭光《きょっこう》火を燃すに似たり、盛観無比。

南に駿河《するが》湾、伊豆半島、南西に富士川の渓谷、北に甲信の連山、西北に信飛の諸名山、越中の立山、東に筑波山、東京の平原、東南に豆南七島を望む、壮観無比。

日出日没のさい、絶頂より下瞰《かかん》せんか、雲霧脚下に起こり、無涯の太洋のごとく人は孤島上に立つに似、太平洋と連なり、この雲の変幻出没とかの水の寂静不動と対偶す。

日出日没のさい、絶頂の西側に立たんか、岳西を繚繞《りょうじょう》する雲霧の間、岳下の平原、もしくは太平洋水に富士の反映を分明に認め得、いわゆる「影富士」なるもの、奇観無比。

火口の側を回行せんか、「親不知《おやしらず》子不知《こしらず》」の難道、大沢の深谷、「雷岩」、「釈迦《しゃか》の割石」、金明水銀明水の二泉、観音ケ岳なる水蒸気の噴出等あり、周回およそ二十町。

◉「中道回り」　御殿場口の登道六合目（海抜およそ二千八百八十メートル）より吉田口の登道（海抜およそ二千二百六十メートル）にいたるの間富士山の中腹を回行することをいう、その間風光佳絶。

◉「裾めぐり」　山麓を回行することをいう、御殿場停車場より回行して鈴川停車場に出る二十六里六町、その間麓北《ろくほく》に五湖あり（以下詳出）「人穴」あり、白糸ノ滝あり、いたるところ奇絶。

◉富士麓北の湖　山中（周回三里余）、川口（周回四里半）、西（東西二里南北一里弱）、精進《しょうじ》（東西一里南北二十町）、本栖《もとす》（周回三里余）の五湖、みな噴起のさい地盤陥没により生出す。

◉山麓の諸洞穴　人穴（麓西人穴村）、胎内窟《たいないくつ》（吉田登口の西）、雁《かり》ノ穴（上吉田、長さ七十五間）、風穴（須山近傍、長さ三里余）、岩波ノ穴、溶岩中の水蒸気の放出によりて生出す。

茅《かや》ケ岳《たけ》　甲斐《かい》北巨摩《こま》郡東部　海抜一七八〇メートル、輝石安山岩より組成す、東の方金ケ岳に連なる。

金《かね》ケ岳《たけ》　甲斐中巨摩郡北部　海抜一六六〇メートル、茅ケ岳の東位に聳立《しょうりつ》す、甲府市の正北にあり。

鬼山　甲斐東山梨郡西南　海抜一一五四メートル、輝石安山岩より組成す、甲府市の東北に秀《ひい》ず。

伴次郎岳	駿河《するが》駿東《すんとう》郡の西部	海抜一四三六メートル、輝石安山岩より組成す、富士の南東麓に連なる。
愛《あし》鷹《たか》山	駿河駿東郡西南部	海抜一一八七メートル、輝石安山岩より組成す、伴次郎岳の南にそびゆ。

箱根火山彙

金《きん》時《とき》山《ざん》	駿河の東南境より相模《さがみ》足柄上郡、足《あし》柄《から》下郡にまたがる駒ケ岳、神山、二子山は大火口の弱所を破りて噴出せし小火山群金時、明星、明神の諸山はこの小火山群を環遶《かんじょう》す蘆湖はこの小火山群と火口壁との間に生出せし凹所《おうしょ》に水のたたえたるも	海抜一一五四メートル、仙石原より登る、登り二十五町、山路やや嶮峻。
御《お》尉《とみ》峠《とうげ》		海抜一〇二〇メートル、仙石原を経、御殿場停車場に出ずる山道なり。
明《みようじよう》星山《やま》		海抜およそ九三三メートル、御尉峠の西南、蘆湖の北、駿河との境にそびゆ。
蘆《あしの》湖《うみ》		海抜およそ八七〇メートル、箱根宿北にあり、周回四里三十町、その水澄清。
駒《こま》ケ岳《たけ》		海抜一三六六メートル、蘆湯より登る、眺望二子山に比せばはなはだ劣る。
神《かみ》山《やま》		海抜一四三九メートル、箱根火山彙中の最高点となす、山頂眺望絶佳。
二《ふた》子《ご》山《やま》		海抜一〇五六メートル、蘆湯《あしのゆ》より箱根宿に至る途より登る、火口あり。

明神岳《みようじんだけ》	の	海抜一二〇九メートル、宮ノ下温泉場より早川を超え北方に聳立す。
天《あま》城《ぎ》山《さん》	伊豆《いず》国賀茂《かも》郡、田《た》方《がた》郡の間に連続す	一山岳を称するにあらず、最高点伴次郎岳海抜一四〇六メートル、これ富士火山帯の東南走するものにしてこれよりついに太平洋中に入る。
大島	伊豆国爪木海角より海上およそ二十一カイリ	全島円錐体をなす、最高点三原山は活火山なり、野増村より山頂の火口にいたる二時間ほど、天城《あまぎ》、富士、箱根および房総の諸山を眺望し得。
利《と》島《しま》	大島の南西にあり	全島火山岩より組成す、円錐《えんすい》体をなす、中央なる宮塚山に火口あり。
鵜《う》渡《と》根《ね》島	利島の南方にあり	全島火山岩より組成す、円錐体をなす、最高点は海抜およそ三百メートル余。
新《にい》島	鵜渡根の南にあり	全島火山岩より組成す、南端なる丹後山は円錐体をなす、火口あり。
式《しき》根《ね》島	新島の西南にあり	全島火山岩より組成す、円錐体をなす、海岸の外に小火山岩《がん》嶼《しょ》多し。

神《こう》津《ず》島	式根の西南にあり	全島火山岩より組成す、白島、天城、黒島、ミョウカ、向諸山は火山的。
三宅島	神津の東南にあり	全島火山岩より組成す、中央の雄山はときどき噴煙す、麓南《ろくなん》に温泉湧く。
御《み》倉《くら》島	三宅島の南およそ十カイリ	全島火山岩より組成す、中央に大川山あり、麓南《ろくなん》の河口池は旧火口。
八丈島	東京より六五カイリ安房《あわ》国洲崎の正南	全島火山岩より組成す、西北岸の甑峰《こしき》（一名西山、また八丈富士）は新火口、南方の三原山は頂に旧火口二あり、湖を化し用水となる。
小島	八丈の西海上五カイリ	全島火山岩より組成す、八丈富士の外輪をなす、海岸は巉巌《ざんがん》聳立す。
青ケ島	八丈の正南三七カイリ	全島火山岩より組成す、円錐状火山に火口あり、これに草木暢茂《ちょうも》す。
鳥島	青ケ島の南にあり	全島火山岩より組成す、円錐体をなす、千歳湾は旧火口の遺趾なり。

小笠原列島	八丈島の南微東、婿《むこ》、父、母三群に別る。	群島火山岩より組成す。父島二見浦は旧火口、沿岸なる鐺《とう》山、旭山はその牆壁《しょうへき》。野羊島の石門、母島のワントネー澳《おう》は火山作用による。
硫黄三島	小笠原の南、北硫黄、硫黄、南硫黄三島	三島火山岩より組成す。北硫黄島、海抜およそ七百七十メートル。硫黄島に硫黄の結晶体より成る一丘あり。南硫黄島、海抜およそ六百二十メートル。

二　立山火山脈

立山《たてやま》火山脈は、越後《えちご》、信濃《しなの》の境界なる簓《えびら》岳に起こり、花崗岩の地帯をへだて、南の方越中、信濃の境界なる鹿島鑓《かしまやり》ケ岳《たけ》を崛起《くっき》し、鹿島鑓ケ岳よりさらに花崗岩の地帯をへだて、越中の東境に沿い立山山彙（杓子《しゃくし》岳、東鐘釣《かねつり》、不帰《かえらず》岳、滝倉岳、赤禿山《あかはげやま》、別山《べっさん》、鑓ケ岳、国見岳、竜王岳、浄土山、小鳶《ことび》、大鳶、薬師岳）を崛起《くっき》し、南走して信濃、飛驒《ひだ》の境界を限れる焼《やけ》岳、硫黄岳、乗鞍岳、御岳《みたけ》にいたるもの。想う后土《こうど》の大活力、日本本州中部の地骨たる大花崗《かこう》岩帯を破りて迸発《へいはつ》し、立山火山脈を聳出す、ゆえにこの脈や、他の山系と特立して、越、信、飛の境界に盤踞《ばんきょ》し、日本本州の中部に人跡ははなはだいたらざるの寰区《かんく》をなす、「石剣鑽青」の四字実に立山火山脈を代表し、「非人寰《ひじんかん》」の三字真にこの寰区《かんく》を尽くす。けだし日本の地形、その幅狭小、ゆえに真成なる「深山幽谷」少なし、ただこの間南北二十里、東西十里、人屋をみる立山温泉浴屋二あるのみ、ゆえに人間に会せざるときに半月にわたることあり。麻衣を着け鹿皮を穿《うが》てる山下の民はよく案内に応ぜん、すなわち米、味噌《みそ》、塩、漬け物、かん詰め、餅《もち》（渓水無きところにてはこれを食う）、毛布《ブランケット》、油紙、麻縄（数十丈の断崖《だんがい》を下るさいに用う）をこの輩に負わしめ、もって入らんか、熊、鹿、カモシカは人を恐れざるもののごとく、原人時代の形象は宛として目前に映出し来る、豪興の士はこの寰区に入らずんば寄傲《きごう》しえず。

簸《えびら》岳　越後《えちご》、信濃《しなの》の境界　全山輝石安山岩より組成す、西微南に延縁《えんえん》して大小蓮華山と連続す。

大蓮華山
小蓮華山　越後西頸城《にしくびき》郡西南越後、越中、信濃の境界、簸岳の西　大蓮華山（海抜二九三四メートル）、小蓮華山共に山頂は他の岩質にかかるも、以下はことごとく輝石安山岩たり。大蓮華山頂の下に二湖あり、旧火口とす、山の北麓に蓮華温泉あり（海抜一六五六メートル）、浴屋一あるのみ。

鹿島鑓《かしまやり》ケ岳《たけ》　越中、信濃の境界　花崗岩一帯の間を破り聳出《しょうしゅつ》せしもの、ゆえに山頂傍近のみ火山岩なり。

後《うしろ》立《たて》山《やま》

越中、信濃の境界立山の東に聳立《しょうりつ》す

鹿島鑓ケ岳の南西走したる山彙《さんい》中にありて、立山の背後に聳立す、ゆえにこの名あり、山頂傍近は火山岩（輝石安山岩）なるも、以下は花崗岩。

立《たて》山《やま》

越中上新川《かみにいかわ》郡東部富山市の東微南に障立す

雄山（最高点）海抜二九三六メートル花崗《かこう》岩一帯の間を破りて迸出《へいしゅつ》せしものなれば絶頂および山の東部は花崗岩、西部は片麻《へんま》岩より組成す

山頂以下西部はまったく輝《き》石《せき》安山岩（火山岩）より組

立山の絶頂に登らんとせば二径あり、（一）信州口、（二）越中口これなり（一）信州口、信濃大町より野口村にいたり、ここにて案内者を傭《やと》いかつ各種の準備をなし、針木嶺《はりのきれい》（海抜二五九三メートル、第六十八ページにつまびらかなり）を超え、二股《ふたまた》、黒部を経、ザラ越（海抜二五九八メートル）を過ぎ、立山温泉（海抜一四〇二メートル、安政五年二月大爆裂のさい、化成せし擂鉢《すりばち》形なる凹所の内にあり、所在に硫気噴孔あり、硫黄的熱湯の沸騰《ふっとう》せるあり、溶岩累々《るいるい》、灰砂堆積す）に下り、それより直ちに北折し、追分に出で、ここに越中口よりの登り道と合し、東折してようやく山頂に達す（追分より山頂にいたる間の諸事は越中口の部に記す）。（二）越中口、富山市より人力車にて蘆倉寺（海抜三七五メートル、山の西麓、立山の神官在住す）にいたり、ここより登り始め追分を経、蘆倉寺より八里にして室堂に達す、例年七月二十日より九月十日にいたる間参詣《さんけい》者の宿泊用に供す（堂より左方六町「大地獄」の大硫気噴孔数個あり、その所在に「血ノ池」あ

成す山に旧火口二あり共に欠損す頂に大山神社の祠《ほこら》あり

世に「大」を説くもの多しかれども真成なる自然の「大」は実に立山絶頂より四望するところにあり

り、その他小池五個あり、壮観無比）、堂よりさらに登る一里、隆夏といえども行々積雪を踏《ふ》み、絶頂に達す、立山本社あり、社前より四望せんか、東には越後の妙高、妙義、米山《よねやま》、下野《しもつけ》の日光山彙、信濃の戸隠《とがくし》、飯綱、黒姫、浅間をみ、南には八ケ岳、立科岳来り、富士山その背に高聳し、甲斐《かい》の白根《しらね》、駒ケ岳、信濃の駒ケ岳、御岳《おんたけ》、鎗ケ岳、乗鞍、笠ケ岳、飛騨《ひだ》の薬師岳を観、南西には加賀の白山を眺め、西には加賀、越中の全平原を下瞰《かかん》し、神通《じんずう》、常願寺《じょうがんじ》の二川汪々《おうおう》としてその間に屈折《くっせつ》し、北には日本海の浩渺《こうびょう》を認む、その眺望や富士山頂につぐといえども、山岳を一時に夥多《かた》眺望するところは実にこれに過ぐ、自然の「大」を収悟《しゅうご》せんと欲せばこの山に登臨すべし。

薬師岳

越中上新川郡東部

立山火山彙の南南西走する最南端にあり、はなはだ斉整《せいせい》せる旧火口あり。

焼岳
笠岳

信濃南安曇《あずみ》郡より飛騨吉城郡にまたがる三岳相連続して一大山塊をなす

立山火山脈の南南走して信濃、飛騨の境界を限るところに簇《そく》々峭立《ぞくしょうりつ》す。三岳みな安山岩より組成す、共に円錐体にして各各旧火口を存す。焼岳の山頂傍近に硫気噴孔一あり、その形はなはだ斉整す、溶岩は認めず、山頂より四望せば、北に立

硫黄岳	も焼岳をもって主幹とす	山の連山奔馬《ほんば》のごとく来り、東に信濃の諸嶺をみ、南に乗鞍岳を仰ぎ、西に高原川の溪谷（飛騨東半）を下瞰《かかん》す。
乗《のり》鞍《くら》岳《たけ》	信濃南安曇郡より飛騨吉城郡、大野郡、益田郡にまたがる焼岳の南に聳立す 海抜三一六七メートル	信濃《しなの》安曇《あずみ》郡小野川村より登り得、一日間に上下せんとするは困憊《こんぱい》なるをもって、村より登ること一里半、廃坑せる銀山側の小屋に一宿し、翌旦絶頂に登るを要す、小屋より以上道途なくわずかに一樵路《しょうろ》あるのみ、ようやく登るや、隆夏といえども積雪を蹈む、溶岩、火山岩また累々《るいるい》、行歩やや難、絶頂に旧火口あり、朝日権現《ごんげん》社あり、頂下に一湖あり。
御《おん》岳《たけ》	信濃西筑摩郡より飛騨益田郡にまたがる全岳輝石安山岩より組成し玻璃石、角閃石を交う岳に御岳神社を祀るをもって毎歳夏季間これに登る者多く参詣の盛んな	中仙道福島もしくは上松より登るをもっとも利便とす、福島より登れば一日間にして上下し得、上松より登れば一日間にては困憊するをもって、山中「タノ洞」の小屋に一宿し、翌旦絶頂に登るを可とす、頂辺に火口五個あり、火口はたいがい破壊欠損す、しかれどもそのうち「三ノ池」と称するはもっとも完全にして擂鉢《すりばち》形をなし周回一里に及ぶ、飛騨に向かえる一部は懸崖《けんがい》にしてその半腹より蒸気と硫気とを噴出す、頂には四時雪あり、小祠《しょうし》を鎮《ちん》し御岳《おんたけ》神社奥院（大己貴命《おおなむちのみこと》を祠《まつ》る、里宮は岳麓《がくろく》字《あざ》黒沢にあり、県社なり、旧暦六月十二、十三日

る富士山に譲らず
海抜二九八二メートル

を大祭日とす）、頂より四望せば、北西に加賀の白山、能登《のと》半島を認め、北に立山の連山、鎗ケ岳、乗鞍岳をみる、みな白雪皚々《がいがい》として山頂を被う、北東に浅間の噴煙、上野《こうずけ》の諸嶺を眺め、南東に八ケ岳、富士、駒ケ岳（信濃）をみる。

中部日本の火山このごとし、試みに登臨せんか、人や縹渺《ひょうびょう》として羽化《うか》せんとす、なんぞ一たび攀《のぼ》らざる。

（八）　南日本の火山

富士山火山脈、立山火山脈（中部日本）以南を南日本とす。南日本の火山脈、大別して四、（一）日本海火山脈、（二）白山火山脈、（三）阿蘇《あそ》山火山脈、（四）霧島《きりしま》山火山脈。

一　日本海火山脈

これ日本海中なる佐渡島の金北山に起こり、西南走して能登半島に上り、半島中に宝立山《ほうりゅうさん》、高洲《たかす》山、鷹爪《たかつめ》山を崛起《くっき》し、さらに海中に潜入して西西南走し、隠岐に上り、隠岐《おき》の島後《とうご》、島《どう》前《ぜん》に数火山を崛起《くっき》して、また海に入り、西南走して長門《ながと》の見島を崛起し、すすみて壱岐《いき》島に上り、ついに平戸島、五島にいたるもの。

金《きん》北《ぽく》山《ざん》	佐渡《さど》国加茂《かも》郡より雑多郡の間にまたがる 海抜一一九二メートル	佐渡全島の最高点にして、島の北半（俗「大佐渡」と称す）の中央にそびゆ、夷《えびす》町もしくは吉井村より登り得、山頂よりは東西に日本海を望み、南に国府川の全溪谷、島の南半（俗「小佐渡」と称す）の連山を下瞰《かかん》す。
東《とう》教《きょう》山《さん》	海抜六四六メートル	佐渡の南半（小佐渡）の中部に連続する火山彙、松ケ崎港の西に秀《ひい》ず。三山共に絶頂よりは東、南、西の三面に日本海を下瞰し、北には国府川の全溪谷（俗「国中」と称す）をへだてて大佐渡の山岳を双眸《そうぼう》中に収む。
飯《い》秀《いで》山《さん》	海抜六二〇メートル	
経《きょう》塚《ずか》山	海抜六二一メートル	
宝《ほう》立《りゅう》山《さん》	能登《のと》の北部にそびゆ	海抜五一八メートル、山頂より緑剛《ろくごう》、珠洲《すず》二海角の外に日本海を望む。
高《たか》洲《す》山	能登鳳至《ふげし》郡の北部	海抜五五〇メートル、宝立山の西南、輪島《わじま》町（輪島塗の産所）

の東にそびゆ。

鷹《たか》爪《つめ》山
別《べっ》所《しょ》山

能登鳳至《ふげし》、羽咋《はくい》、鹿島《かしま》三郡の間にまたがる

鷹爪山、海抜四四二メートル。別所山は鷹爪山の東東南走する間にそびゆ。共に山頂よりは東南に七尾湾、能登島をみ、西および北に日本海を望む。

隠《お》岐《き》

日本海中に羅列す島後《どうご》、島前《どうぜん》（中ノ島、西ノ島、知夫島）に別つ。列島の母岩はたいがい火山岩

島後の大満寺山、一名摩尼《まに》山、海抜およそ六百二十メートル、西郷港の正北二里に聳立す、隠岐列島の最高点にして円錐《えんすい》体を顕示す、山脈中いたるところ隠岐の名物馬蹄《ばてい》石（火山岩）を産す、艶美《えんび》にして本州に輸出す。島前の西ノ島中央に焼火山あり、海抜およそ四百六十メートル、隠岐列島第二の高山、火山の傍近は杉、檜《ひのき》、松の良材を多産するも他山には少なし。

壱《い》岐《き》

全島の北方一部、東南方一部を除きことごとく火山岩を敷く

島の西南に岳ノ嶺（海抜二一三メートル）秀ず。西に神山（海抜一七九メートル）あり。西北に本宮山（海抜一二四メートル、勝浦港の南）そびゆ。東北岸に魚釣山（海抜一五五メートル）起こる。みな火山岩とす。西岸に温泉あり。

大島
度《たく》島
生《いき》月《つき》島

壱《い》岐《き》と平戸島との間に羅《ら》列《れつ》する群島生月島は平戸の西

みな火山岩より組成す。大島の北部に宇戸岳（海抜二一四メートル）そびゆ。生月島の中央に番《ばん》岳（海抜三〇四メートル）起こる。その他

北にある細長き島）　中小熄火山《そくかざん》あり。

平《ひら》戸《と》島

壱岐島をへだたる南西二十三カイリ、長崎港をへだたる五十四カイリ、長サおよそ八里幅九町より一里あるいは二里

全島たいがいは火山岩より組成し、火山屑《せつ》をもってこれを被《ひ》覆《ふく》す。最北端に白岳（海抜二七二メートル）起こる。中央より西北に安満岳（海抜五五八メートル、全島の最高点）そびゆ。中央に有僧都山（海抜三五八メートル）盤屈《ばんくつ》す。西南岸に屏風《びょうぶ》岳（海抜四一六メートル）あり。最南端に志自《じ》岐《き》山（海抜三三二メートル）突出す。五山みな火山岩にしてその傍近には火山屑敷く。

五《ご》島《とう》列島

平戸の最南端より西十八カイリなる宇久島を最北とし長崎より五十五カイリなる福江島を最南とす

宇久島は火山岩より組成す、最高点は城岳（海抜二六〇メートル）とす。小値賀《おじか》島（宇久の南四カイリ）および傍近の小《しょう》嶼《しょ》十余は火山岩より組成す。福江島は列島中の最大島にしてその形五角を成し角辺四里あり、島の北岸に京ケ岳（海抜一七七メートル）、城ケ岳そびゆ、東岸福江町（旧城下）の南に鬼ケ岳（海抜三一四メートル）、只狩山（海抜八六メートル）秀ず。みな火山。

二　白山《はくさん》火山脈

これ加賀《かが》、飛騨《ひだ》、美濃《みの》、越前《えちぜん》の境上より起こり、ここに白山山彙《さんい》、大日岳を崛起《くっき》し、加賀、

越前の境上に赤鬼山、経ケ岳、報恩寺山、大日岳を崛起《くっき》し、西につづきて越前国裡《り》の日本海岸に国見嶺《れい》、越智《おち》山を崛起し、ここより西南走して若狭《わかさ》丹後の境上に青葉山を崛起し、ついに西走して但馬《たじま》に神鍋《かんなべ》山を崛起し、但馬、播磨《はりま》、因幡《いなば》の境上に菅野《すげの》山《せん》、氷《ひょう》ノ山《せん》を崛起し、但馬、因幡の境上に扇《おうぎ》ノ山《せん》を崛起し、因幡に入りその東境に陣鉢《じんばち》山、鳥取市の東北に駟馳山、立石山、宝木港の南に鷲峰《じゅうぼう》山を崛起し、伯耆《ほうき》に進み入りて名和長年勤王の史跡たる船上山、山陰第一の高山たる大山《だいせん》を崛起し、出雲《いずも》の三郡山を崛起し、出雲、石見《いわみ》の境上に三瓶《さんべ》山《やま》を崛起し、石見の青野山にいたるもの。山陰道諸国をして幽邃神聖の区域たらしむるは、実にこの火山脈中に名山の簇立せるによる。

加賀《かが》国能見《のみ》郡より飛騨国大野郡、越前国大野郡にまたがる金沢市の南およそ十八里にそびゆ

白山に登るに二途あり、(一)は越前福井市より勝山町を経、谷峠を超えて達するもの(行程十七里二十町)、(二)は加賀金沢市よりいたるもの。金沢市よりいたるの途もっとも利便なるをもってこれを取ること可、すなわち金沢より四里鶴来《つるぎ》にいたるまで人力車を駆《か》り、鶴来より女原を経、十里牛首(海抜およそ四百九十メートル)にいたる、深山間の峡谷にありて日本国中有数なる深雪の地とす、牛首より登る四里、市ノ瀬村にいたる、村より八町にして白山温泉(海抜およそ八百

白《はく》　山《さん》

最高点（御前岳）は北緯三十六度七分東経百三十六度五十分に位す

八合目以上（すなわち弥陀ケ原以上）は火山岩（輝《き》石《せき》安山岩に石英を交う）に係るも以下は中世紀層（砂岩）たり斉整なる円錐体をなさず

山中に硫気噴孔あり、旧火口は水をたたえて湖となり硫《い》黄《おう》沈澱す

頂に白山神社（祭神大己貴命《おおなむちのみこと》）あり

登山の参詣者多し

十四メートル、湯元と称す、炭酸泉なり）に達す、風物いよいよ佳絶、径の斜面ますます急劇、三十度以上に及ぶところあり満《まん》眸《ぼう》山毛欅、扁柏、羅漢柏鬱《うつ》葱《そう》す、右に柳谷川、左に湯谷川の深凹溪あり、径側剃刀窟、仙人窟等の怪巌に逢う、弥陀ケ原（海抜およそ二千三百八十二メートル）を過ぐ、黒百合、野鳳仙花等、一々名を知らざるの野花乱開し爛錦を敷くに似、ここより地質とみに激変し火山岩となる、五葉坂を過ぐ、満眸みなハイ松、ライ鳥その間に翱《こう》翔《しょう》し、景象おのずから人間の物にあらず、室堂（海抜およそ二千四百五十七メートル、堂より左折せば別山にいたる径路あり、別山は海抜二三七八メートル、白山の西南に連なりまた熄火山とす）にいたる、堂側火山岩磊《らい》落《らく》、残雪狼藉、ついに御前岳（海抜二六八七メートル、白山山彙の最高点）に達す、岳下に火口湖三あり、湖をへだてて剣ノ山兀《ごつ》立《りつ》す、剣刃を羅列するがごとく一看毛髪ために悚《しょう》然《ぜん》、山下に円形なる一大火口湖あり翠池と称す、御前岳の正北十町に奥ノ院あり、途上千歳池をみる、また円形なる一大火口湖とす、奥ノ院の北に手洗鉢あり、これまた円形なる大火口湖、奥ノ院所在より四望せんか、東北に立山、東北東に鑓ケ岳、東南に乗鞍岳、東南東に八ケ岳、

御岳、信濃甲斐の二駒ケ岳をみ、近南に別山巍峨《ぎが》として峭立《しょうりつ》し、正北に釈迦ケ岳来る、眼界真に壮宏。

大《だい》日《にち》岳 —— 美《み》濃《の》、飛《ひ》騨《だ》、越前　海抜一三〇九メートル、美濃、飛騨、越前の境界に聳立《しょうりつ》す、白山の南。

経ケ岳　越前、加賀の境界　海抜一四四六メートル、白山の西南。岳北に赤鬼山あり、また熄火山《そくかざん》。

報恩寺山　越前大野郡の北部　海抜一二一六メートル、経ケ岳の西、勝山町の東に聳立する一熄火山。

大日山　加賀、越前の境界　海抜一三四〇メートル、勝山町の北、福井市の東微南に秀然《しゅうぜん》と突起す。

国見嶺　越前坂井、丹生《にゅう》二郡　海抜六三八メートル、日本海岸に聳立す、西南越智山あり、また熄火山。

青葉山　若狭《わかさ》、丹後《たんご》の境界　海抜六二〇メートル、日本海岸に聳立す、頂よりは岬角海光の眺望濶大《かつだい》。

但馬国の西境より　但馬《たじま》の西隅に神鍋山秀ず、その傍近に湯村の硫黄温泉あり。

但馬、播磨、因幡の境上	播磨国の北西境にわたり、因幡国《いなば》の東境にいたるの間に簇々峭立する熄火山	但馬、播磨《はりま》、因幡《いなば》の境上に萱野山（海抜一六五〇メートル）、氷ノ山（海抜一三一八メートル）突起す。但馬、因幡の境上に扇ノ山（海抜一四二〇メートル）そびゆ。因幡の東境に陣鉢山（海抜一二九〇メートル）峭立す。これらの諸山岳たる実に中国東部の景象をして壮大深幽ならしむるもの。
鳥取市傍近	因幡鳥取市の東北	駟馳山、日本海岸に突起す、立石山（海抜四五一メートル）、駟馳山の南東。
鷲《じゅう》峰《ぼう》山	因幡高草、気多二郡	海抜九四七メートル、宝木、鹿野より南微東に入る、青谷の東南にそびゆ。
船上山	伯耆《ほうき》八橋郡の西部八橋の西南にそびゆ	海抜九七五メートル、名和長年《なわながとし》の後醍醐帝を奉じて勤王の兵を挙げたるところ、想い起こす義人万斛《ばんこく》の鮮血濺《そそ》ぎて磊落《らいらく》たる火山岩を染めたることを。
高《こう》麗《らい》山《さん》	伯耆汗入郡の東部	海抜七七六メートル、船上山の西に秀《ひい》ず。麓南《ろくなん》なる赤松池はけだし旧火口。
	伯耆国八橋、汗入、日野の三郡にまた	御来屋より左折し南行して登る、山腹に大神山神社（祭神大己貴命）あり、径路は嶮峻なりといえども絶頂よりの眺望は

がる米子町の東に

大山《だいせん》
そびゆ
中国第一の高山岳
海抜一七八一メートル

もっとも濶大《かつだい》、北に隠岐列島日本海上に浮出し、西に出雲、石見の境上なる三瓶山彙の鋭頂をみ、東に三国山（但馬、播磨、丹波の境界）および但馬、丹波の連山を認め得、米子町に下らんとせば西麓《せいろく》より車大村に出ずるを最便とす。

三《さん》瓶《べ》山
出雲《いずも》、石見《いわみ》の境界石見安濃郡小屋原温泉よりおよそ一里半
男三瓶山（最高点）海抜一一二八メートル外輪山岳およそ七あり

男三瓶、女三瓶、子三瓶、孫三瓶、外輪山をなし、その間に旧火口（「室ノ内」と里称する）あり、周回二十町、深所は一反余歩の池となる、池より西北二町、「鳥ノ地獄」あり、炭酸噴孔にして鳥類ここにいたりてたおる、火口より東南下する五町、熱泉湧出す、八町下なる志学温泉場まで箱樋《はこどい》にて引くに熱度なお高く槽中にて冷却せしむ、絶頂よりは前に日本海、隠岐島を望み背に無数の山岳をみる、裾野《すその》の景色また絶佳。

青野山
石見鹿足郡の西境

海抜九五〇メートル、石見、周防《すおう》、長門《ながと》の境上に秀起せる一熄火山なり。

三　阿蘇山火山脈

これ肥後の阿蘇山を主幹とし、西の方熊本市傍近なる金峰山彙《きんぼうさんい》より起こり、市の西郊に法性、花岡の二丘を起こし、東東北走して阿蘇大火山彙を聳突《しょうとつ》せしめ、肥後、豊後《ぶんご》の境上に涌出山を涌出《ようしゅつ》し、二豊に入りて彦山を崛起《くっき》し、豊後《ぶんご》に黒岳、久住岳、鶴見岳、由布《ゆふ》岳、双子岳を簇立《ぞくりつ》せしめ、すすみて海を渡り、四国に入り、伊予に石槌山、高縄山、三津ケ浜の海上に小富士を崛起し、讃岐《さぬき》にいたり丸亀町の東南に飯《いい》ノ山を崛起し、さらに東北走して海中に潜入し、ついに本州に入り、紀伊、和泉《いずみ》の境上を経て、大和《やまと》の中央にいたり室生山を崛起し、いよいよ東北走して伊勢《いせ》の中央をよぎり、ついに参河《みかわ》の鳳来寺山にいたるもの。かの檜垣ノ女の孤棲《せい》せしところ（金峰山彙岩戸山の麓）、鏖戦《おうせん》十七日七千人の殺傷せしところ（田原《たばる》坂、想い起こす、万斛《ばんこく》の鮮血濺《そそ》ぎて磊落《らいらく》たる火山岩を染め尽くしたる当年のことを）、篠原国幹《しのはらくにもと》の憤闘《ふんとう》してたおれたるところ（吉次越）、鬼上官の安眠するところ（法性山）、菊池武光《きくちたけみつ》の王に勤めたるところ（肥後菊池郡）、「香煙《こうえん》は散じて数峰の雲と作《な》る」ところ（彦山）頼山陽《らいさんよう》をして「渓山天下に無し」と喝破《かっぱ》せしめたるところ（耶馬渓《やばけい》、山国川の彦山山麓を浸食して開鑿《かいさく》せしもの）、讃州儒士《さんしゅうじゅし》の「噫《ああ》悲峰」と雅称するところ（飯ノ山）、「いちしの池にあまる白波」を寄するというところ（室生山）、利修《りしゅう》仙人の簫《しょう》を吹きたるところ（鳳来寺山）、みなひとしく火山岩より組成す、日本国裡の名勝もしくは歴史上の遺跡なるもの、古往今来大抵は火山岩に属するを知る。

駒ヶ岳（木曽街道上松駅の南端より東北に望む）
岳はまったく花崗岩より成り大気、風、雨、霜、氷、雪などの浸食によりその形状このごとく奇抜雄渾をきわむ

材 木 石

（下野国塩原温泉場に入り隧道を出て福渡戸湯に至る途上右側）
六角の石柱高く直立に駢列しその幅六、七寸ないし一、二尺

末の松山波打峠（陸奥国一戸町より福岡町にいたる途上）
峠はまったく火山灰質、砂質、もしくは泥質の水成岩（第三紀層）より組成せり　頂上傍近に波痕あり　砂土中に介殻を蔵す　波越の松あり

金《きん》峰《ぽう》山《さん》

肥後《ひご》熊本市の西に兀立《ごつりつ》す
三ノ岳、熊野岳、小萩、平山岳等は金峰山の外輪にして輪の長径一里半
短径一里
海抜七〇五メートル六

熊本市より三時間弱にして登り得、すなわち熊本旧城の北側に沿い、平田の間を西行し、ようやく高くようやく登り、左折して一大鳥居の下を過ぎ、行々ついに絶頂に達す、頂より四望せんか、西に有明洋《ありあけなだ》、島原半島の温泉《うんぜん》岳を眺め、西南は天草《あまくさ》諸島琉《る》璃《り》一碧《べき》の上に浮かび、南に薩摩の連山長揖《ちょうゆう》し来り、正東の阿蘇の噴煙二条を仰ぎみ、北に豊筑の群嶺を認む、景物真に壮宏、しかも頂上の壮観は熊本の平野を下《か》瞰《かん》するところにあり、熊本の城堞《じょうちょう》接連して五層楼樹叢《じゅそう》の中に露われ、白河の長江一帯銀のごとくその下を環抱《かんぼう》するをみる、二時間にして熊本に下り返り得。

肥後熊本市は西北は金峰火山彙に囲《い》繞《じょう》せられ東北、東、東南は阿蘇火山彙に環抱《かんぼう》せらる
ゆえに市の所在平原は壚坶《ろぼ》土、粘土、砂礫《されき》に交うるに多量の火山礫、火山

田原坂　九州鉄道木葉停車場の東南一里にあり、坂は火山岩にかかり鉄道両側の切り抜き壁立数仞《すうじん》なるところまた此岩の間を穿鑿《せんさく》す、西南ノ乱の紀念碑あり、碑文中「両崖壁立径路崎《き》嶇《く》」の八字まさにこの坂を代表す。

吉次越　田原坂《たばるざか》の南にあり、これまた火山岩の間を穿鑿《せんさく》したる坂路。

岩戸山　熊本市の西四里にあり、また火山岩、岩中に一巨洞あり、岩面に「霊岩洞」の三字を彫す、洞中に観音の像を安置す、深さ測るべからず、奇絶怪絶、溶岩中の水蒸気の放出

熊本市傍近

灰をもってしこれらの岩土やや累積して平原上に阜丘《ふきゅう》を作る熊本旧城のごとき実にこの阜丘上に建立す

ゆえに市の傍近は火山岩の丘岡《きゅうこう》はなはだ多くみな名勝もしくは歴史的遺跡の所在にあらざるはなし

によりて生出せしもの。

法性山　荒尾山の東麓《とうろく》にあり、熊本市の西北一里、九州鉄道池田停車場より七町ばかりにあり、加藤清正《きよまさ》の霊廟《れいびょう》を建つ、廟前に本妙寺あり、かの三韓の啼児《ていじ》をとどめしめ熊本城百雉《ち》を経営せし当年の鬼上官がこの桜雲深きところ火山岩の下に千秋の侠骨《きょうこつ》を安置せんとはだれか図るところぞ。

花岡山　一名祇園山　海抜一三三メートル、熊本市の西南に兀立す、停車場より山頂まで約四町。頂より眺望せば熊本の全市を双眸《そうぼう》中に収む、山腹に鐘懸松《かねかけまつ》あり、火山岩土に培養《ばいよう》せられ翠色《すいしょく》三百年、これ清正《きよまさ》築城のさい梵鐘《ぼんしょう》をこの枝にかけ自ら撞《つ》き鳴らして役夫《えきふ》を指揮せしもの。

肥後《ひご》阿蘇郡の南部熊本市の東十一里阿蘇火山彙中に杵島岳、烏帽子岳（海抜一二六八メートル）中岳（海抜一四三二メートル五）、

熊本市より人力車を駆り大分（豊後）街道にたより、白川の右岸に沿いて平田の間を東東北行し、大津町にいたる、頼山《らいさん》陽《よう》のいわゆる「大道平平砥《と》も如《し》かず。熊城《ゆうじょう》東に去れば総《すべ》て青蕪《せいぶ》。老杉夾路《きょうろ》他樹無し。欠処《けっしょ》時時阿蘇を見る」とはこの間の景物を咏じて余蘊《ようん》なきもの、大津町より道路二条に別る、すなわち（一）いよいよ東東北行し黒川に沿い、阿蘇山の北麓に出でて登るもの、（二）東行して白川に沿い、阿蘇山の南麓に出でて登るものこれな

阿蘇山

高岳（海抜一五八三メートル九、山彙中の最高点）、根子岳（海抜一四四八メートル六、山彙の最東端）これを阿蘇の「五岳」と称す、頼山陽詩あり、

「路は阿蘇の腰を繞《めぐ》り、阿蘇の首《こうべ》を見ず。今朝《こんちょう》雨霽《は》れ雲また開く。日は三峰を照らし皴皺《しゅんしゅう》を視《み》せたり。一峰尊厳たるは是《こ》れ丈人《じょうじん》、一峰肩随いて其の右に在り。別に一峰あり鋸牙《きょが》に似たり、其の左に竦立《しょうりつ》して雄秀を争う。粲然《さんぜん》

り、試みに（一）の道路を取らんか、大津町より東東北行し、緩慢なる峠を登り最高点（二重嶺）に達するや、図らざりき人は眼前に峭絶《しょうぜつ》なる懸崖をみみずからその上に立ちいることを、これ阿蘇火山の外輪に達したるがゆえのみ、すなわち屈曲線的の道路を経てこの懸崖（高さおよそ二百メートル）を下り、阿蘇火口の盆地に入り、ようやく山の北麓坊中村に出で、ここより山彙《さんい》中の中岳に登る、登りて四望せんか、右に火山彙中の杵島岳、烏帽子岳長揖《ちょうゆう》し来り、左に高岳、根子岳を仰望《ぎょうぼう》し、火口よりは硫気水蒸気天を衝《つ》きて直上し、真に雄大を極尽す、しかも山上の最奇観は阿蘇の旧火口を双眸の中に収むる所にあり、すなわち旧火口の外輪は北は長倉嶺一帯の山岳をもって東は豊後境上の連山をもって、南は大矢山、冠岳をもって、西は俵山二重嶺をもって、これを限り、黒川の一水外輪の北より西をめぐり、白川の上流輪の東より南に限り今の阿蘇山は実に新火口として輪の中央に聳立するもの、輪の直径七里、中に一町十四村あり、無慮《むりょ》四百の生霊を衣食せしむ、このごとき火口の絶大なるもの実に全世界第一と称す、それより杵島岳頂下の湯谷に下り、赭泥《しゃでい》熱湯の噴出泉をみ、南下して垂玉、地獄の二温泉場を経、いよいよ南下し、

として我の快観を為すを要《もと》む、唯《ただ》恨むらくは一笑《いっしょう》して輒《すなわ》ち背走するを。岐路《きろ》高低頻《しき》りに回看す、鬟髻《かんけい》出没して猶《な》お後に在るがごとし。」

祖母山《そぼさん》《うばがたけ》

日向《ひゅうが》、肥後《ひご》、豊後《ぶんご》海抜一九八〇メートル　九州第一の高山岳　山頂に一小石祠および鳥居を安置せり

涌出山《わいた》

肥後の東北境より豊後西部の綿亙《めんこう》す阿蘇火山脈の東北走せるものこの山

ついに（二）の道路に出で、熊本市に返らんとせば西行して栃ノ木新湯に浴し、白川に沿い、白川、黒川の合流するところを経、数鹿流ノ滝、白糸ノ滝を遊覧し、立野峠を下り、白川に沿いて西下しついに市に返り得、画師、文人、風懐の高士たるものかならず登臨せん哉。

（一）日向延岡町より西北十八里半河内村（日向、肥後、豊後の境上）より登り得、（二）肥後熊本市より阿蘇山南麓の高森町にいたり町より日向の境に入り河内村に出で登り得。河内村より山頂まで径路ことに嶮峻《けんしゅん》、しかも奔湍《ほんたん》銀のごとく、秋間満眸《まんぼう》みな紅楓、画も及ばず、頂より眺観せば万岳千峰眉《び》端《たん》に集まり、東北海峡をへだてはるかに四国の山色をみ、壮絶。

涌出山（一名涌蓋《わいた》山）、黒岳、久住岳（一名九重山）みな完全なる旧火口あり、猛烈なる硫気《りゅうき》噴孔あり、炭酸ガスを蓄積せる「殺生石」あり、「千町無田」なる平原あり、「寒ノ地獄」なる硫黄冷泉あり、頼山陽この間の景物を咏ず。「山脈東北より来《きた》り、隠然として巨防の如し。豊肥は其の左右にして、連山封疆《ほうきょう》を画す。蘇岳尤《もっと》も隆起し、散漫して余勢長し。地高く

黒岳
久《く》住《じゅう》岳

彙を起こしいよいよ東北走して鶴見岳、由布岳、双子山にいたりついに四国に入る

して草木無く、弥《あまねく》望めば唯《ただ》黄茅《こうぼう》のみ。居民蜀黍《しょくしょ》を食し、行客豺狼《さいろう》を避《さ》く。名づけて九重の嶺と曰《い》う。風力四時狂う。吾《われ》秋冬の際に来《きた》り、北風轎《かご》を颺《あ》げんと欲す。譬《たと》えば龍の脊《せ》に上るが如く、冷然として大荒を凌《しの》ぐ。久しく連山の右に客し、天の一方に在るが如し。今日踰《こ》えて左すれば、中原望む可きを覚ゆ。下瞰すれば濛濛《もうもう》たる際、一髪の蒼《あお》きを見るが如し。風狂還《かえ》って喜ぶ可し、猶《なお》自《わが》故郷に来《きた》るがごとし」。

彦《ひこ》山《さん》

豊前《ぶぜん》田川郡、豊後日田郡、筑前《ちくぜん》上座郡にまたがる、小倉町の南十四里半、大宰府《だざいふ》町の東十三里二十三町にあり海抜一一七〇メートル山下に耶馬溪あり

彦山に登るに数途《すうと》あり、(一) 豊前小倉町、行橋町、もしくは筑前蘆屋町よりするもの、(二) 豊前中津町もしくは豊後別府温泉、大分町よりするもの、(三) 筑前福岡市より大宰府町を経もしくは筑後久留米市よりするもの。(一) の道途を取らんか、小倉、蘆屋《あしや》よりは南行し行橋よりは西行して、豊前の香春に出で、増田川の支流に沿いていよいよ南行し、添田にいたり、添田より流れの右岸を泝行《そこう》して増田に至り、径路ようやく崎嶇《きく》、石階を登り彦山神社の銅製鳥居《とりい》に達す、鳥居より登る四十二町彦山神社に詣る、社前よりは福知山、犬山、馬見山を眺望し眼界壮宏《そうこう》。

鶴《つる》見《み》岳 由《ゆ》布《ふ》岳	豊後速見《はやみ》郡の西部別府温泉場の背に聳立す 阿蘇火山脈はこの山彙より国東《くにさき》郡の半島を経ついに海を渡りて四国に入る	共に別府温泉より登り得。鶴見岳に登るの渓路《けいろ》は林樹蒼翠滴《そうすいしたた》れんとす、岳に旧火口あり、新火口あり、硫気噴孔三個あり、活火山にしてこれを探討せば奇観多し、いわんや由布岳と同じく絶頂より下瞰《かかん》せば、前に菡萏《かんたん》湾（火山作用により土地陥没してこの湾を生出す）の海光を望み、別府の市街、温泉場の屋背、湾岸に隠見し、右に大分町南の連山を望み、左に国東郡の火山半島を眺め、双子の熄火山半島上に秀絶するを観る。二山共に風光の快濶《かいかつ》なること九州の東岸に冠たり。
伊予ノ小富士	伊《い》予《よ》興《こ》居《こ》島の南部	火山質蛮岩《ばんがん》より組成す、その形鍋《なべ》を伏せたるごとく富士山と大いに殊異《しゆい》す。
高《たか》繩《なわ》山	伊予松山市の東北道後《どうご》温泉場の背位	海抜一〇九〇メートル、道後温泉もしくは北条村より犀川に沿い登り得、頂に寺院あり、東西北放開して瀬戸内海の群島および松山市を望み得。
石《いし》槌《ずち》山	伊予周桑郡、土佐土佐郡の間にまたがる	海抜二三五五メートル、四国第一の高山、頂よりは北に伊予国の大半、南に土佐仁淀川の全渓谷を下瞰す、眼界の宏濶《こうかつ》なる四国に冠たり。

飯《いい》ノ山

讃岐鵜足郡東南部丸亀の東南にそびゆ

海抜五六五メートル、一名讃岐富士、頂よりは土器《どき》川の全渓谷、丸亀の旧城楼、瀬戸内海の群島を望み、芸備の諸嶺を雲煙杳渺《ようびょう》の間に認む。

大和、伊賀、伊勢の境上

大和《やまと》の東境、伊賀《いが》の南境、伊勢の西境の間にあるもの

大和、伊賀の境上に室生《むろお》山（海抜七〇三メートル）あり。伊賀、伊勢の境上に天ケ岳（海抜九九三メートル）あり。伊勢の西境に大洞山（海抜一〇五二メートル）あり。これらの諸山みな火山岩より組成し磊落《らいらく》奇抜をきわむ。

鳳《ほう》来《らい》寺《じ》山

三河南設楽《みなみしだら》郡東部豊橋町の東北、豊川上流の傍近
海抜五九二メートル
傍近の諸山岳ことごとく他岩質に係るもこの山ひとり火山岩たり阿蘇火山脈の極東

東海道鉄道豊橋町停車場より登り得、町より豊川に出で、東北行して新城町を経、八束穂より東折し、滝川を渡り、長篠古戦場にいたりここより北に山径を登り、山麓なる門谷村に達し、橋を渡り鳳来寺の楼門に入り、石階を登る九町にして本堂に達す、階の両側は老杉《ろうさん》鬱蒼《うっそう》天日を蔽《おお》う、堂塔殿閣金碧《きんぺき》荘厳をきわめたりしも近年火災にかかりて半ば烏有《うゆう》に帰せり、しかも当年結構の幾分はなお遺存し、いわんや「隠し水」、「高座石」、「巫女石」、「行者帰」、「猿橋」などの奇跡あり、沿道の景物また豪蕩たるをもって登臨するに足る、本堂より奥院まで九町。

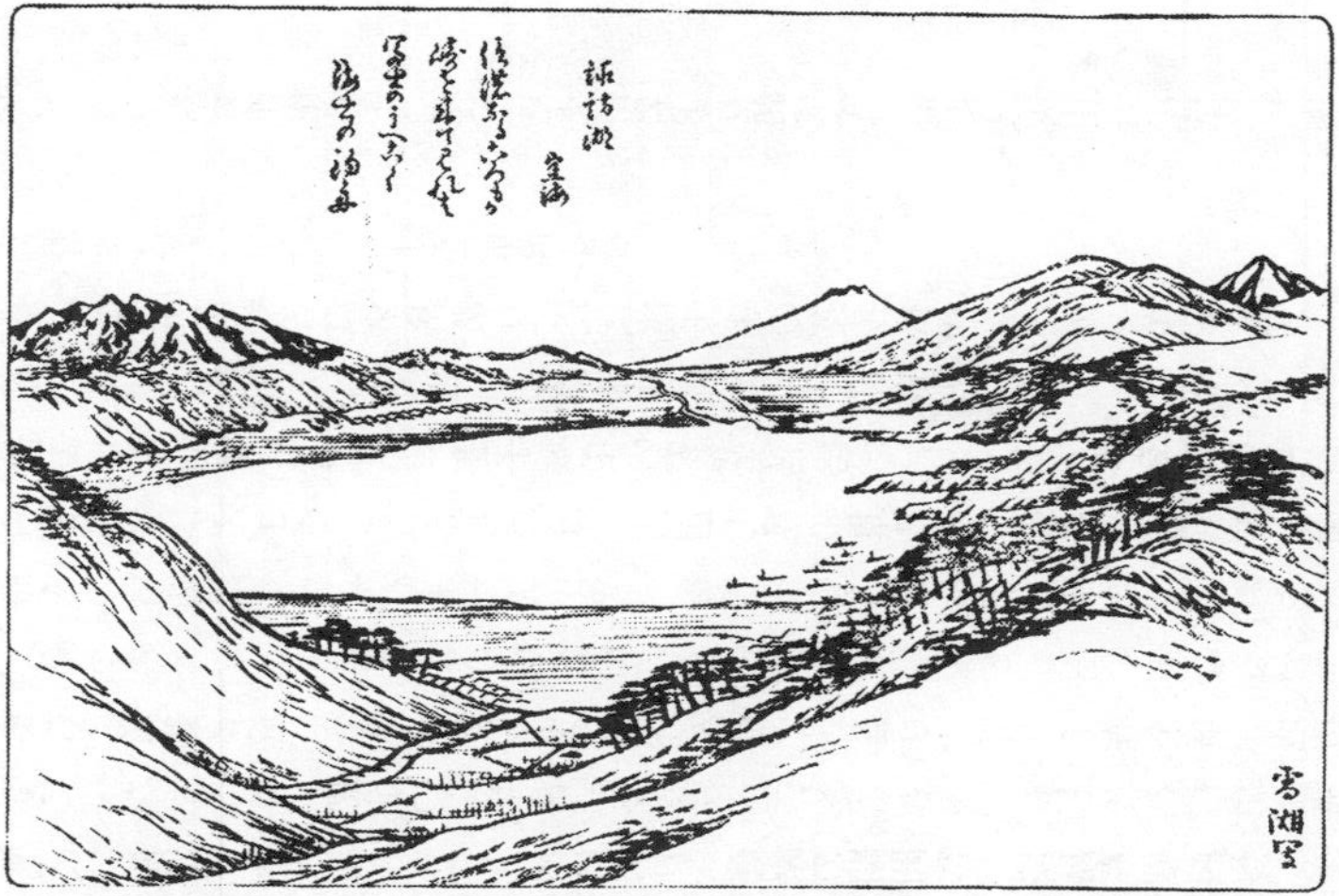

諏《す》訪《わ》湖（塩尻嶺上より望む　右は甲斐の駒ケ岳 中央富士山 左は八ケ岳）周回四里二十町　雅称「鵝湖」　古事記神代巻の「科野の国の州羽の海」　湖積は古代今日より巨大なり　湖上の連山は硫黄に富む　平地より温泉湧出す　湖水中より「釜穴」と称しガス 温泉を吹起す　この湖の一大火口の遺址たる徴すべし

四　霧島山火山脈

これ沖縄列島の鳥島に起こり、東北走して河辺七島（宝島、平島《たいら》、悪石島《あくせき》、臥蛇島《がじゃ》、諏訪《すわ》ノ瀬《せ》島、中ノ島、口《くち》ノ島）、硫黄島を経、九州に入り、薩摩の開聞岳《かいもん》、桜島を崛起《くっき》し、大隅の霧島山彙《さんい》を崛起して、西北折し、肥前《ひぜん》の温泉岳《うんせん》、多良岳にいたるもの。もしそれ榕樹《ようじゅ》、火山岩の土壌に培植《ばいしょく》せられ、栄養多量、一株にしてよく連理石根にいたり、欝々《うつうつ》千有余年、地積三百余歩にまたがり、葉々の欠くるところより熄火山《そくかざん》の秀絶せるを仰望《ぎょうぼう》し、樹陰濃《のう》なるの下、壇浦《だんのうら》敗後の平氏亡命人の墳墓《ふんぼ》累々《るいるい》、墓石また火山岩、莓苔《ばいたい》その多孔なるに乗じてこれを蒸《じょう》し、遊子《ゆうし》をして千古の感慨に禁《た》えざらしむるものは、河辺七島の景物なり。その他わが皇版図の南門に富士山を代表せる開聞岳あり、「鹿子城中の家幾万。窓として紫《し》孱顔《せんがん》を納《い》れざるは無し」。の桜島山あり、日本有史紀の最故趾たる高千穂峰《たかちほのみね》あり、洋客の「聖女《ヴァージン》」と艶称《えんしょう》せる長崎市南の猿田山あり、雲煙薫蒸《くんじょう》せる温泉岳あり、近代儒士《じゅし》中の英物松林飯山《はんざん》の著書を蔵さんとせし多良岳あり、みなまことに九州の土を粧飾す。

宝《たから》　島　鹿児島の西南百十カイリ　全島火山岩より組成す、海岸は火山岩崖壁立、潮勢猛劇、景物豪放。

河辺七島

平《たいら》島	鹿児島の西南八七カイリ	全島火山岩より組成す、海岸は火山岩崖壁立、潮勢猛劇、景物豪放。
悪《あく》石《せき》島	鹿児島の西南九六カイリ	全島火山岩より組成す、海岸は火山岩崖壁立、潮勢猛劇、景物豪放。
臥《が》蛇《じゃ》島	鹿児島の西南八二カイリ	全島火山岩より組成す、海岸は火山岩崖壁立、潮勢猛劇、景物豪放。
諏《す》訪《わ》ノ瀬《せ》島	鹿児島の西南八二カイリ	全島火山岩より組成す、海岸は火山岩崖壁立、潮勢猛劇、景物豪放。
中《なか》ノ島	鹿児島の西南七五カイリ	全島火山岩より組成す、海岸は火山岩崖壁立、潮勢猛劇、景物豪放。
口《くち》ノ島	鹿児島の西南七二カイリ	全島火山岩より組成す、海岸は火山岩崖壁立、潮勢猛劇、景物豪放。
口《くち》ノ永《え》良《ら》部《ぶ》島	鹿児島の西南五七カイリ	全島火山岩より組成す、海岸は火山岩崖壁立、潮勢猛劇、景物豪放。

硫黄島　鹿児島の西南五二カイリ

全島火山岩より組成す、海岸は火山岩崖壁立、潮勢猛劇、景物豪放。

開《かい》《ひら》聞《もん》《きき》岳　薩摩頴《え》娃《い》郡東南部開聞海角の最南端

海抜九二七メートル、一名薩摩富士、開聞海角より峭然《しょうぜん》と突立し、秀絶《しゅうぜつ》なる富士山をなす、頂よりは琉球洋の群島を双眸《そうぼう》に収め雄大真に絶双。

桜島　大隅《おおすみ》北大隅郡、鹿児島湾の中央にあり東西二里二十四町南北二里周十里、鹿児島を離る二十四町高峰は南北に羅列《られつ》す北にあるを北岳と総称し南にあるを南岳と総称す全島火山岩より組成し土壌肥沃《ひよく》人家山脚をめぐり籬《り》

鹿児島より小艇を賃し、桜島の南岸火山岩の懸崖《けんがい》峭絶雄抜なるところを回航し、三時間にして東岸の黒神村に着す、村に温泉あり、また村の東方海浜に沿い鍋山（海抜およそ三百六十メートル余）なる一卑山《ひざん》あり、山頂に旧火口あり、周回およそ三千メートル、これを望見するに奇絶、黒神村より乱竹雑樹鬱蒼《うっそう》の間なる径路《けいろ》を登り、一旧火口の底（海抜一一〇五メートル）に達す、周回およそ八百メートル、この旧火口の南に一大新火口あり、俗に「燃鉢《ねんばち》」と呼ぶ、桜島のいわゆる「南岳」にして周回およそ二千メートル、深さおよそ百二十メートル、四壁峭絶《しょうぜつ》なる断崖を成しついに下るに由なし、火口の処処より硫煙を噴出す、しかれどもその勢力ははなはだ猛劇ならず、さらに北すれば、一溪流の深谷を隔てて「北岳」の連峰あり、中に一旧火口あり、岳の最高点を海抜一一二〇メート

落《らく》の側柑橙橘《かんとうきつ》の枝条相接して煙草の畦圃《けいほ》高低参差《しんし》しかつ巨大なる蘿蔔《らふく》を産す

ルとなす、また島中の最高点たり、南岳もしくは北岳の絶頂より四望せんか、西方眼下に鹿児島の市街海湾に沿いて起こり、西南に秀絶なる富士山状の開聞岳を眺め、東北に霧島の連山を仰ぎ（右に高千穂峰、左に韓国岳を仰ぐ）、さらに日向の群嶺をみ、脚下に鹿児島湾内の幾個小島嶼《とうしょ》を瞰視《かんし》す、その奇警なる筆すべからず。温泉は東岸の黒神村、南岸の古里村、有村の三所に湧出す。

池田池

薩摩揖宿《いぶすき》郡の西部

開聞岳の麓北《ろくほく》、周回四里三十町、深さ百三十尋《ひろ》ないし百五十尋《ひろ》、けだし旧火口。

藺《い》牟《む》田《た》池

薩摩国南伊佐郡藺牟田村にある湖水

周回一里半弱、海抜およそ二百七十メートル、片城、飯盛《いいもり》、愛宕《あたご》、遠見ノ城などの諸峰四周を囲む、底深くして久富川の支流の源をなす、けだし旧火口なり。

日向《ひゅうが》国西諸県《もろかた》、北諸県二郡より大隅

鹿児島市もしくは宮崎町（日向）より登り得、試みに鹿児島市よりの途を取らんか、市より汽船に搭《とう》じて鹿児島湾を北航し、風光明媚《めいび》なる間を渡過して湾の北端加治木《かじき》に上陸し、それより火山岩の化成せる奇警奔放《ほんぽう》なる景象の間を経、宮内八幡社内の蒼翠《そうすい》なる樹陰に憩い、ようやく桂坂嶺を超ゆるや、

霧《きり》島《しま》山へ

国西囎唹《そお》、桑原二郡の間にまたがる一大火山彙たり山彙の峰頂はたいがい欠尖《けっせん》円錐体を呈出しいわゆる鈍頂を現せども東端の高千穂峰はきわめて鋭尖なり西方の韓国岳もまた尖頂を呈出し一瞥《いちべつ》火山たるの象あり高千穂峰、すなわち東霧島山海抜一六五七メートル韓国岳、すなわち西霧島山海抜一六七七メートル、霧島山彙の最高点

人は宛然《えんぜん》大画図の中に入り、顔前に霧島の諸嶺長揖《ちょうゆう》し来り、高千穂の噴煙逆上して天を衝《つ》き、韓国岳の絶頂蒼穹《そうきゅう》を摩《ま》するをみ、左に薩摩の連山、桜島山、開聞岳、奔馬《ほんば》のごとく南走し去る、加治木より馬上半日間にして霧島温泉に達す、温泉に浴しおわり、石階を登りて霧島神社に詣で、社側に憩いて南方鹿児島湾の好風景を眺望し、かつここ（海抜およそ四百五十五メートル）よりようやく高千穂峰に登る。

高千穂峰、すなわち東霧島山 に登らんとせば霧島神社より道路を左折し、森林の間を直歩すること四十分、海抜およそ六百八十メートルのところにいたりて森林を去るや、絶頂は目前に迫り来り、径路かえってようやく嶮峻ならず、絶頂の西側を過ぎ、幾回か曲折して火山岩灰を踏み、ついに火口の西北側に達す、口の「直径」およそ四百五十五メートル、周回二千メートル、深さおよそ九十メートル、口の西側「御鉢」より硫気と水蒸気とを噴出し、その響き轟々《ごうごう》、起こりて天空を覆い、真個に跌宕《てっとう》雄渾をきわむ、火口よりいよいよ登りついに絶頂に達するや、眼界壮宏、鹿児島、都城《みやこのじょう》、宮崎の市街所在の平野、桜島山、開聞岳を下瞰《かかん》す、頂にいわゆる神代の霊物「天《あま》ノ瓊《ぬ》矛《ぼこ》」立つ、黄銅の鋳造物にして、高さ二尺四寸

噴煙壮大なる活火口あり数個の旧火口あり数個の火口湖あり数個の硫気噴孔あり数個の温泉（白鳥、硫黄谷、砒霜燃《ひそうねん》、明礬《みょうばん》、栄ノ尾等）あり要するに后土《こうど》の大活力を認識しもって君が胸宇《きょうう》を宏恢《こうかい》しもって君が意気を豪《ごう》爽《そう》ならしめんと欲せばすべからくこの山に登臨して太奇を探らん哉

八分、最上部の幅五寸六分、左右囲むに火山岩石をもってし上部と東部の二面のみ開く、「瓊矛」の最下部より高さ一尺七寸のところに人物の鼻二個射出す、一は東に面し一は西に面す、すなわち一身二面の姿にして耳目鼻口井然《せいぜん》とし、真に奇物たり、霧島神社より絶頂まで二里半と称す、三時間にしてすなわち登り得。

韓国岳、すなわち西霧島山 に登らんとせば高千穂岳を下りて栄ノ尾温泉場にいたり登ること一時間にして火口に達す、口の周回およそ三千メートル、深さおよそ二十六メートル、口内空池にして火力まったく熄滅《そくめつ》しいささかも噴煙を認めず、それより熊笹灌木《くまざさかんぼく》の間をよぎり絶頂に達して四望せんか、東に富士山状の夷守岳、丸岡岳迫り来り、二岳の麓に大畑池、空池、枇杷《びわ》池の三火口湖あり、東南に矢岳、竜王岳、新燃鉢《しんねんばち》、中岳をみ、三角形なる高千穂の峰尖《ほうせん》その上に挺立《ていりつ》し噴煙天を衝くを認む、眼を南に転ぜんか、脚下に大浪池の火口湖あり、水面一碧琉璃《るり》のごとく湖畔檜樹《かいじゅ》鬱蒼《うっそう》、いよいよ湖面の碧《みどり》を添う、池の南に焼地獄、砒霜燃あり、北には鉾立《ほこたて》山、飯盛岳、甑《こしき》岳各々孤聳《こしょう》し、その間ビャクチ池、白鳥池、不動池（周回およそ二千五百メートル）の三火口湖を観る、栄ノ尾より絶

頂まで二時間半。

長崎市傍近

肥前西彼杵《にしそのぎ》郡長崎市の傍近はことごとく火山岩より組成し市街もまた火山岩の上に建つしかれども湾外なる諸島嶼《とうしょ》はたいがい火山岩の外なる岩石にかかる長崎の風光をして雄快ならしむるは実に火山力にありさらに雄快を添うるは海水の火山岩を浸食するこれなり

金毘羅山《こんぴら》　市の北端にある円錐《えんすい》体の丘陵、市民行楽のところたり、毎年旧暦三月十日、紙鳶《たこ》の競争あり、諏訪神社の左側の道路を取り登る。

稲佐岳　海抜三八一メートル、市の西北端より湾を隔ててそびゆ、奇巌多し。

岩尾山　海抜四九二メートル、稲佐山の北西、絶頂より海上の眺望如画。

鍋冠山《なべかんむり》　市の南端大浦の南にある丘陵、頂よりは長崎の全市全港湾を双眸《そうぼう》に収む、東に島原半島を望み、温泉岳の噴煙その上より起こり、東北に肥前の多良岳をあおぎ、近くは長崎を四周せる河原山、七面《しちめん》山、岩尾山、稲佐岳、猿田山など長《ちょう》揖《ゆう》し来る、眼界壮宏《そうこう》真に指顧《しこ》に堪えず。

鯖腐《さばくさ》**ラカシ岩**　市を北に去ること三里、大村湾岸の時津港にいたらんとするや、道の左にあたり火山岩山の中腹に巨大なる円石の火山岩柱に坐するあり、まさに頭上に崩れかからんとし一瞥危《き》殆《たい》の感あらしむ。

肥前南高来《たかき》郡、島

長崎市もしくは島原町より登り得、試みに長崎市より頂に登

温《うん》泉《せん》岳《だけ》

原半島の中央より起こりて半島の全部にわだかまる普賢岳（海抜一四二四メートル山彙中の最高点）および妙見岳を中心とし烏《え》帽《ぼ》子《し》岳、吾妻岳、宇岳、舞岳、櫓《ろ》木山、前山、岩上山、岩床山、野岳、大崩山、矢岳、高岩山、衣笠山、高岳これを四囲すこの岳は日本にていまだ他所に認めざる岩石すなわち角《かく》閃《せん》安《あん》山《ざん》岩《がん》より組成し花崗岩のごと

りおわりて島原町に下らんか、長崎市より東の方日見峠を越え、島原半島の対岸なる網場に出で、ここにて舟を賃し島原半島の西岸小浜温泉場に上陸し、それより東行し、二里半、札ノ原を経るや、山彙《さんい》中の最高点普《ふ》賢《げん》岳および次高点妙見岳眼前に迫り来る、ようやく進みて右折し半里、小地獄、大地獄の硫気噴孔をみ、温泉村に達す、村（海抜およそ七百七十三メートル）は古来硫黄温泉をもって名あり、硫気噴孔四周に吹出す、その高さ二尺ないし五尺、ときに一丈に及ぶことあり、すこぶる壮観、温泉村より山彙中の諸嶺《しょれい》にみな登りうべし、すなわち最高点たる普賢岳に登らんか。

普賢岳　に登らんとせば案内者を賃し、密樹の間なる径を取り、一時間半にして絶頂に達す、頂に垂直線状なる岩柱あり、高さ八間余、その北面は日光より陰蔽《いんぺい》せられ十一月早く氷柱《つらら》のかかるを見る、頂より四望せんか、北には筑紫《つくし》海を隔てて筑後《ちくご》川の平原、肥前《ひぜん》の群嶺双眸《そうぼう》の内に入り来り、東には熊本の平原、阿蘇《あそ》の火山彙を眺め、東南に霧島火山彙をみ、南は眼下に天草《あまくさ》の群島瑠璃《るり》一碧《べき》上に点綴《てんてつ》し、西に長崎の諸海角を隔ててはるかに五島列島を認め、眼界豁達《かったつ》にして山海を掌中に弄《ろう》し、九州半面の景象躍然《やくぜん》として眉《び》端《たん》に集まる、その観光

き外観あり
参詣《さんけい》者はたいがい八時間にて諸勝地を巡覧するを例となせども健脚者は五時間にして巡覧し得

無限。

妙見岳　に登らんとせば普賢岳より二時間にして達し得、すなわち雑樹の間なる径路を取り、旧火口に入り、大塊なる火山岩を踏み、それより径路ははなはだ嶮峻《けんしゅん》、ついに絶頂に達す、頂よりの壮観は普賢岳に譲らず。

島原町に下らんとせば　左に温泉岳、右に高岳の間なる窪地《くぼち》を過ぎ、空池なる火口湖を見、溪間に下り、また登り、また下りて前山の峭絶《しょうせつ》奇絶なる火口壁を見、平地に下り、ついに島原旧城下の市街に達す。

多《た》良《ら》岳《だけ》

肥前藤津、東彼杵、北高来三郡にまたがる大村町より東北位

海抜一一二六メートル、西岸の大村町より萱瀬《かやせ》、黒木二村を経、登り得、頂に欠損せる旧火口あり、頂よりの四望は規模あるいは温泉山彙の普賢岳に譲るといえどもたいがいは異ならず、頂より少しく南に下れば金泉寺あり。

火山の日本国に普遍することごとし、想う火山は天地間のいわゆる「大」なるもの、天地間の「大」なるものにして日本国に普遍することごとしとせば、浩々《こうこう》たる造化がその大工の極を日本国にあつめたりと断定する、だれかこれを僭越《せんえつ》なりというぞ。博士ラボック（英国皇立学士会会員）、イギリスの風景を艶説《えんせつ》していわく、

多様多変の風景を小範囲の裡《うち》に呈出《ていしゅつ》せるは、全世界中、我島国の如き所恐くは他に在るなけん。試みに南方より始めんか、先ず蒼海《そうかい》あり、沙汀《さてい》あり、ケント州に白堊《はくあ》の懸崖《けんがい》あり、アラム湾に彩色ある砂土あり、デヴォンシャー州に赤砂岩あり、コルンウォール州に花崗岩、片麻《へんま》岩あり（以上海岸）、内部に入らんか、白堊《はくあ》なるダウンの丘脈及び明浄なる流水あり、暢茂《ちょうも》せる森林及び豊饒《ほうじょう》なる葎草《りっそう》園あり、西せんか、礫質《れきしつ》なる丘陵の起伏せるあり、更に西せば、花崗岩の突起せるあり、英蘭《イングランド》の中央に到れば、東にノルフォルク州の諸「漉水《ブローツ》」及び「沢地《フェンス》」あり、次に膏腴《こうゆ》なるミッドランド地方に入れば、穀隴《こくろう》あり、豊饒なる牧場あり、肥大なる牛犢《ぎゅうとく》あり、西に向えば、ウエールスの諸嶺連り、更に北せば、ヨルクシャー州のウォルド山脈あり、ランカシャー州の群丘あり、ウェストモアーランド州の諸湖あり、愈々《いよいよ》北せば、丘陵《きゅうりょう》の起こるあり、陰々たる沢地あり、ノルサムバランド州、カムバランド州に画様の城郭あり。

と。イギリスや、国土の美なるまことにこのごときものあらん、しかもついに一活火山のあるなきをいかん、活火山のあるなきなお可、その火山岩の一大山だにあるなきをいかん（スコットランドエディンボロ市傍近のアーサース、シートは石炭紀時代に現在せし一火山の噴出管なるべしとの説あれども、一小丘にしてもとよりいうに足らず）。日本は、ラボックのイギリスに艶説するところをことごとく網羅《もうら》し尽くして、これに加うに天地間の「大」者たる

芥屋《けや》の大門《おおと》窟《くつ》（筑前国志摩郡芥屋浦の北岸にあり）
大門崎の玄海洋上に突出する処高さおよそ二百尺の峭壁《しょうへき》をなしことごとく玄武岩より成る　壁頂処々に亭々たる長松高聳《こうしょう》すその陰に一憩して四望せば壮観無比

桜　島　（薩摩国鹿児島市旧城内より望む）　南大隅山脈

袴腰半島　鳥島　沖小島

沖小島、鳥島、袴腰《はかまごし》半島、みな島津氏の頃砲台あり

文久三年七月二日三日英国艦隊来襲のさい三砲台よく戦いついに英艦を走らす

火山のいたるところに普遍するをみる。一活火山だにあるなきところにおいてすらなおかつ「全世界中の多様多変なる風景を呈出す」と艶説す、なんぞいわんや日本をや。浩々たる造化がその大工の極を日本にあつめたりと断定する、いよいよますます僭越《せんえつ》にあらざるを確信す。かつや

（九）日本火山の緑色

なるは、これまた絶特なるところ。けだし日本の気候たる多湿多雨、ゆえに水蒸気は外部より火山岩を攻撃するが上にまた多孔なるこの岩の内部に浸入してすなわちこれが黴敗《ばいはい》を促し、膏腴《こうゆ》なる土壌を山上に化成し、加うるに日本の夏季は雨量特に多大、その間温度もまた劇しく高昇し、ときしも驕矜《きょうきょう》なる太陽は峭絶《しょうぜつ》なる火山の側面を炙《あぶ》るをもって、他邦の火山たる多くは赤裸々なるも、日本の火山はしからず、喬樹灌木《きょうじゅかんぼく》相交互し、緑陰黯然《あんぜん》、松籟《しょうらい》処々に起こり、火山の「大」に添うにさらに韻致《いんち》をもってす。一山にしてよく七十属、一百種の樹木生植し、藤《ふじ》、藤繡毬《つるでまり》、野葛《つたうるし》、扶芳藤《まさきかずら》、アケビカズラ、ミツバアケビ、コウモリカズラ、ツルウメモドキのごとき蔓生《つるせい》植物その間に巻旋攀縁《けんせんはんえん》す、これはなはだ他邦にみざるところ、さらに韻致をいっそうに添うるものを

（十）火口湖

となす。想う日本の湖たる、（一）いわゆる「火口湖」種に属するものもっとも多々、すなわち熄滅《そくめつ》せる火口に雨、霜、氷、雪の潴溜《ちょりゅう》し、もしくは口底より泉水の湧出《ようしゅつ》してついに湖と化成せしもの、多くは火山の絶頂もしくは中腹にあり。かの樺《かば》樹、トド松鬱葱《うっそう》として帷幕《いばく》する間に寒水三里中に神岩の一島を聳起《しょうき》する、摩周《ましゅう》湖（根室《ねむろ》）、一碧瑩然《ぺきえいぜん》たる恐山《おそれさん》湖（陸奥《むつ》）、水心鏡面のごとくその上に八甲田山、戸来《へらい》岳、十和田岳の影を倒映する十和田湖（陸奥、陸中）、白練を流すがごとき鳥ノ海（羽後《うご》）、沿岸岩石の赭褐《しゃかつ》色をなせる蔵王岳西の蔵王沼（磐城《いわき》）、吾妻山中に水色藍《あい》を蘸《さん》せる略《ほぼ》円形の五色沼、五色沼の南にたたゆる正円形の桶《おけ》沼、猫俣《ねこまた》岳西なる楕円《だえん》形の雄国《おぐに》沼（以上岩代《いわしろ》）、古歌の「まこも苅る伊香保の沼」（上野《こうずけ》）、立山の血ノ池（越中）、開闢《かいびゃく》以来千古の堅氷を凝結せる白山絶頂の楕円形なる千歳池、翠《みどり》池、手洗鉢《てあらいばち》（加賀）、「月影のすわの海」（信濃《しなの》）、乗鞍《のりくら》岳腹なる周回三里の大池（飛騨）、檜樹蓊然《かいじゅおうぜん》たるの下に陡潭《とうたん》緑水を盛る霧島山中の白鳥池、不動池、ビャクチ池、大浪池、大畑池、御池（日向）、高嶺群簇《ぐんぞく》の間に孤在する藺牟田《いむた》池（薩摩）のごとき、すなわち火口湖とす。その他新火口の外輪と旧火口の内輪との間なる窪地《くぼち》に水のたたえたるものあり、函嶺《はこね》の絶勝たる蘆湖《あしのこ》（相模）のごときすなわちこれ。ひとり火口湖にとどまらず、火山力の副産物として湖の化成せしもの多々、すなわち（二）噴起のさい、地盤の陥没し、もしくは溶岩、火山屑《せつ》などの堆積《たいせき》して火山または他岩質なる山岳との間に窪地《くぼち》を生出するや、氷、雪、雨潦《うろう》はこれに瀦溜《ちょりゅう》してすなわち湖を化成す、この種の湖やたいがいは山麓にたたゆるもの、その樹林翠蔚《すいい》たるの下一碧《べき》十二里中にトウモシリ島を屹立《きつりつ》する釧路湖、雄阿寒《おあかん》、雌阿寒《めあかん》二岳相対して峭突《しょうとつ》するの間に緑陰水畔を彩り危巌四岸に峙《そばだ》ち島を浮かぶること幾個その絶勝北海道第一の称ある阿寒湖（以上釧路）、恵庭《えにわ》、樽前の岳影を鑑する支笏《しこつ》湖、蝦夷富士山下の洞爺《とうや》湖（以上胆振《いぶり》）、雲煙杳靄《ようあい》せる猪苗代湖（岩代）富士山麓なる明媚画《めいびが》様の五湖（山中、河口、西《にし》、精進《しょうじ》、本栖《もとす》）のごときすなわちこれ。（三）噴起のさい、溶岩、火山屑《せつ》など吐出《としゅつ》し来り、川河の流道を遮断《しゃだん》して河水ために滙滞《かいたい》し、たちまち湖と化成せしもの、かの駒ケ岳下に泓然《おうぜん》たる大沼、蓴菜《じゅんさい》沼（以上渡島《おしま》）、磐梯《ばんだい》山爆裂のさい化成せし三湖（檜原、秋元、小野川）、日光山頂の中禅寺湖のごときすなわちこれ。

想う火山湖たる、一泓澄深《おうちょうしん》、しかも太陽の光線は下徹《かてつ》し、晶々《しょうしょう》として鏡の新たに磨けるごとく、鬚眉《しゅび》すなわち鑑《かがみ》すべく俯して窺《うかが》えば鱒魚《ます》、アメマス、嘉魚《いわな》、洋々として往来し、玻璃《はり》瓶中を行くに似、たちまちにして巌影、樹影、山影、倒映して水中に入るや、鱒魚は山に登るがごとく、アメマスは樹に攀《のぼ》り、嘉魚《いわな》は巌上に躍らんとす、頭を挙ぐれば衆峰回環《かいかん》し交《かわ》る交る高を争いてその間わずかに天光を露わし、万象の蕭瑟《しょうしつ》たるうたた人の神骨を冷殺せしむ、いわんや火口湖の四岸懸崖《けんがい》壁立直ちに水面より峭絶《しょうぜつ》するところ、いよいよますます景象の蕭瑟《しょうしつ》を添え来る。世に「平和」なる語あり、しかも「平和」中の最平和は実に火口湖によりて代表せらる。だれか料《はか》らん、この最平和の代表者は、爆声轟々《ごうごう》、火光煽々《せんせん》、天日を焼き、岩石を溶かし、硫煙空を衝《つ》きて逆上し、熱灰地を捲《ま》きて吹き散じたる当初の火口ならんとは、「平和」か、「平和」か、知れ、真成の平和は物力を極端まで費了《ひりょう》せずんばついに得べからざることを。もしそれ火山力の副産物たる各種の湖にいたりては、その形曲折、出入きわめて不規律、石嘴《せきし》あるいは水心に突立し、飛巌あるいは潭外《たんがい》に錯峙《さくじ》し、乱礁《らんしょう》あるいは波際《はさい》に点綴《てんてつ》し、変化万状、もとより他の大陸所在なる沿岸の平卑《へいひ》単一景象の庸々《ようよう》凡々たる湖と比較すべきにあらず。一たび洞庭湖（シナ）と聞かんか、人をしてすなわち月白く風清きの夕を想起せしむ、しかもその岸の沮洳《そじょ》たり、その深さ梅雨の候といえどもわずかに二尋《ひろ》、冬季一尋《ひろ》、水色常に渾濁《こんだく》「珊瑚《さんご》色」をなすを知らば（南岸の水色はやや澄清なるも湖のたいがいは渾濁《こんだく》す）、人をして意阻《はば》み興醒《さ》め、また湘娥《しょうが》を吊《とむら》うの念なからしめん。いわんや「湖光雨に宜《よろ》しく最も晴れに宜し。好景は憐《れん》に偏し夜色清らかなり」（沈徳潜）という西湖《せいこ》（シナ）は、その所在鹵《ろ》湿《しつ》に、マラリヤ熱の窩窟《かくつ》となりて、孤山処士捿遅《せいち》の趾は、瘴氛《しょうふん》の冒すところとなり、その「宜雨」日は黴菌《ばいきん》を培養《ばいよう》するの期なり、「宜晴」の日、「夜色清」の時はあたかも沼《マーシュ》ガス蒸発のさいなり、真個殺風景の極、だれかまたその畔に帰隠《きいん》を計るものぞ。君や火山力のごとき気力を揮霍《きかく》し尽くして大いに社会の間に周旋《しゆうせん》し、他年功成り名遂げ、ついに帰隠《きいん》を計らんと欲せば、請うすべからく廬《ろ》を火山湖畔に結べ、瘴氛《しようふん》に冒されず、沼ガスの蒸発するなく、高臥閑《こうがかん》に肉神を養い、最平和の間によく天命を終えん、明哲身を保つの術ここにあり。火山力作用の結果、その痛奇なるものを

（十一）　玄武岩

となす。けだし玄武岩《げんぶがん》たる純然たる火山の噴出物、その初め溶岩の流液は火口より噴出せられ、一たび出でて空気の寒冷なるに触《ふ》れ、たちまちその熱を放発し尽くし、冷却して固結し、そのさい各々岩の中心点に向かい烈しく収縮するをもって、表面に亀裂《きれつ》を生じ、六角体を化成す、玄武岩の六角体を成すはこのゆえ、その間冷却の度一様ならず、ときに不規律に固結するをもって、あるいは五角体を現し、あるいは三角体を構造するも、要するに稜角分《りようかくぶん》明《めい》、井々然《せいせいぜん》として排列するは玄武岩みなしかり。

イギリスの地誌を読むもの、何人も「フィンガル窟《ケーブ》」、「巨漢の石道《ジヤイアンツ・コースウエー》」なるもののあるを知り、これが挿図《そうず》を覧《み》るや、そのバザルト石なるものの角柱数千万より湊成《そうせい》するをしり、ひとりおもえらく造化の奇を弄《ろう》するなんぞ一にここにいたるや、しこうしてわが邦ついにまたこ

神威古潭（カモイコタン）

（後志《しりべし》国小樽港より石狩国札幌にいたる途上）　蝦夷《えぞ》語「神の在所」の義　荘厳跌宕の箇所なるをもってかく附名せしもの

の一奇なきかと。日本の人たいがいは日本にこのごとき奇観あるなしと信ず、しかもその多多存在するも、たまたま僻隅陬境《へきぐうすうきょう》にありてすなわち覩聞《ともん》せざるをいかん。「材木巌」（玄武岩）を観、絶嘆していわく、

己未十月。余自羽州還。過奥州下戸沢。観所謂材木巌。巌矗矗聳立。高数千仞。上摩霄漢。幅数百間。下有一溪。清洌如鏡。石根入水。深又不知其数千仞。蓋其全形一石。壁立削成。而有直坼者。如欑棟梁。有横裂者。如列桷橑。所以有材木之称也。余得其石片崩墜在地上者。細観之。其質堅緻。類豆州御影石。而石或四角。或六角。皆如琢磨成之者。沢沢可以鑑焉。甚乎天巧之奇至此也。巌固骨立無膚。然石之崩墜者。其迹欲然成罅。而松生長其間。蒼髯黛色。浸影溪流。又有小鳥数百。翺翔和鳴於巌樹中。粧点以添其景致。実天下之奇観也。属吏杉立某在側。謂余曰。某嘗游松島。松島之勝冠天下。其境彼此異観。而今較論其勝。不易優劣也。余因慨然起歎曰。彼名大顕。而此則寥寥。無情頑石尚然。況於人耶。安政六年冬十月三日。属稿於福島客館。

林　鶴梁

（己未十月。余　羽州より還るに、奥州の下戸沢を過ぎ、所謂《いわゆる》材木巌を観る。巌　矗々《ちくちく》と

して聳《そび》え立つ。高さ数千仞《じん》。上は霄漢《しょうかん》に摩《せま》る。幅　数百間《けん》。下に一渓有り。清冽《せいれつ》なることと鏡の如し。石根　水に入り、深さまた其の数千仞なるを知らず。蓋し其の全形一石にして、壁立し削成す。而《しこう》して直《ちょく》に坼《さ》く者有り、棟梁《とうりょう》を攅《あつむ》るが如し。横に裂く者有り、桷《かく》榱《すい》を列べるが如し。材木の称有る所以なり。余　其の石片の崩《くず》れ墜《お》ち地上に在る者を得《う》。細かく之を観るに、其の質　堅緻《けんち》にして、豆州《ずしゅう》の御影石《みかげいし》に類す。而して石　或いは四角、或いは六角にして、皆な琢磨《たくま》して成るが者の如し。沢々として以て鑑《てらしみ》る可し。甚だしきかな天巧の奇此に至るや。巌　固《も》と骨立《こつりつ》して膚無し。然れども石の崩れ墜ちし者、其の迹は欿然《かんぜん》として罅《ひび》を成す。而して松は其の間に生長し、蒼髯《そうぜん》として黛《たい》色あり。影を渓流に浸す。また小島有ること数百、翶翔《こうしょう》して巌樹《がんじゅ》の中に和鳴し、粧点《しょうてん》して以て其の景致を添う。実に天下の奇観なり。属吏の杉立某　側に在りて、余に謂って曰わく、某　嘗《かつ》て松島に游べり。松島の勝　天下に冠たり。其の境　彼此　観を異にす。而して今其の勝を較論するに、優劣すること易《やす》からざるなり、と。余　因りて慨然として歎を起して曰わく、彼の名　大いに顕わる。而るに此れ則ち寥々たり。無情の頑石《がんせき》すら尚お然り、況んや人に於いてをや、と。安政六年冬十月三日。福島の客館にて稿を属《つづ》れり。）

と、その「彼名大顕。而此則寥寥」（彼の名　大いに顕わる。而るに此れ則ち寥々）なるとこ

俵　　岩　　駿河国庵原郡松野村にあり　富士川の下流右岸
（「富士川」の部　合わせ参照すべし）

ろ、たれか同感の情なからんや。しかれども玄武岩を嘆称する古来必ずしも寥々《りようりよう》たるにあらず、越後《えちご》「七不思議」の一なる「田代の七ツ釜」はすなわちこの岩を神視するものにして、いわゆる

魚沼郡の官駅十日町の南七里許《ばかり》妻在庄《つまりのしよう》の山中（此へんすべて上つまりといふ）に田代といふ村あり村を去事《さること》十八町七ツ釜といふ所あり（里俗滝つぼを釜といふ）滝七段あるゆえ七ツ釜とよびきたれり銚子の口不動滝などいふも七ツ釜の内にて妙景奇状筆をもって云べからず（中略）此所の絶壁を竪御号《たておごう》横御号といふ里俗伊勢より御師の持きたるおはらい箱をおがうさまといふ此絶壁の石かの箱の状に似たるをもつて斯《かく》いふなりその似たりといふは此ぜつへき石どもの落てあるを視れば厚さ六七寸計《ばかり》にして平みあり長さは三四尺ばかり長短はひとしからず石工の作りなしたるが如し此石数百万を竪《たて》に積重ねて此数十丈の絶壁をなす也頂は山につゞきて老樹欝然《うつぜん》たり是《これ》右の方の竪御号なり左りは此石の寸尺にたがはざる石を横に積かさねて数十丈をなす事右に同じそのさま人ありて行儀《ぎようぎ》よくつみあげたるごとく寸分の斜なし天然の奇工奇々妙々不可思議なり此石の落たるを此田代村の者さま〳〵の物に用ふ片石にても他所に用ふれば祟《たたり》ありし事度々なりとぞ（北越雪譜《ほくえつせつぷ》二編）

のごとき実にこれ。

玄武岩聳立《しようりつ》のもっとも顕著なるはかの柴栗山《しばりつざん》をして曠世《こうせい》の紀事文を草せしめ、篠崎《しのざき》小竹、

仁《に》科《しな》白谷、野田笛浦《てきほ》、斎藤拙堂《せつどう》、石井鶴山《かくざん》、奥劣斎《おくれつさい》をして各々好*詩句を賦《ふ》せしめたる但馬《たじま》の「玄武洞」にして、八角、七角、六角、五角なる黒色堅緻《けんち》の玄武岩柱（里称「灘石」）高さ二十尺ないし三十尺なるもの矗々《ちくちく》として排列する万千条なるを知らず、柱は七、八寸ないし一尺ごとに横に裂理《われめ》あり、ゆえに畳々《じょうじょう》として幾多平石を累積《るいせき》するがごとく、一々拉《らつ》し去らば人工を要せずして好個の建築用石材に応用し得（維新《いしん》以前、この洞の奇勝を毀傷《きしょう》せざらんため石を拉《らっ》し去るを禁止す、後、禁ゆるみ、所在人民ほしいままに拉し去りしも、今やまた禁止す。ちなみにいう、越後「田代の七ツ釜」は往時人民神視せしも、今や所在の樹木を濫伐《らんばつ》し、大いに風致《ふうち》を毀傷《きしょう》せしと、よろしく玄武洞にならい奇勝保存の計を画すこと可）、真個に天巧の極。もしそれ玄武岩の大観にいたりては、九州北海岸の中央より少し西に多々排列するものこれにして、すなわち筑前国の西隅《せいぐう》志摩《しま》半島の西部芥屋《けや》浦大門《おおと》崎の巌洞より起こり、その対岸肥前《ひぜん》国神崎《こうざき》にいわゆる「七ツ釜」をうがち、神崎より以西呼子《よぶこ》港にいたる間は、海角、島嶼《とうしょ》いたるところことごとくこの岩より形成せざるなく、玄海《げんかい》洋の濤浪《とうろう》怒激し来り、あるいはこれを洗いて懸崖《けんがい》を琢磨《たくま》し、あるいは齧みて洞をうがち、門を闢《ひら》き、規模の雄大壮宏《そうこう》なる「フィンガル窟」、「巨漢の石道」の比肩《ひけん》すべきにあらず。その芥屋浦大門岬、峭絶《しょうぜつ》二百尺、北、西、南の三面海に斗出《としゅつ》し、岬の全部みな玄武岩、あるいは直立し、あるいは斜欹《しゃき》し、あるいは横臥《おうが》し、その数千百万条、玄海万頃《ばんけい》の濤浪《とうろう》、奔馬《ほんば》のごとく轟雷《ごうらい》のごとく衝《つ》き迫り、岬の北崖を撃《う》ちて飛《ひ》瀉《せき》噴散、雪花狼藉《ろうぜき》、ようやく岩の弱所を破壊し、窪《くぼ》となり洞となるや、洞頂より懸下《けんか》せる岩柱は横に多々の裂理あるをもってすなわち重力を失い自ら海中に堕落《だらく》す、しこうして濤浪はこの堕落せし岩塊を駆《か》り来り駆り去り、共に迫り撃ちて一層々に浸食力を増進し、ついにこの大洞をうがつ、洞門の間口二間、高さ四間、南東に開き、その内幽黯《ゆうあん》口よりおよそ五十間は小艇《しょうてい》を寄るべく、洞頂《どうちょう》、洞側、洞底、ことごとく五角、六角の稜々《りょうりょう》たる岩柱より編成し、奇抜無比（関東野人の記録に拠る）。その神崎の「七ツ釜」（唐津町の西北およそ三里）、全岬《ぜんこう》また玄武岩より編成し、斗壁《とへき》側立、岬三叉《さ》に分かれ、東叉の基脚に七横洞をうがつ、いわゆる「七ツ釜」とはすなわちこれ、七洞各々西西北に向かい、第一洞間口四間余、第二洞一間余、第三洞、第四洞各々一間半、第五洞五間余、第六洞一間半、第七洞七間余、各洞奥行き三十間以上に及びみな舟を容《い》るべし、西叉の西側基脚に二洞あり、駢列《へんれつ》して内部相通ず、その裏側に二、三洞あり、ひとしく神工鬼斧《きふ》の彫刻するに類す、洞頂、洞側、ときに小懸泉《けんせん》の岩間に滴瀝《てきれき》するあり、冷々として絃のごとく琴《こと》に似、人の神気を竦然《しょうぜん》たらしむ。その神崎より呼子港にいたる間、一里余程、懸崖《けんがい》斗壁峭然《しょうぜん》として連続し、崖や壁やみな玄武岩、特に供《とも》ノ岬、呼子《よぶこ》の鼻、飛島《とびしま》のごとき矗々《ちくちく》聳抜、玄海の舟中より観る者をして覚えず「日本にもフィンガル窟あり、巨漢《ジャイアンツ・コースウエー》の石道あり、否、これらよりまさるものここにあり」と絶叫せしめん。その他陸中の「岩屋」（陸中国南岩手郡西根村、岩手山南麓網張温泉より滝ノ上温泉にいたる途上、雫石《しずくいし》川北岸）のごとき、また玄武岩の洞窟《どうくつ》にして、日本国中いたるところこの物に乏しからず、その乏しからざるこそ火山国の本色なれ、玄武洞の日本に多在するもとよりしかり、なんぞまた英国の「フィンガル窟」、「巨漢の石道」を説かんや。玄武岩と化合を異にするも、ひとしく火山岩種にかかるものにして稜角井々《りょうかくせいせい》たるものは、粗面岩に塩原温泉福渡戸《ふくわど》の「材木石」（挿画につまびらかなり）あり。安山岩に富士川右岸の「俵岩《たわらいわ》」（甲斐《かい》国鰍沢村より富士川の激流を舟下して、駿河《するが》国松野村にいたらんとするや、六角形の石柱屏立《へいりつ》するもの）あり、阿仁銅山内の「柱石」（羽後《うご》国阿仁銅山内一ノ又川畔に露出す）あり。火山力の痛奇《つうき》なる産物、日本に多在することのごとし、その多在するは火山国の火山国たるところ、しかもこれを知らずこれを認めず、かえって英国にあるごとき少許《しょうきょ》の火山産物を羨《うらや》む、これそもそもなんらの事ぞ、真個に日本火山岩のために知己少なきを惜しむ。

*堅者如簇柱。　堅き者簇柱《ぞくちゅう》の如く、
斜者如束棟。　斜なる者束棟《そくとう》の如し。
色黝皆六出。　色黝《あおぐろ》きも皆六出《りくしゅつ》のごとく、
横断節節縫。　節節《ふしぶし》を横断して縫《ぬ》えり。

小竹

豊岡城下過。　豊岡城下過ぐ。

玄洞石総方。　玄《げん》洞《どう》石総《すべ》て方なり。
累累積成岑。　累《るい》累《るい》積《つ》みて岑《みね》を成す。
誰謂非斧斨。　誰か斧《ふ》斨《しょう》に非ずと謂わんや。
白谷
亀文無縫綴。　亀《き》文《ぶん》縫《ほう》綴《てい》無く、
万柱如礱砥。　万柱礱《ろう》砥《し》の如し。
偉哉造物才。　偉なる哉《かな》造物の才、
嵓洞出奇詭。　嵓《がん》洞《どう》奇《き》詭《き》を出す。
把筆欲無言。　筆を把《と》るも言無からんと欲し、
天貌誰得擬。　天《てん》貌《ぼう》誰か擬《ぎ》するを得ん。
笛《てき》浦《は》
洞天鍾霊気。　洞《どう》天《てん》霊気を鍾《あつ》め、
醜石多六稜。　醜《しゅう》石《せき》六稜《りょう》多し。
幾柱支洞屋。　幾《いくばくか》の柱洞《どう》屋《おく》を支え、
衆頑積百層。　衆《しゅう》頑《がん》百層を積む。
拙《せつ》堂《どう》
大者数尋小者囲。　大なる者は数《すう》尋《じん》小なる者は囲《い》。
矗矗累累堆相依。　矗《ちく》矗《ちく》累《るい》累《るい》堆《たい》して相依る。
何物好事探秘奥。　何物ぞと事を好み秘《ひ》奥《おう》を探《さぐ》る。

中通一径洩天機。　中に一径通じ天機を洩《も》らす。
屋壁柱梁奇石攢。　屋壁柱梁《ちゅうりょう》奇石攢《あつ》まる。　鶴《かく》山《ざん》
窈深似宛廈堂寛。　窈深《ようしん》にして宛《さなが》ら廈《か》堂の寛《ひろ》きに似たり。
巨霊不設洞門鎖。　巨霊洞門《どうもん》の鎖を設けず。　劣斎
能度吾曹随意観。　能《よ》く吾《わ》が曹《そう》と度《はか》り意に随って観《み》ん。

客あり、いう、火山力爆裂の多炎残酷《ざんこく》なる得て具状《ぐじょう》すべからず、日本に火山の普遍する太《たい》患《かん》の極なりと。いずくんぞ知らんや、火山力の爆裂あるなけんか、太地に凹凸《おうとつ》なく起伏なく、渾円《こんえん》球上一面に平然、よく一奇、一美、一壮観を認めず、上天茫々、后土《こうど》寞々《ばくばく》、いささかの跌宕《てっとう》高邁《こうまい》なる者をみえざることを、ただこの火山力のあるあり、もってよく渾円球上に奇を添え美を装い壮観を呈出す、火山力いよいよ検烈《けんれつ》にして后土《こうど》ますます跌宕を恢弘《かいこう》し、いよいよ猛大にしてますますその高邁を加倍す。特に日本のごとき、火山力にして劇烈猛大ならざらしめんか、いかんぞその景物の警抜秀俊《しゅうしゅん》なるこのごときあらんや、火山力は日本の江山を洵美《じゅんび》ならしめたる主源因たり、かつやこの力は山岳をしていたるところことに高崇ならしめたれば、山麓《さんろく》より絶頂にいたるまで気候の偏差多様に、半熱帯、温帯、半寒帯、寒帯を併《へい》有《ゆう》し、したがって生物の種類もまた多様、すなわち気候上、日本国の面積を加倍せしもの、

いわんや山岳高崇なるをもって、その側面積おのずから広大に、実際上日本国の面積を加倍せしをや。火山力の日本国を利益せしものむしろ量るべからず、なんぞまた太患を説かんや。客さらにいわく、火山力有形上の功績、われ謹しみて命を聴く、ひとり無形上なる悪感化をいかん、欧米列国のごときみな火山なきも、日本国ひとりこれあり、しこうして火山ときどき爆裂、人々ために悸々《きき》、居常寧所《ねいしょ》なきがごとく、その結果不知不識の間に恒心《こうしん》定念の発達を残賊《さんぞく》するいくばくぞと。ああ客それ説くを止めよ、客、欧米列国という、よく欧米列国文明の淵源するところを知るか、火山岩の上に建ちたるローマ国実にこれにあらずや、昔時《せきじ》両ブルツス、両シピオ、両カート、チチェロ、チェサーレ（いわゆるシーザー）、ヴィルジル、みな火山岩の上に生産し、中古ダンテ、ペトラルカ、ボッカチオ、コロンボ（いわゆる新世界発見者コロンブス）、サヴォナロラ、アンジェロ、ラーファエロ、ガリレオひとしく火山岩の間に成長し、近世ガリバルティー、カヴール共に火山岩の表に偉業を成就す、欧米列国文明の淵源《えんげん》たらざるべからず、また無形上の悪結果をいうなかれと、客唯々《いい》として退く。

ああ造化の洪炉《こうろ》や、火山、火山岩を多々陶冶《とうや》して日本人に贈賜《ぞうし》す、これを歌頌《かしょう》せずこれを賛美せざるは、咄々《とつとつ》日本人の本色にあらず。

この稿完了す、たまたま硯《すずり》を洗う、硯は葡萄色なる門司《もじ》石より作る、これ明治十八年の冬、馬《ば》関《かん》に求めたるもの、石は古凝灰岩に係り、文字関外に約三十尺の厚さをなして懸崖の上部に露出するところ、硯を洗うに当たりて、当年曾游《そうゆう》の山水は恍《こう》として脳中に想起し来る、伏仰また幾個の感謝。

剱川生

岡 崎 城 （東海道鉄道岡崎停車場の北およそ三十町　左側の城楼は徳川家康誕生の処　各城楼は現時崩壊したれどもその遺礎を存す）

城墟は花崗岩の細砕して組成せる水成岩の丘陵上にあり　その所在は公園となる

城墟に登臨せば遺礎の上より矢矧《やはぎ》河系の花崗岩溪谷を双眸中に収む

日本武尊《やまとたけるのみこと》東征のさい矢を矧《は》げる処、中将在原業平《なりひら》東下《あずまくだ》りの途上燕子花裡に懐京の情を咏じたる処、牛若丸義経年少冶游《やゆう》をなす処、新田《にった》義貞足利氏を討つ処、日吉丸（秀吉）乞食となりて臥す処、徳川清康（家康の祖父）「是」の字を握ると夢みたる「是之字寺」のある処、徳川家康誕生の処、徳川氏今川氏と戦いたる処、徳川氏織田氏と戦いたる処、一千八百年来王覇歴代の興亡はことごとく眉端《びたん》に集まる

付録

登山の気風を興作すべし

山、山、その平面世界より超絶するところ多々。

一　山は太地の彩色を絢煥《けんかん》す

紅、白、玄、黄、青、緑は、平面世界にありといえども尋常これを認め得。花の紅、月の白、雲の玄《くろ》、沙《すな》の黄、水の青。木の緑いずれのところよりか認めがたからん、しかも太地間の純粋無垢《むく》なる紫色、藍靛《らんてん》色は、山を仰望するにあらずんばついに観《み》るべからず。想う山の紫色、藍靛《らんてん》色は、細緻《さいち》鮮麗、加うるに光沢燦然《さんぜん》、特に一雨洗うがごとく新霽《しんせい》水に似たり、この際に縹緲《ひょうびょう》せる凝黛堆藍《ぎょうたいたいらん》は、染具をもってこのごとく調合せんとするも、庸凡《ようぼん》の頭脳をもってとうていなしうべからず、太地の彩色は山を得て初めて絢煥す。

二　雲の美、奇、大は山を得て映発す

唐人、巌《いわお》を「雲根」と呼ぶ、趣ある哉《かな》この称や、雲、山より起こり、山雲を得ていよいよ美、ますます奇、一層々に大を添う。もしそれ雲、縷々《るる》として藕絲《ぐうし》のごとく、山の背腹を曳《ひ》くや、宛《えん》として神女の羅裳《らしょう》を織るに似、朝暾《ちょうとん》夕陽たまたまこれと映発して純紅火のごとく、羅裳《らしょう》桃花色に染めおわる。倏忽《しゅくこつ》にして雲、来往迅速《じんそく》、澎湃《ほうはい》として天を捲《ま》き、百道狂馳《きょうち》、山、その間よりあるいは湧《わ》き、あるいは没し、あるいは浮かび、あるいは沈み、汎々《はんはん》として大海上の島嶼《とうしょ》と化成す。頃刻《けいこく》にして空気の運動静穏となるや、雲はようやく下降して山腹に繚繞《りょうじょう》し、その上より絶頂の峭然《しょうぜん》孤尊するを観《み》る。要するに山、雲を得、雲、山を待ち、相互にいよいよ美、ますます奇、一層々に大を映発す。

三　水の美、奇は山を得て大造す

水、山にありていよいよ美、ますます奇を成し、平面世界にありてみえざる水の現象は、山にありてのみよく認め得。水のもっとも晶明《しょうめい》なるもの、もっとも平和なるもの、もっとも藍靛《らんてん》なるものは山中の湖これを代表し、水のもっとも激烈なるものは山陰の瀑布《ばくふ》これを代表し、水のもっとも清冽《せいれつ》なるもの、もっとも可憐《かれん》なるものは山間の溪水《けいすい》これを代表す。およそ水の睡《ねむ》り怒り咲《わら》うの状貌は、山に入らずんばついに観るべからず。しかのみならず巌は水を承《う》けて緑潤《りょくじゅん》となり、水に齧《か》まれて奇態怪状を呈出す。水の美、水の奇は山を得てここに大造し、巌の美観の奇は水を待ちて初めて完成す。

四　山中の花木は豪健磊落《らいらく》なり

平面世界にある花木は、自《おのずか》ら平面世界の感化を受け、かつ人間に成長するをもって、ために豪健磊落《らいらく》ならず、ひっきょう艶を競い媚《こび》を呈するもの往々しかり。山中にある花木にいたりてはしからず、自然のままに成長し、人間外に不羈《ふき》独立するが上に、ときに風餐《ふうさん》雨虐、あるいは土壌をはがれ、あるいは巌石に圧抑《あつよく》せられ、しかも悍然《かんぜん》勇往、一層々に不羈《ふき》独立の素養を助長し来る、要するに山中の花木は豪健なり、磊落なり、気骨あり、いわんや花は山に開きていよいよ鮮やかに、木は山に長じてますます蒼翠《そうすい》秀潤を添う。花木の妙所を太悟せんと欲せば、山に入らずんばついに得ず。

登富士山記

維昔。地湧而山出焉。遂為淡海。屹者富士。淡海之大千里。富士跨四国。山高四十里。海之最深処耶。自沙走《すばしり》村至回馬《うまかへし》。夷陵十有二里。阪有衡門。過此可三里。途窮北折而六里。抵中宮祠。登者受杖於此。雑樹茂草。欝然森布。是為山腰。峌蹊邐迤以登。又十里許。曰沙篩坂。自坂已上。所謂四十里。削成而四方者也。望之兀然壁峭。無草樹。無正路。沙石処々見山骨。可踰者。不可踰者。羊腸万折。但守先導之武以転趾。鬆脆之石。或或泐碎於脚底。歩々輪退。将僵而杖扶焉。仰之三峰在顱上。一跳而可至矣。余神先飛。足之不進。十弓幾十里爾。日夕入石室而息。導者出纊衣以授服。時維七月。尚寒於十月矣。余適出室而瞰。雲間煜々然。正是玉兎浴海之時也。不覚大呼称快。須臾三竿。世界変為銀地。是不知白雲停而不動。但見積素三尺。万有為白玉已。而此山孤立于大虚。真如一朶芙蓉。湧出大銀海中也。豈又有如是観哉。又登五六里。愈寒愈疑積雪耳。乃宿第七合之室。合猶言級也。四十里為一升。十析為合。毎合置室。室大丈許。高五六尺。板屋四柱。磚石固封。所置遠近。倚巌勢之可倚。登者以息。以宿。以辟風雨云。夜半飰畢乃発。山愈壁。而曲愈逼。前者後者。頂踵不能尺也。八合九合。峻極。佝僂匍匐。且登且息。呼吸将通帝坐耶。悚然疑立。顧曰。我無仙骨。韓子之哭。不可誚也。反顧東方。初如発丹竈。比至絶頂。丹流不知幾千万里。非烟非雲。蓋海影与顥気相映也。喘定神王。振衣瞪然以縦観焉。意亦何壮。乃入室以憩。頂上之室。十余連簷。皆小於路傍者。記曰。貞観十一年。最頂建祠。今唯存衡門。導者告報曰。曦車将出温谷。急起望之。紫赤之中。顥気輝々。金縷万条。倒射余衣。熟睎之。輪転如飛。金縷棼乱。眼睛将熏。実一大奇観也。漸升。

大如盤盂。而下界猶且朏明。縹緲之際。海色淡黄。始知古人登岱詩。有黄海句。遂行八葉。此山一名芙蓉。故有此称。三峰隆起。正中陥為池。乃傍池而行也。相伝。初有水。而竹木蔭蔽。宝永焔発之後。水涸。今唯窵窅而已。約径二十余丈。深数十仞。一覧意尽三峰最高為中台。又名雷電巌。不可攀也。巌下南転。而行数百歩。窵窅相連。又不可攀者。名曰駒峰。有石窟。置金馬。余詫曰。聖徳太子騎甲斐驪始登此山故事歟。不然。陸遜所得巴。湞馬類已。守者茫莫以答焉。懸梯以登下。則銚子口也。池欠而沙流。故名。東南之角。宝永峰在脚下。宝永年。陽焔噴発。雨沙石於千里外。歇則山之瘤見云。俯臨咫尺。傍有発焔之穴。問之曰。距此六里。嶮甚。未嘗聞有至者。以沮人意。故不果往也。西南絶険。有剣峰。手捫石坎。而踵半外垂者。二十余歩。過此平坦。蹈凍雪而行。嗚乎。万古雪尚存耶。身在水晶宮裏。詎知人間苦熱。池辺処々置金人。又構小堂。堂側有玉井。僅々盆大。不竭不溢。人以為霊。乃破堅而飲。洌甚。寒気徹骨。凡骨竟不得久留。欲下復鶩眸。四面猶且銀海。唯甲之二山。見其顚。如島嶼然。問之不知。蓋聞。黒駒白嶺之椒。眡富士於正南。是耶。下而二三合。雲間覗函根之湖。尚在扉履之間。下路嶮急。足之使目。不遑応接。時一回首。田塍維衆山。如線者酒川。導出所齎草鞋以授。厚可二寸。大如盤。着之似杻矣。若或一躓。鋌走数十丈。欲止不止。僵而後止。六合已下。縄路一条。直下十有余里。曰沙払坂。即沙篩南也。植杖以瞰前行人。一瞬十里。忽如嬰児。杳如鏡中之象。疾於走盤之丸。比下回馬坂。日正晡時。適昨躋坂之時也。擡頭回顧。三峰峻嶒。而立天表。未嘗不悦然自失也。聞之。群岳之長為岱宗。封者七十。以為至極。其記云。自下至顛。凡四十里。日観峰観日於鶏鳴。此山中宮而上四十里。睇顒於半夜何況容貌絶美。其孰企及。蓋天地間独我。天皇。万古一姓。莫有革命者。是其無彊之鎮。亦有与于兹哉。特立于天下而無比倫。不亦宜乎。　沢　元愷

（維《こ》れ昔、地湧《わ》いて山出ず。遂に淡海と為る。屹《きっ》する者は富士。淡海の大なる千里。富士四国に跨《また》る。山の高さ四十里。海の最も深き処なるか。沙走村《すばしり》より回馬《うまがえし》に至る。夷陵《いりょう》十有二里、阪に衡門《こうもん》有り。此を過ぐること三里なる可し。途窮《みちきわま》りて北に折れ六里、中宮祠に抵《いた》る。登る者は杖を此より受く。雑樹茂草欝然《うつぜん》として森布《しんぷ》あり。是れを山腰と為す。陘蹊《けいけい》邐迤《りい》として以て登る。又十里許《ばかり》、沙篩坂《さしざか》と曰う。坂より已上《いじょう》、所謂《いわゆる》四十里。削《さく》成《せい》して四方なる者なり。之を望めば兀然《ごつぜん》として壁峭《へきしょう》す。草樹無く、正路無し。沙石処々にして山骨を見《あら》わす。踰《こ》ゆ可き者、踰《こ》ゆ可からざる者、羊腸《ようちょう》のごとくして万折す。但だ先導の武《あと》を守りて以て趾《あし》を転ずるのみ。鬆脆《そうぜい》の石、或々《わくわく》として脚底に泐砕《ろくさい》す。歩々《ほほ》輪退《りんたい》す。将に僵《たお》れんとして杖もて扶《たす》く。之を仰げば三峰顱上《ろじょう》に在り。一跳して至る可し。余が神《こころ》先ず飛ぶも足の進まず。十弓なるも十里に幾《ちか》きのみ。日夕石室に入りて息《いこ》う。導く

者纊衣《こうい》を出して以て服を授く。時維《こ》れ七月。尚《な》お十月より寒し。余適《たまた》ま室を出て瞰《なが》むるに、雲間煜々然《いくいくぜん》たり。正に是れ玉兎《ぎょくと》の海に浴するの時なり。覚えず大いに呼称して快《こころ》よし。須臾《しゅゆ》にして三竿《さんかん》、世界変じて銀地と為る。是れ知らず白雲停りて動かざるか。但だ積素三尺、万有白玉を為すを見るのみ。而《しこう》して此の山大虚に孤立す。真に一朶《いちだ》の芙蓉《ふよう》の如く、大銀海中より湧出《ゆうしゅつ》するなり。豈《あ》にまた是《か》くの如き観有るや。また五六里を登る。愈《いよい》よ寒く愈《いよい》よ積雪あるかと疑うのみ。乃《すなわ》ち第七合の室に宿る。合は猶お級と言うがごときなり。四十里を一升と為す。十析を合と為す。合毎《ごと》に室を置く。室の大きさ丈許《ばかり》、高さ五六尺。板屋四柱あり、磚石《せんせき》もて固く封ず。置く所の遠近は、巌勢《がんせい》の倚《よ》るべきに倚る。登る者は以て息《いこ》い、以て宿り、以て風雨を辟《さ》くと云う。夜半飦《はん》畢りて乃ち発す。山愈《いよい》よ壁のごとくして、曲愈よ逼《せま》る。前者後者、頂踵《ちょうしょう》尺なる能わざるなり。八合九合、峻《けわ》しきこと極、佝僂《くる》のごとく匍匐《ほふく》す。且つ登り且つ息う。呼吸将に帝坐に通ぜんとするや。悚《しょう》然《ぜん》として疑立す。顧みて曰《い》う、我仙骨無し、韓子の哭《こく》、誚《せ》む可からざるなり、と。東方に反顧するに、初めは丹竈《たんそう》を発するが如くして、絶頂に比《およ》び至る。丹流幾千万里なるを知らず。烟に非ず、雲に非ず。蓋《けだ》し海影と顥気《こうき》と相映ずるなり。喘《あえぎ》定まりて神王《こころさかん》なり。衣を振いて瞪《とう》然として以て縦観す。意も亦た何ぞ壮なる。乃ち室に入りて以て憩う。頂上の室は、十余の連簷《れんえん》、皆な路傍の者より小なり。記に曰う。貞観十一年、最頂に祠を建つ、と。今は唯《た》だ衡門《こうもん》を存するのみ。導く者告報して曰う、曦車《ぎしゃ》将に温谷を出でんとす、と。急ぎ起きて之を望む。紫赤の中、顥気《こうき》輝々《きき》たり。金縷《きんる》万条、余が衣を倒射す。之を熟《じゅく》眎《し》するに、輪転飛ぶが如し。金縷棼《ふん》乱し、眼睛将に熏《くん》ぜんとす。実に一大奇観なり。漸《ようや》く升《のぼ》れば大なる盤盂《ばんう》の如し。而して下界猶お且《しばら》く朏明《ひめい》なるがごとし。縹緲《ひょうびょう》の際、海色淡黄、始めて古人の岱に登る詩に、黄海の句有るを知る。遂に八葉を行く。此の山一名芙蓉、故に此の称有り。三峰隆起し、正に中陥《なかお》ち、池を為す。乃ち池に傍《そ》うて行くなり。相伝う、初め水有りて、竹木蔭蔽《いんぺい》す、宝永の焔発《えんぱつ》の後、水涸《か》る、と。今は唯だ窩窅《いつよう》なるのみ。約径二十余丈、深さ数十仞《じん》、一覧して意尽く。三峰の最高を中台と為す。またの名は雷電巌。攀《よ》ず可からず。巌下南に転じて行くこと数百歩、窩窅相連なる。又た攀ず可からざる者、名を駒峰と曰う。石窟《せきくつ》有り、金馬を置く。余詫《おどろきあや》しみて曰う、聖徳太子甲斐《かい》の驪《り》に騎して始めて此の山に登るの故事なるか。然らず。陸遜《りくそん》の巴《は》を得る所、滇馬《てんば》の類なるのみ、と。守る者茫《ぼう》として以て答うる莫《な》し。懸梯《けんてい》以て登下す。則ち銚子口《ちょうしくち》なり。池欠けて沙流る、故に名づく。東南の角、宝永峰脚下に在り。宝永の年、陽焔《ようえん》噴発す。沙石を千里の外に雨ふらす。歇《つ》くれば則ち山の瘤《こぶ》見ゆと云う。俯して咫尺《しせき》を臨む。傍に発焔の穴有り。之を問いて曰う。此を距《へだ》てること六里、嶮甚《けんはなは》だし。未だ嘗《かつ》て至る者有るを聞かざるか、と。人意を沮《はば》むを以って、故に往くを果たさざるなり、と。西南の絶険に、剣峰有り。手もて石坎《せっかん》を捫《さぐ》り、踵《かかと》半ば外に垂るる者、二十余歩なり。此を過ぐれば平坦、凍雪を蹈《ふ》みて行く。嗚乎《ああ》、万古の雪尚お存せんか。身は水晶宮裏に在り。詎《なん》ぞ人間の苦熱を知らんや。池辺処々にして金人を置き、また小堂を構う。堂の側に玉井有り。僅々《きんきん》にして盆のごとき大なり。竭《か》れず溢《あふ》れず。人以って霊と為す。乃ち堅を破りて飲す。冽《れつ》なること甚し。寒気骨を徹す。凡骨竟《つい》に久留するを得ず。下りて復《ま》た鶩眸《ぼくぼう》ならんと欲す。四面猶お且《か》つ銀海のごとし。唯だ甲の二山、其の巓《いただ》きを見《あらわ》すのみ。島嶼《とうしょ》の如く然り。之を問うに知らず。蓋《けだ》し聞く、黒駒白嶺《しらね》の椒《しょう》、富士を正南に眂《み》ると、是れなるか。下りて二三合、雲間に函根《はこね》の湖を覿《み》る。尚お扉履《ひり》の間に在り。下路嶮急《けんきゅう》にして、之を足するに目を使い、応接に遑《いとま》あらず。時に一たび回首す。田塍維《でんしょうこ》れ衆山。線の如き者は酒川《しゅせん》なり。導は齎《もたら》す所の草鞋《そうあい》を出して以て授く。厚さ二寸なる可し。大きさ盤の如し。之を着すれば杻《てかせ》に似たり。若《も》し或いは一たび躓《つまず》けば、鋌走《ていそう》すること数十丈、止まらんと欲すれど止まらず。僵《たお》れて後止まる。六合已下《いか》、縄路《じょうろ》一条、直下十有余里、沙払《さふつ》坂と曰う。即ち沙篩《さし》の南なり。杖《つえ》に植《よ》りて以て前行の人を瞰《なが》む。一瞬にして十里、忽《たちま》ち嬰児《えいじ》の如し。杳《よう》として鏡中の象の如し。走盤の丸より疾《はや》し。回馬坂《うまかえしさか》に比《およ》び下る。日は正に晡時《ほじ》。適《たま》た昨に坂を躋《のぼ》るの時なり。頭を擡《もた》げて回顧す。三峰崚嶒《りょうしょう》なり。而して天表に立つ。未だ嘗て怳然《けいぜん》として自失せざるなきなり。之を聞く、群岳の長を岱宗《たいそう》と為す。封ずる者七十、以って至極と為る、群、と。其の記に云う、下より顚に至る、凡《およ》そ四十里、日観峰にて日を鶏鳴《けいめい》に観《み》る、と。此の山中の宮にして上ること四十里、顚を半夜に睇《み》るに何ぞ況《いわ》んや容貌の絶美なるをや。其れ孰《た》れか企及せん。蓋し天地の間独り我が天皇あるのみ。万古一姓、革命有る者莫《な》し。是れ其の無《む》彊《きょう》の鎮《ちん》、亦た玆《ここ》に与《あず》かる有らんや。特《た》だに天下に立ちて比倫無し。亦た宜《むべ》ならざらんや。)

(一)　登山の気風を興作すべし

楼に登りて下瞰《かかん》す、なおかつ街上来往の人を藐視《びょうし》するの概あり、東京愛宕《あたご》山に登りて四望す、なおかつ広遠の気象胸中より勃発《ぼっぱつ》するを覚ゆ、なんぞいわんや嵯峨《さが》天に挿《さしはさ》むの高山に登るをや。山に彩色の絢煥《けんかん》あり、雲の美、雲の奇、雲の大あり。水の美、水の奇あり、花木の豪健磊落《らいらく》なるあり。万象《ばんしょう》の変幻や、このごとく山を得て大造し、山を待ちて映発するのみならず、その最絶頂に登りて下瞰《かかん》せば、雲煙脚底《きゃくてい》に起こり、その下より平面世界の形勢は君に向かいて長揖《ちょうゆう》し来り、ことごとくこれを掌上に弄《ろう》し得、君ここにいたりて人間の物にあらず、宛然《えんぜん》天上にあるがごとく、もしくは地球以外の惑星よりこの惑星を眺観《ちょうかん》するに似真個に胸宇を宏恢《こうかい》し、意気を高邁《こうまい》ならしめん、加うるに山の組織の壮絶なるを頓悟《とんご》し、山の形体の完美なるを太覚《たいかく》し、そぞろに太気の清新洗うがごときところに長嘯《ちょうしょう》し、かねて四面の闃然《げきぜん》寂《せき》静《せい》なる裡《うち》に潜思黙想せば、君が頭脳は神となり聖となり、自《おのずか》ら霊慧《れいけい》の煥発《かんぱつ》するを知る。いわんや山に登るいよいよ高ければ、いよいよますます登れば、ますます危険に、いよいよますます万象の変幻に逢遭《ほうそう》して、いよいよますます快楽の度を加倍す。これを要するに、山は自然界のもっとも興味あるもの、もっとも豪健なるもの、もっとも高潔なるもの、もっとも神聖なるもの、登山の気風興作せざるべからず、大いに興作せざるべからず。学校教員たるもの、学生生徒の間に登山の気風を大いに興作することにつとめざるべからず、その学生生徒に作文の品題を課する多く登山の記事をもってせんことを要す。

(二)　登山の準備

一山に登り一峰に攀《のぼ》らんとする、いまだ必ずしもはなはだ準備を要せず、しかも肥後《ひご》、日向《ひゅうが》の境上、伯耆《ほうき》、因幡《いなば》、美作《みまさか》の境上、大和《やまと》、紀伊《きい》の境上、信濃《しなの》、飛騨《ひだ》、越中《えっちゅう》、越後《えちご》の境上、旧奥州《おうしゅう》、旧出羽《でわ》の境上、北海道の内部なる連山層峰の寰区《かんく》に入り、淹留《えんりゅう》数日、もって太奇を探らんとせば、おのずから準備の要すべきものあり。

一　衣

軽装なる洋服をもっとも利便とす。日本服なりせば、紬《つむぎ》（結城紬《ゆうきつむぎ》の類）もっとも可、また股引《ももひき》、脚絆《きゃはん》の準備特に切要なり。その他一般に切要なるものは、

草鞋　曲亭馬琴《きょくていばきん》警語あり、「草鞋《わらじ》は旅人の甲冑《かっちゅう》也」と、しかればこの奥には草鞋を鬻《ひさ》ぐ家またなしという村落にてよく敲《たた》きたるもの幾足となく購求すべし。夏日は足袋《たび》の底なきものを可とす。

長靴　草鞋を用いず長靴にて登山せんとせば、良製なるものをうがつべし、靴《くつ》の皮を種油《たねあぶら》または獣脂《じゅうし》にて塗るか、もしくは生玉子を割りて靴の中に投じしこうして後うがてば足痛すること少なし。

靴足袋　靴足袋は良製の毛厚つなるもの幾個となく携帯すべし、夏日なればかえってその厚きものすなわち羊毛製のものを最可とす。靴足袋の内部を石鹼にてよく塗りしこうして後うがてば足痛少なし。足痛せば靴を脱し右足の足袋を左足に左足の足袋を右足にうがち換えば痛癒《い》ゆること妙。また一足だけ痛みなばその足より靴を脱し足袋を裏がえしして後さらにうがてば痛癒ゆべし、靴足袋不足のさいは手拭いまたは手巾《ハンカチ》を石鹼にてよく塗りこれにて皺《しわ》なきように両足をつつむべし。

草鞋と長靴　草鞋と長靴とは登山にいずれか利便なりやの疑問ありといえども、個々人々の好尚ありて、甲は草鞋を適せりとし、乙は長靴を可とす、かくのごとくなるをもってに

といずれ　わかにこれを決すべからず。

フランネル　フランネルは山中に宿泊する間身体に纏《まと》うを最可とす、統計上の結果に拠れば、フランネルのシャツおよび下ズボンをうがちたるものは、遠征もしくは探検のさい、疾病死亡を脱れたるものことに多しと。リンネルのシャツは登山にもっとも可ならざるものなり、このシャツの汗にて湿《うるお》いたるさい、たまたま空気の寒冷なるに逢えば直ちに風邪《かぜ》もしくは熱病にかかることはなはだ多し。

毛布《ブランケット》　毛布は山中に宿泊するにもっとも欠くべからざるものなり、かならずこれを携帯せざるべからず。

二　食

食は重量の軽く、面積の少なく、調理するに手数を省き、しこうして滋養のもっとも多量なるものを携帯するを規定とせざるべからず。一般に切要なるものは、

米　米は大約一人一日六合ずつにて携帯すべし。山中にて鍋釜《なべかま》なくしこうして飯をたかんとせば、まず地中に穴をうがち、内に小石を敷き、米を溪水にて炊《かし》ぎ、水を十分に湿《うる》おし、湿《ぬ》れ布にてよくつつみ、穴中に投じその上を小石にて蔽《おお》い、小石の上にて焚火《たきび》をなせば、頃刻《けいこく》にして飯熟す。またかん詰めを開きたる後のあきかんは、その中にて飯をたくべく、かつ湯を沸かすべし。

　山中には泉水、溪水なきところあるをもって、餅《もち》もしくはビスケットを携帯すべし。

餅、ビスケット　餅はビスケットより面積小にかつ胃を充《み》たすもまた少許《しょうきょ》にて足れりといえども、ビスケットより滋養少なし。

肉膏《ペンミカン》　登山に携帯するに重量の軽く面積の少なく調理するに手数を省きしこうして滋養のもっとも多量なるものを肉膏すなわち「ペンミカン」となす、すなわちあらかじめこれを製造して携帯すべし、その製法たる、牛肉の脂肪、繊緯《せんい》を去り、これを細かに切り、天日または温火にて十分に乾かし、擂鉢《すりばち》に擂りて細粉となし、食塩、胡椒《こしょう》、胡麻などを交え、しこうして肉の分量よりやや少許なる獣脂を溶解してこれに交え、おもむろに乾かし、すなわちこれを登山のさいに携帯す、獣脂を溶解して肉粉に交ゆるさいいかなる形にも成しうべきをもって、自己の便宜とする形に造るべし。

その他味噌、塩、漬け物（梅干しを最便とす）、かん詰め、乾魚（塩引き鮭《さけ》）ははなはだ切要なりとす。

三　器

登山のさい携帯すべき切要必須の器具たる、銃一挺《いっちょう》、小刀一張、望遠鏡一口、燧木《すりつけぎ》（水牢《みずよけ》なるもの）、油紙（山中にて物をつつむにもっとも切要）、麻縄（懸崖《けんがい》絶壁を下るさいに用ゆ）、手帳および鉛筆なりとす。その他専門学家なりせば、地学家は岩石採取用の鎚《つち》など、動物学家は虫捕り網玻璃《はり》壜《びん》、酒精《アルコール》など、植物学家は植物採取用の錫函《ちんかん》、植物圧乾器および用紙など、物理学家は風雨計、測量器械などを携帯するもとよりその所なり。

準備おわるすなわち登山せんとせば、すべからく火山岩の山岳ならんことを要す(第九十三ページより第百八十五ページの間につまびらかなり)。火山岩の山岳に次ぎてもっとも高邁《こうまい》爽快《そうかい》なるは、

(二)　花崗岩の山岳

これなり。想う日本の山岳中、火山岩に次ぎ高邁なるは花崗岩《かこうがん》に属し(秩父《ちちぶ》岩より組成せる甲斐《かい》の白根山系を除く)、三千メートル以上なる甲斐の駒ヶ岳を初め、ほとんど三千メートルに近き越中《えっちゅう》の大蓮華《だいれんげ》山、甲斐《かい》の鳳凰《ほうおう》山等、ひとしく花崗岩に成り、その他二千メートル以上のものにいたりてはむしろ列挙するに遑《いとま》あらず、加うるに日本国の地質たる、花崗岩の普遍すること、火山岩とほとんど比肩し、その同質なる片麻岩また多在し、日本の景象をして一層々の豪爽《ごうそう》雄快を添えしむ。けだし花崗岩、片麻岩の本色は堅硬《けんこう》なるところ、純潔なるところ、色沢《しきたく》の燦然《さんぜん》たるところ実にこれ、その堅牢《けんろう》なるは堂々たる大丈夫漢のごとく、昂然《こうぜん》として幾多岩石中に覇《は》を称し来り、その組織また雑多物を交えず、簡単純潔、この間の流水もまた澄徹《ちょうてつ》、白練《はくれん》を布《し》くに似、かつや岩質堅硬なるをもって軟弱なる植物はその上に蔓生《まんせい》しえず、

玄武洞

(但馬国城崎《きのさき》郡赤石村 湯島温泉の南一里半 豊岡町の北一里半城崎川の東側 俗称「石山」)
洞の全長およそ四十間　左、中、右の三房に別る　左房間口十三間奥行き十七、八間
中房間口十二間奥行き十四、五間内側より泉水下り底に滙溜《かいりゅう》す晶明鑑のごとし深さ十尺
右房間口十三間奥行き十六、七間高さ四、五間外側の頂上より一小瀑泉瀉ぐ

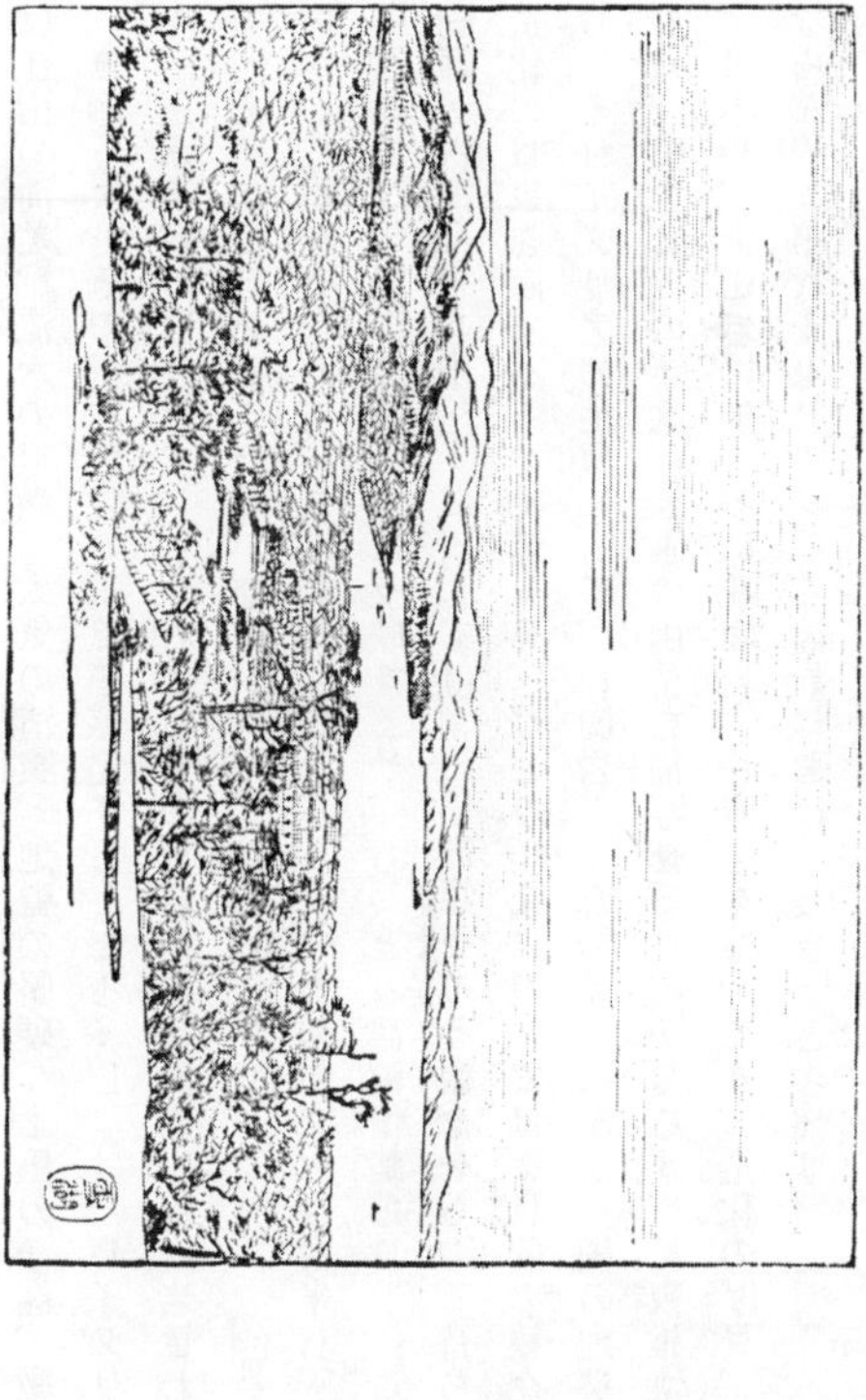

宍《しん》道《じ》湖《こ》　（出雲《いずも》国松江市旧城内月見屋倉より望む）

一名「意《い》宇《う》ノ湖」雅称「碧雲《へきうん》湖」東西およそ五里　幅およそ一里　周回およそ十一里　島根半島（島根、秋鹿、楯縫三郡）の群山は十百の螺髻《らけい》のごとく煙波の間に縹渺《ひょうびょう》し湖光雨によろしく晴によろしく朝霏夕靄《ちょうひせきあい》気象万千　実に瀟洒《しょうしゃ》と美とをかぬるところ。「左右の層巒《そうらん》　画図《がと》を列《つら》ねたるがごとし。　西に直《あた》って只《ただ》だ見る　碧波《へきは》の舗ける を。　空に浮かぶ一抹《いちまつ》　何村の樹ぞ。　煙翠《えんすい》微なるに依り　却《かえ》って無しさを認む。」（偕　天鱗《てんりん》）

太気、雨、雪、光線にもっとも曝白《ばくはく》するをもってその表面常に清新、色沢燦然《しきたくさんぜん》、四面に煥発《かんぱつ》す、ただ酸化鉄を多量に包含するものは、その色淡紅、しかもたまたま夕陽残照のこれに掩《えん》映《えい》するや、たちまちにして桃花繚乱《りょうらん》、絶愛すべきの観あり。これを要するに日本の地質たる、花崗岩、片麻岩いたるところに普遍し、特に中国の大概、本州の中部は挙げてこの岩より成り、その結果は江山の洵美《じゅんび》、流水の澄徹《ちょうてつ》、太気の清爽《せいそう》、地盤の堅硬、土壌の浄潔、黴菌《ばいきん》発達の予防となり、無形上またその所在民人の気風を感化するところ多し。けだしイタリアは、ヨーロッパ州中、山水明媚《めいび》の区と称す、しかれどもその地質たる花崗岩、片麻岩きわめて少なく、なかんずく美術の淵藪《えんそう》たるミラノ、フィレンゼ（いわゆるフロレンス）、の四周にいたりては、たいがい黯白黯蒼《あんそう》なる石灰岩に成り、ロンバルディヤ州のごとき古来石灰の産出をもって名あるところ、太陽の光線これに反映するや、もっとも凄涼愴楚《そうそ》なりと、これイタリアの文人、画師が古往今来「山岳」に対しては常に悒鬱隠憂《ゆううついんゆう》なる観念をもって待ちたる所因、ダンテ、造化の景象を賦《ふ》するみな神に入る、ひとり山岳に対しては厭世《えんせい》的の観念をもってす、しかももしそれイタリアの地質にして、花崗岩、片麻岩多からんか、国の地勢上、流水の浸食も激烈に、引きてその詩文、絵画の山岳を描写せるものかならずや豪爽《ごうそう》雄快をきわめたるならん。日本や、火山岩に加うるに花崗岩、片麻岩をもってす、造化の厚賚《こうらい》、あに嘆謝せずして可ならんや（第八十七ページ「花崗岩における浸食」と参照すべし）。

日本における花崗岩の山岳列挙すべきか。

一　九州の花崗岩

九州の土たる、花崗岩は、火山岩に比較せば普遍せず、ただ南方には大隅《おおすみ》国屋久《やく》島の全半、佐多岬《さたみさき》の三分の一、（北西部および南端一片を除く）、南大隅《おおすみ》郡の半島と、北方には、筑前《ちくぜん》国の南部、筑前、肥前《ひせん》の境上に曝白《ばくはく》せるのみ。片麻岩もまたわずかに豊後《ぶんご》国杵築《きずき》町の北、竹田町より大分町にいたる街道に露出せるのみ。この間ただその想その情凝りて化成せる領巾《ひれ》振山《ふるやま》、むべなり堅緻《けんち》なる花崗岩より構造さるるを、花崗岩や真個の「貞石」。

二　四国の花崗岩

四国また花崗岩多在せず、ただ西南方には伊予《いよ》国宇和島町背部の諸山岳、土佐国蹉跎《さだ》、一切の二岬、一切岬外の諸島嶼《とうしょ》と、北方には伊予国松山市北の半島、讃岐《さぬき》、阿波《あわ》の境上、讃岐国より北出せる四岬（三崎、観音崎、大串崎、虎ケ鼻）に露出せるのみ。土佐南部の諸島嶼《とうしょ》たる、四国の花崗岩山脈に連なり、ことごとく花崗岩の太平洋上に峭然矗立《しょうぜんちくりつ》するもの、すなわち山岳にあらざるも探討せんか。

土佐国南部にある諸島嶼

土佐幡《はた》多郡の西南端一切岬(花崗岩)の西南に群在する諸島花崗岩より成り太平洋より黒潮来り迫り沿岸は峭《しょう》絶《ぜっ》し巌石ことに怪奇洞門をうがつところあり南方にあるが上に黒潮流駛《りゅうし》するをもって気候温暖氷雪をみず榕《よう》樹《じゅ》蒲葵《びろう》のごとき熱帯植物暢茂《ちょうも》す諸島の間はいわゆる土佐珊瑚《さんご》の本場にして「お月さん桃色、だれがいうた、海人《あま》がいうた、

柏島　一切岬の南端をへだたる五町、島の南端は北緯三十二度四十四分にあり、周回二十八町三十間、海抜およそ百二十メートル、東および北二面は傾斜し船舶を泊すべき柏島港ありといえども、南および西二面は断岸懸崖、潮水花崗岩壁を齧《か》みて壮観、柏島港の一祠《し》堂《どう》に巨大なる榕樹あり、島は土佐海漁業の中心場にして人口七百二十九あり飲料水に乏し。

寺島　柏島の南にある不毛の小嶼《しょうしょ》、一拳《けん》の花崗岩矗立《ちくりつ》するに過ぎず。

蒲葵《びろう》島　柏島の南西に屹立《きつりつ》す、周回半里、四面絶壁、太平洋の黒潮来りて西端に怒激し、花崗岩中に洞門《どうもん》をうがつ、景物跌宕《てっとう》、島に亭々《ていてい》たる蒲葵《びろう》樹繁生せしも、濫伐《らんばつ》および颶《ぐ》風《ふう》により近年来その数とみに減殺す。

沖島　柏島港の西南三里、島の中央は北緯三十二度四十四分にあり、海抜およそ三百六十三メートル、全島みな山、四周懸崖壁立、狂濤《きょうとう》花崗岩を撃《う》つところ雪花狼藉《ろうぜき》の観あり、気候温暖、島人氷雪の何物たるを知らず、艾草《がいそう》の茎八、九尺におよび杖笻《じょうきょう》に作りて風流社会に賞用せらる、茄子《なす》は多年生となり、厳冬甘藷《かんしょ》の青々たるをみる。榕樹、蒲葵《びろう》樹の巨大なるもの神社の境内に遺存す、島中いたるところ渓水潺湲《せんかん》、全島

人口千四百四十一人、母島、広瀬の二村あり、風俗奇異、一たび探討するに足る。

姫島　沖島の西にあり、山中桑樹《そうじゅ》多し、島中滴水《てきすい》なく無人の境たり。

鵜来島《うぐるしま》　一名天蓋島《てんがいじま》、沖島の西北三里弱にあり、周回二里、戸数五十九、地に池して天水を溜《た》め飲料に供す（以上黒岩恒氏の記録に拠る）。

海人が口を引裂け」と歌える「御月灘《おつきなだ》の紅珊瑚《べにさんご》」は海底に磊落《らいらく》たる花崗岩礁の上に繁殖するもの。

三　中国の花崗岩

「月白く沙《いさご》も白く海白し」の一句、実に中国の景象をいい尽くす、しかも這般《しゃはん》の景象を呈出する、職として花崗岩の普遍すると、年内晴天の多きによる。想う中国地積の全半は、花崗岩より構造せられ、しこうして山陽道の諸国たる、北は中国の中央を横絶する山系により、アジア大陸より日本海を経、吹到《すいとう》せる水蒸気を遮断《しゃだん》し、南は四国の中央を横絶する山系にたより、太平洋より吹到《すいとう》せる水蒸気を障屏《しょうへい》し、空気特に乾燥、天色海光うたた朗らかに、天、水のごとく、水、天に似、月色この際にかかりて皎々《こうこう》明々たるもの、かの空気の乾燥なるがため始終風化確壊《かくかい》して表面を曝白《ばくはく》せる花崗岩に反映し、かつ海光の澄朗《ちょうろう》なるに反映し、一層

層に清輝《せいき》を添え来る。そのこの間の景象を代表せる

月すみてなぎたる海のおもてかな
くもの波さへたちもかからで　　西《さい》行《ぎょう》法《ほう》師《し》

という須磨（摂津《せっつ》、播磨《はりま》より延縁《えんえん》せる花崗岩帯にあり）は、蝦夷《えぞ》語「シュマ」すなわち「石塊」より転訛《てんか》すとせば、地名万古《ばんこ》自ら言表するところあり。すでにしかり、這般《しゃはん》の景象を全班より大観せんと欲せば、傍近の花崗岩山岳に登るにあり、長門《ながと》の栗野山、鬼ケ城山（海抜六四六メートル）、周防《すおう》の琴石山、安芸《あき》の権現《ごんげん》山、極楽寺山（海抜六七四メートル）、灰峰山、野呂山、鷹ノ巣山（海抜九九九メートル、片麻岩）、備中《びっちゅう》の養生山（玉島停車場の西北）、播磨の書写山《しょしゃざん》（海抜三九九メートル、姫路市の西北一里二十五町、書写村より登り三十町、老杉鬱蒼《ろうさんうっそう》、坂路嵯峨《はんろさが》、山頂に円教寺あり、西国巡礼二十七番の札所たり、白河法皇「車寄せの跡」あり、西北七、八町に「弁慶学問所の硯水《けんすい》」、「烏帽子《えぼし》岩」あり、岩は花崗岩にして、水はこの間より噴出し清冽晶明《せいれつしょうめい》）。

四　瀬戸内の花崗岩

瀬戸内海、馬関《ばかん》より淡路《あわじ》島にいたる、瑠璃《るり》一碧《べき》、大小の島嶼《とうしょ》星羅《せいら》点接す。けだし今の中国、四国たる、太古相連絡したるも、海水の浸食、地下の変遷により、分離してここに「瀬戸内」

なる多島海を化成せしもの、しこうして這般《しゃはん》の島嶼たる、淡路島の北半全部を初め、十中の八九は花崗岩より構造せらる。もしそれ

春といへば霞にけりなきのふまで　俊恵《しゅんえ》法師
なみまに見えし淡路しまやま

の候となるや、たとえ、平常太気の乾燥せるも、なおかつ淡靄《たんあい》は諸島の頂上もしくは中腹をこめ、燕子《えんし》新たに来りて、あたかも

うす墨にかく玉づさと見ゆるかな　津守国基《くにもと》
かすめる空にかへるかりがね

を見るや、島裡の麦苗ようやく秀《ひい》で、しこうして島の地積素と些少《さしょう》、ために岸崖《がんがい》より直ちに圃隴《ほろう》をなすをもって、麦浪は海浪と瀰蔓《びまん》して相接し、農舎蜑屋《たんおく》その間に突兀《とつごつ》し、桃花《とうか》、菜花《かさい》これをめぐり、舟は錦繡《きんしゅう》図画の中を行くがごとし、すでにして東南風の季節となるも、風は四国中央の山系に障屛《しょうへい》せられ、その余力のみかすかにいたり、海面細く紋を生じて、氷のごとき一輪この間に躍《おど》り、花崗岩に反映してさらに皎潔《こうけつ》を増す、たまたま汽船を走らしてこの間を過ぐ、月色の大観かくのごときものまた他処に需むべけんや。ようやくにして秋気長空に横たわり、風霜、花崗岩骨を砭《へん》すや、楓樹《ふうじゅ》は錦《にしき》を溪谷《けいこく》に織り、島際の風煙染むるに似、特に小豆島《しょうどしま》寒霞溪（原名神懸《かんかけ》）のごとき、紅葉は花崗岩火山岩の表に繡錯《しゅうさく》し、その勝丹青《たんせい》も

画くあたわず、実に諸島に冠絶《かんぜつ》す。秋去り、冬来り、六花淅瀝《せきれき》として飛ぶや、雪の白は花崗岩の白と映発し、諸島みな皚々《がいがい》、風趣さらにいっそう。春、夏、秋、冬、その景象このごく妙、もしこうして舟をこの間に行《や》らんか、海、島嶼《とうしょ》に囲繞《いじょう》せられ、宛《えん》として湖に似、たちまち窮まるがごとくして、島転じ、海開き、また窮まりて湖を作り、また開きて舟を通ず、変化百回、むべなり欧米人の激賞して「世界の絶勝」と呼ぶや。

初九舳艫発室津。万里一碧。島嶼磊落。如瑠璃盤上列璧。其名可弁者。吉美《きみ》島鴉島三繋大高。兄長其間。為絵島。為小豆島。海岸金崎《かながさき》之觜。与毛振《けぶり》相抗。室祠。桌立其湾中。而岸上民屋。千数櫛比。亦海路之一勝也。然地以包海。而山環其外。是以無処立錐耳。我船俄頃数十里。経奈波抵石神。石神。一名坂越。音謬而字転焉。海島之名。不可弁者。皆此類。石神。一聚落也。過此有二嶼。曰黒島。曰蓑島。隣石神曰尾崎之浜。又五六里。山足入海。曰赤穂岬《あかほみさき》。有祠。乃古所謂伊和都媛也。赤穂城在目下。距海浜可二里矣。同僚亶々譚大石良雄復讐事。因問余以大宰純四十六士論。欲弁難為言。乃呼酒觴之。呵水手以搒船。又行半更。（今依六十里為一更法）播磨往。而備前来、経大多府。木曾泊。筏洲鼠島。而至牛間門。此亦一大泊所也。相伝。神功皇后征三韓水牛出而護御鵠。故有此名也。本又作宇志。蓋好事之誕耳。間門一作窓。自国歌而転譌耳。自室至牛窓。海路六十余里。鍼在未申交。是日天朗。乃上拕楼以望。海面磊々多島嶼。已不計其麗。詎弁其名。而山無奇峰。水唯蕩雲沃日而已。叚令足観。棹手柁工烏能対。但見豆島之陂陀。独偃蹇其間耳。是夕応泊牛窓。而長綃秋風。当留不留。又行半更。経蓬崎犬《いぬ》子島。而栖于出《で》崎《さき》之洲。夜将三更。我船咔々作声。起而睹之。水手倉惶。挽錨復進。一発十里。抵手《て》島《しま》而留。手島亦属備前。翌日微雨。食時発櫂。過上藺二島。日企。則讃岐与備。両地突出。将相倚未倚者也。望之其間十数里。作声可荅。遙望五剣之山。不待問而知之。吾友伯和嘗游此而極其椒。為余言之。奇険可想。屋《や》島《しま》之山。連亘一面。一転為象頭山。其岸則志渡高松。昔者平氏諸盛之困於源予州。人与骨今已矣哉。近則大槌小槌。相対為門。俗呼竜宮門。門前篠島松嶼《まつしま》。相続点々者。塩《し》飽《わく》之七嶼。自余小島。布置其間。而飯盛象頭諸山。隠見無時。須臾改観。不可端倪也。盖聞塩飽之島。衍沃千里。居民充塞。幾為邦矣。而租調壱是庸。以格軍於官船矣。余所乗水手。亦皆島民也。過塩飽則藤戸口。昔時佐盛綱。単騎絶海之処也。子岳常称吾家先登。憾不倶船使其虚誇也。其地昔為島嶼。今則小山在田疇之間。桑田之為海。何足深怪。日暮至下津《しもつ》伊《い》。此亦室廬千数。枕岸臨水。青帘遙相望。豈亦当炉待游客耶。欲舎船而往。有禁。乃呼漁舟以買鮮。足以一酔矣。十一日。風不順。而潮逆。艅艎相聚一処。有所相議耶。日皈咿軋声急。忽破余睡。起登飛廬。衆船乱行争先。其復何役。余則尋討洲名而不止。恐為人所厭。櫃石弁天。大小提島。所経凡二十里。

乃泊亭島《ていしま》。十二又雨。食時過水島。従此以西隷備中。阿部侯治城在近。司船師連舼数十隻。以挽我船。又専使有贈遺焉。浜海之邦咸然。是日余与焉。故記。遂過大杓小杓。嘉納浮蔑。罟士過多加佐奈諸島。又行半更。抵白石迫門。海之隘口。是謂迫門。可泊之処。是謂湊門。大抵白石峡已東。島嶼多泊所。出峡則海勢鴻溶。島罕而大。距白石十八里。有鞆湊門。鞆。音独木二合。本射具之称。蓋取其状也。亦一通邑。古来名于酒。故亦有献笑之賦云。距此十許里。有泊曰阿斧兎《あふと》。不知何謂。望之嵐烟簇々。紫翠当反照。稍近。怪岩特起于沙際。其上搆一小堂。廊廡如尾。又似覆斗。一奇也。堂置観音。寺曰盤台。亦復徒望而過。十三別色。正東風急。船行駛快。経田島因島《いんのしま》。而風微転。則百千白馬。奔騰而来。時激則飛入座。船上咸臥。余尚被中問曰。此何地方。乃曰。此名道士峡。相伝豊関白征朝鮮。船停于此。有一道士。上船献海物而去。公使人尾之。不得。故有此名。余曰。公蹂躪三韓。其勢覆瓴。堂々大国。為之鼎沸。勇哉。鬼神陰助或然也。臥而不動。船抵蒲苅《かまかり》。告曰昔者平相国毎詣厳島祠。患海路迂曲。遂破山以通焉。名曰御門。余遽遽起而望。罵曰。艄公汝欺我耶。叚使相国得寵於天女。奚渠得然。然亦説之溢。乃威武所致爾。船泊加諸。早起開雀窓。朝暾映発。風波不驚。西南伊予。東北豊前。佐田《さた》岬与左峨関奇勢遙相迎。超此大西洋也。紫瀾漰渚。観愈壮。而意不復在洲嶼之際。行可半其更。其浜曰仙巴泊。仙巴。周防之望也。山足浸海之処。亦名云爾。近此大小硫黄島。相伝。

島中有有王童墓。俗説至此拙窮。日没船抵上関。暗昧不詳地勢。唯両山相対作門。既入門。両岸喧塡。問之一大馬頭。昔時置関之処也。海面熚々。月出両山之間。時維中秋。四望無雲一行船上競起開窓。余亦呼酒而灑詩觴。乃得小律三首。拙速誇人。為可恥耳。望後一日。距関二更。有泊曰笠戸。不至笠戸。沿管《くだ》松《まつ》而行。一島不甚大。沙觜甚長。松樹森列。蒼翠襲人。漸遠明爽淡々。真如画。亦憾少画手耳。其它地不同。而観則不異。無可記者。是夕泊母《は》哥《こ》島。翌下椗本山。本山。陶氏故墟也。陶晴賢殺其君大内子。而一旦覇于西陲。遂為毛利氏所殺于厳島矣。比抵長府。日将下春。維昔仲哀天皇行在所。今猶有原廟。所謂豊浦宮。神功后所築長堤。距此不遠。已抵田浦。諸侯行人幡幟相望。舟船魚貫而進。是日余為之小相。無遑回首極浦。日已浴海。赤馬関。早友祠皆暗裡過。遂泊。安徳天皇狩地。寿永之役。乗輿没海。変乱至此而極。翌十八。望門司関。一詩吊古戦場而過。抵小倉下船。駅吏街長。亦復驫至。以待纛旆之臨。自玆事務復紛然。纛旆之所指。如風偃之草。諸侯供給益盛。雖則盛矣。俗我亦已甚。文之余所不欲也。而九州之地。山咸奇。水咸明。民俗淳朴。頗存古風。自発江戸。閲月両回。八月二十五日。日出至長崎鎮府。

沢　元愷

（初九舳《じく》艫《ろ》室《むろ》津《つ》を発す。万里一に碧《へき》なり。島《とう》嶼《しょ》磊《らい》落《らく》なり。瑠《る》璃《り》盤上に璧《へき》を列《なら》べたるが如し。其の名の弁ず可き者、吉美《きみ》島鴉《からす》島三繫大高。兄長其の間にあり、絵島為《た》り、小豆島《しょうど》為り。海岸は金崎《かながさき》の觜《し》と毛振《けぶり》と相抗す。室祠《むろし》、其の湾中に桌立《たくりつ》す。而して岸上の民屋、千数の櫛比《しつび》のごとし。また海路の一勝なり。然れども地は以て海を包みて、山は其の外を環《めぐ》る。是を以て立錐《りっすい》する処無きのみ。我が船俄頃《がけい》にして数十里。奈波《なは》を経て石神に抵《いた》る。石神は一名坂越、音謬《あやま》りて字転ず。海島の名、弁ず可からざる者、皆な此の類なり。石神は一聚落《しゆうらく》なり。此を過ぐれば二嶼有り。黒島と曰う。蓑《みの》島と曰う。石神に隣りするを尾崎の浜と曰う。また五六里、山の足海に入る。赤穂岬《あこうみさき》と曰う。祠有り、乃ち古《いにしえ》の所謂《ゆるい》伊和都媛《いわとひめ》なり。赤穂城目下に在り、海浜を距つること二里なる可し。同僚亶々《たんたん》として大石良雄の復讐事を譚《ものがた》る。因りて余に問うに大宰《だざい》純四十六士の論を以てす。弁ぜんと欲するも言に為し難し。乃ち酒を呼びて之に觴《さかずき》す。水手《すいしゅ》を叱《しか》りて以て船を撈《こ》がす。また行くこと半更（今六十里を一更と為す法に依る）。播磨《はりま》往きて、備前来たり、大多府、木曾泊、筏洲《はっ》鼠島を経て、牛間門に至る。此れもまた一大泊所なり。相伝う、神功皇后三韓を征するに水牛の出でて御鷁《げき》を護《まも》る、と。故に此の名有るなり。もとまた宇志《うし》に作る。蓋《けだ》し好事の誕なるのみ。間門は一に窓に作る。国の歌よりして転譌《てんか》するのみ。室より牛窓に至る。海路六十余里。鍼《はり》うつは未申の交に在り。是の日天朗らかなり。乃ち拕《た》楼《ろう》に上《のぼ》りて以て望む。海面磊々《らいらい》として島嶼多し。已に其の麗を計らず、詎《なん》ぞ其の名を弁ぜんや。而して山に奇峰無し。水は唯だ雲を蕩《うご》かし日を沃するのみ。段令《たとい》観るに足るも、棹手柁工《こうしゅだこう》烏《いずく》んぞ能く対せんや。但だ豆島の陂陀《はだ》たるを見、独り其の間に偃蹇《えんそく》するのみ。また是の夕べ応《まさ》に牛窓に泊るべし。而して長綃《ちょうしょう》秋風、当《まさ》に留まるべくして留まらず。また行くこと半更、蓬崎犬《いぬ》子島を経、而して出崎《でさき》の洲に栖《やど》る。夜将に三更ならんとして、我が船哞々として声を作す。起ちて之を睹《み》る。水手倉惶《そうこう》たり。錨を挽《ひ》きて復《ま》た進む。一たび発して十里、手島《てしま》に抵《いた》りて留まる。手島もまた備前に属す。翌日微雨あり。食する時櫂《かい》を発す。上藹《じょうあい》二島を過ぐ。日を企《のぞ》めば、則ち讃岐《さぬき》と備《び》なり。両地突出し、将《まさ》に相い倚《よ》らんとして未だ倚らざる者なり。之を望めば其の間十数里あり。声を作せば荅《こた》うる可し。遙かに五剣の山を望む。問うを待たずして之を知る。吾が友伯和嘗《かつ》て此に游びて其の椒《しょう》を極む。余が為に之を言う。奇険想う可し。屋島《やしま》の山、連簷《れんえん》一面、一転して象頭《ぞうず》山と為る。其の岸は則ち志渡《しど》高松なり。昔《むかし》平氏の諸盛の源予州に困しむ。人と骨と今は已《や》んぬるかな。近づけば則ち大槌《おおづち》小槌、相対して門を為す。俗に竜宮の門と呼ぶ。門前の篠《しの》島松嶼《まつしま》と相続くこと点々たる者は、塩飽《しわく》の七嶼、自余の小島、其の間に布置す。而して飯《いい》盛《もり》象頭の諸山、隠見するに時無し。須臾《しゅゆ》にして観を改む。端倪《たんげい》す可からざるなり。蓋《けだ》し聞く、塩飽《しわく》の島は、衍沃《えんよく》千里、居民充塞《じゅうさい》し、邦を為すに幾《ちか》し。而して租調《そちょう》壱に是れ庸《よう》なり。以て軍を官船に格《いた》す、と。余が乗る所の水手、また皆な島民なり。塩飽を過ぎれば則ち藤戸口なり。昔時《むかし》佐盛綱、単騎せし絶海の処なり。子岳常に吾家先ず登ると称す。倶《とも》に船せず其の虚誇せ使《し》むるを憾《うら》むなり。其の地昔は島嶼《とうしょ》たり。今は則ち小山にして田《でん》疇《ちゅう》の間に在り。桑田の海と為る、何ぞ深く怪しむに足らん。日暮にして下津伊《しもつい》に至る。此れもまた室盧《しつろ》千数、岸を枕に水に臨む。青帘《せいれん》遙かに相望む。豈《あ》にまた炉に当たりて游客を待たんや。船を舎《す》てて往かんと欲す。禁有り。乃ち漁舟を呼びて以て鮮を買う。以て一酔するに足る。十一日、風不順にして、潮逆す。艅艎《よこう》相一処に聚まる。相議する所有らんや。日旰《き》にして咿軋《いあつ》の声急なり。忽ち余が睡《ねむ》りを破る。起ちて飛盧《ひろ》に登る。衆船乱行して先を争う。其れ復《ま》た何の役ぞ。余は則ち洲名を尋討《じんとう》して止まらず。人の厭《いと》う所と為るを恐る。櫃石《きせき》弁天、大小提《てい》島、経《ふ》る所凡そ二十里。乃ち亭島《ていしま》に泊す。十二はまた雨。食する時水島を過ぐ。此れより以て西のかた備中を隷《したが》う。阿部侯の治城近くに在り。司船舼《きょう》数十隻を帥《ひき》い連ね、以て我が船を挽《ひ》く。また専ら贈遺《ぞうい》有ら使《し》む。浜海の邦咸《み》な然り。是の日余与《あずか》れり、故に記す。遂に大杓小杓、嘉納浮蔑《かのうふべつ》、笥《か》士《し》多加佐奈の諸島を過ぐ。また行くこと半更、白石迫門に抵《いた》る。海の隘口、是れを迫門と謂う。泊す可き処、是を湊門と謂う。大抵《たいてい》白石峡已東《いとう》、島嶼泊所多し。峡を出ずれば則ち海勢鴻溶《こうよう》たり。島罕《ま》れにして大。白石を距つること十八里、鞆湊門《みなともん》有り。鞆《とも》は、音独《と》木《も》の二つ合す。本と射具の称、盖《けだ》し其の状を取るなり。また一たび邑《ゆう》を通る。古来酒に名あり。故にまた献笑《けんしょう》の賦《じ》有りと云う。此を距つること十許里、泊有りて阿斧兎《あふと》と曰う。何をか謂うやを知らず。之を望めば嵐烟簇々《そうそう》たり。紫翠《しすい》当に反照すべし。稍《や》や近づく。怪石特《ひと》り沙際に起つ。其の上に一小堂を搆《かま》う。廊廡《ろうぶ》尾の如し。また覆斗《ふくと》に似たり。一奇なり。堂に観音《かんのん》を置く。寺を盤台《ばんだい》と曰う。また復《ま》た徒《いたず》らに望みて過ぐ。十三別色あり。正に東風急なり。船行駛《し》快《かい》なり。田島因島《いんのしま》を経て、風微《や》や転ず。則ち百千の白馬、奔騰《ほんとう》して来たる。時に激して則ち座に飛び入る。船上咸な臥す。余尚お被《ふすま》の中より問いて曰わく、此れ何の地方ぞ、と。乃ち曰わく、此れ名は道士峡たり。相伝う、豊関白《かんぱく》朝鮮に征し、此に船停す。一道士有り、船に上りて海物を献じて去る。公人をして之を尾《つ》け使むも得ず、と。故に此の名有るなり、と。余曰く、公三韓を蹂躙して、其の勢瓴《かめ》を覆《くつがえ》す。堂々たる大国、之が為めに鼎沸《ていふつ》す。勇なるかな。鬼神の陰《ひそ》かに助くる或いは然るや、と。臥して動かず。船蒲苅《かまがり》に抵《いた》る。告げて曰う、昔者《むかし》平相国厳島《いつくしま》の祠に詣《けい》する毎に、海路の迂曲《うきょく》を患う。遂に山を破りて以て通ず。名づけて御門と曰う、と。余遽々《きょきょ》として起ちて望む。罵《のの》りて曰わく、艄公《そうこう》汝我を嬲《なぶ》るや。叚使《たとい》相国寵《ちょう》を天女に得るも、奚渠《なんぞ》然るを得んや。然れどもまた説の溢《あふ》る、乃ち威武《いぶ》の致す所なるのみ。船泊諸《これ》を加《しの》ぐ、と。早起して雀窓を開く。朝暾《とん》映発、風波驚かず。西南の伊予、東北の豊前《ぶぜん》、佐田《さた》岬と左峨《さが》の関と奇勢遙かに相迎う。此れを超《こ》ゆれば大西の洋なり。紫瀾《しらん》淜渚《ほうかく》たりて、観れば愈《いよい》よ壮なり。而して意は復た洲嶼《しゅうしょ》の際に在らず。

行くこと其の更を半ばとす可し。其の浜を仙巴《せんは》泊と曰《い》う。仙巴は、周防《すおう》の望なり。山の足の海に浸すの処なり。また名づけて云爾《しかいう》。此に近く大小の硫黄島あり。相伝う、島中に有る王の童の墓有り、と。俗説此に至りて拙窮《せっきわ》まる。日没にして船は上関《かみのせき》に抵《いた》る。暗《あん》昧《まい》にして地勢を詳《つまびら》かにせず。唯だ両山相対して門を作すのみ。既に門に入れば、両岸喧《けん》塡《てん》たり。之を問うに一大馬頭あり。昔時《せきじ》関を置きし処なり。海面爍々として、月は両山の間より出ず。時は維《こ》れ中秋、四もに望めば雲無く、一行船上競い起ちて窓を開く。余もまた酒を呼びて詩觴《ししょう》に灑《そそ》ぐ。乃ち小律三首を得。拙速《せっそく》人に誇る。為に恥ず可きのみ。後を望めば一日、関を距てること二更なり。泊有りて笠戸《かさど》と曰う。笠戸に至らずして、管松《くだまつ》に沿いて行く。一島甚だしくは大ならず。沙觜《さし》甚だ長く、松樹森列たり。蒼翠《すいそう》人を襲《おそ》う。漸く遠明爽淡々《そうたんたん》たり。真に画の如し。また画手少きことを憾《うら》むのみ。其の宅《た》地同じからず、而して観れば則ち異ならず。記す可き者無し。是の夕べ母哥《はこ》島に泊す。翌椗《いかり》を本山に下す。本山は陶《すえ》氏の故墟《こきょ》なり。陶晴賢《すえはるかた》其の君大内《おおうち》子を殺して、一旦は西陲《せいすい》に覇《は》たり。遂に毛利氏厳島《いつくしま》に殺す所と為る。長府に比び抵る。日は将に下舂《かしょう》ならんとす。維《こ》れ昔仲哀《ちゅうあい》天皇の行在所《あんざいしょ》なり。今猶お原廟《げんびょう》有り。所謂豊浦宮なり。神功后《じんぐうこう》の築く所の長堤、此を距つること遠からず。已に田浦に抵る。諸侯《しょこう》行人幡幟《はんし》相望む。舟船魚貫《ぎょかん》して進む。是の日余小相《しょうしょう》と為りて、回首して浦を極むるに遑《いとま》無し。日は已《すで》に海に浴す。赤馬関《あかまがせき》、早友祠《はやとものし》皆な暗裡のうちに過ぐ。遂に安徳天皇の狩地《しゅち》に泊す。寿永の役、輿《こし》に乗じて海に没す。変乱して此に至りて極むるなり。翌十八、門司の関を望む。一詩もて古戦場を弔《とむら》いて過ぐ。小倉に抵りて船を下る。駅吏街長、また復た麕至《きんし》し、以て纛旆《とうはい》の臨を待つ。茲《こ》れより事務復《ま》た紛然《ふんぜん》たり。纛旆《とうはい》の指す所、風偃《ふうえん》の草の如し。諸侯供給益《ますま》す盛んなり。則と雖も盛んなり。我を俗することまた已に甚だし。之を文にするは、余が欲せざる所なり。而して九州の地、山咸《み》な奇、水咸な明、民俗は淳朴《じゅんぼく》にして、頗《すこぶ》る古風を存す。江戸を発してより、月を閲《ふ》ること両回なり。八月二十五日、日の出で長崎の鎮府《ちんぷ》に至る。）

（参考）

神戸港より長崎港にいたる海上浬程《りてい》

至兵庫	二カイリ	至明石海峡	一二カイリ	至与島	七三カイリ
至牛島	七五カイリ半	至中島	一四三カイリ	至由利島	一五四カイリ
至屋島	一七五カイリ	至姫島	一九八カイリ	至馬関	二三九カイリ
至六連島	二四八カイリ	至白島	二五七カイリ	至大島	二七五カイリ
至烏帽子《えぼし》島	三〇〇カイリ	至生月島	三三四カイリ	至中ノ島	三四六カイリ
至相撲《すもう》岩	三七一カイリ	至長崎港	三八七カイリ		

瀬戸内の紀事、ただ島嶼《とうしょ》および海上のみにかかる、もとより「登山の気風を興作すべし」の項中に関せず。ただ諸島嶼たる、中国四国の花崗岩帯の間に点綴《てんてつ》し、その大概は花崗岩より構造さるるをもって、紀事順序の便宜上しばらくこれをこの間に挿入す。

五　畿内の花崗岩

五畿《ごき》の地、火山岩特に少々、花崗岩これに代わり処々に延縁《えんえん》す、すなわち摂津《せっつ》の西南部、東北部、河内《かわち》、大和《やまと》、山城の境上、山城《やましろ》、大和、伊賀、近江《おうみ》の境上、山城、近江の境上、みな花崗岩にかかる。その間の山岳列挙すべきか。

摂津《せっつ》西南部の花崗岩は大阪湾の北岸に帯のごとく延縁《えんえん》すすなわち西は播磨の境上より起こり矢田部郡を斜めに貫き東北走してようやく膨大とな

鉄拐山《てっかい》　海抜二三六メートル、須磨停車場の西北、「巌石落し」、一ノ谷はここにあり、みな花崗岩、敦盛《あつもり》の墓の石塔また花崗岩、源九郎義経の奇戦せしはこの辺にあり、想い起こす白旗の花崗岩に反映せし当年を。**再度山**《ふたたび》　海抜四五三メートル、一名多々部山、神戸市の北北西、山に大竜寺、弘法滝、糸桜滝、赤松氏の城墟あり、小径を北に登り絶頂に達せば神戸、兵庫の市街、大阪湾を下瞰《かかん》し、船舶の来往掌中《しょうちゅう》に弄《ろう》し得。**麻耶山**《まや》　海抜六九四メートル神戸市三ノ宮停車場の東北およそ一里二十町、布引滝より山路十八町、石階数百級を登れば

摂津国の西南部

り菟《と》原《はら》郡に入り麻《ま》耶《や》山を中心としさらに東北走して有馬郡の南境に入り武《む》庫《こ》郡の西北部を構造してここに尽くこの花崗岩帯と海湾の間に須磨、兵庫、神戸、住吉、御影《みかげ》ありこれらの市《し》邑《ゆう》は細粉せる花崗岩の化成せし地層上にあるをもって百般の景象おのずから潔清

摂津国の東北部

摂津能勢《のせ》郡の東南島下郡の西北より丹波《たんば》国に入るもの

忉利《とうり》天《てん》上寺あり、麻耶夫人を祀《まつ》る、寺よりさらに登る百二十メートルにして絶頂に達す、北に丹波《たんば》の連山、東に西ノ宮、尼崎の市街、南に大阪湾、和泉《いずみ》、紀伊の群嶺《ぐんれい》、南西に神戸の市街、和田岬、鉄拐山、淡路島を望み、眼界壮宏《そうこう》。**六甲山**　海抜九二七メートル、一名武庫山、麻耶山の東北、住吉停車場と西ノ宮停車場の中間より登る、山に白山神社あり、西の峰に石の小祠《しょうし》あり、土俗「石の宝殿」と称す、絶頂よりの眺望は麻耶山に優過す、この山彙《さんい》は大阪湾を障屏《しょうへい》し海風の携帯せる水蒸気を凝結するをもって、「武庫山に声つき当る千鳥哉」（団雪）の句、おのずから理学的なり。**兜《かぶと》山**　海抜三〇七メートル、西ノ宮町の北北西、山は花崗岩より成るも、観音堂のある少片のところのみは火山岩にかかる、大井、九想、乾、鳴の四滝、花崗岩をうがち来り、広田神影向岩、弁財天影向岩、白竜石は花崗岩その他。**高尾山**（海抜二八三メートル、須磨の北）、**高取山**（海抜三三〇メートル）。

妙見《みょうけん》山　海抜九〇八メートル、摂津能勢郡野間村に秀《ひい》ず、大阪市より八里、京都市より九里、村より坂路十六町にして妙見祠あり、村に「野間立石」あり、花崗岩たり、「野《の》間《ま》窟《くつ》」あり、花崗岩の間にうがつもの。

河内の東境　河内、大和、山城の境上に花崗岩延《えん》縁《えん》し南方に伸張す

交野《かたの》山　海抜四七四メートル、山腹盤石多し。

天王山　海抜四〇九メートル。

飯盛《いいもり》山　河内讃良郡の中央、山頂円形、草樹鬱葱《うつそう》、楠公《なんこう》父子奮戦のところ。

河内、大和、山城境上の花崗岩帯は、南方に伸張し、河内《かわち》、大和の境上に沿いて延縁《えんえん》し、古歌に顕著《けんちょ》なる生駒山以南は片麻岩となり、聖徳太子大捷《たいしょう》のところたる信貴山を超え、大和川を渡るや一塊の火山岩蟠屈《ばんくつ》するも、ここより西せば、片麻岩また連なり、葛城山塊奔馬《ほんば》のごとく南駛《なんし》し、楠《なん》公勤王の鮮血を濺《そそ》ぎたる金剛山に曳《ひ》き去る、聖徳太子以降、楠《くすのき》氏、三好《みよし》氏、松永《まつなが》氏、豊臣《とよとみ》氏より筒井順慶《つついじゅんけい》の時代にいたるまで、日本歴史の活劇多くこの片麻岩上に演ぜらる、すなわち

生《い》駒《こま》山　河内河内郡の東境大和の西境にまたがる　海抜六四〇メートル、山径嶮峻《けんしゅん》ならず、岩石大樹少なし、良《りょう》暹《せん》法師のいわゆる「わたのへや大江の岸にやとりして雲井に見ゆる生駒山哉」とはこの山。

信《し》貴《ぎ》山《せん》　大和平群《へぐり》郡の西南境より河内高安、大県二郡にまたがる　海抜三六〇メートル、大阪鉄道八尾停車場の東五十町、王子停車場の西北一里二十五町、中腹信貴畑に朝護国孫子寺あり毘沙門天《びしゃもんてん》を祀る、山は聖徳太子官軍を率いて物部守屋《もののべのもりや》を追討せしところ、毘沙門天は楠公幼時の守り本尊たり、絶頂より

二上《ふたかみ》山
全山片麻岩に成る
河内石川郡の東境より大和葛下郡の西境にまたがる
北麓に火山岩あり

葛城《かずらぎ》山
河内石川郡の東境より大和葛下、忍海、葛上三郡の西境に蟠屈《ばんくつ》す。
奈良町より西南位

金剛《こんごう》山《せん》
河内石川郡の東南境より大和葛上、宇智二郡にまたがる
葛城山片麻岩塊の南駛《なんし》してこの山にいたるもの
海抜一二六一メートル

は大和全国を双眸《そうぼう》中に収め画も及ばず。

海抜五七五メートル、山は男岳、女岳の二峰に分かる、二峰の間に当麻《たいま》街道を通ず、男岳の中腹に城趾あり、麓に「古松ノ竪巌」あり、高サ九間幅三間なる片麻岩峭立《しょうりつ》し上に古松一株孤尊《こそん》す、すこぶる奇観となす、「覗岩《のぞきいわ》」、「抱岩《だきいわ》」、「巌窟《がんくつ》」あり、女岳の麓に「巌窟」あり、みな片麻岩。

河内、大和の境上に延縁せる片麻岩の山塊たり、北方竹内嶺（海抜二八一メートル）より南方金剛山（海抜一二六一メートル）を越え千早嶺にいたる間を総称す、絶頂より少東に著名なる「葛城岩橋」あり、その下に三個の巌窟、「胎内くぐり」、「鉾立《ほこたて》石」、「鍋釜《なべかま》石」あり、みな片麻岩、麓に笙《しょう》滝、昼貌滝、横尾滝あり、山中に磐船《いわふね》神社あり、「磐船」四十八あり。

河内石川郡千早村より登る、片麻岩の間をうがてる激烈なる渓水《けいすい》に沿いて溯り、ようやく登るや、楠公《なんこう》の堅守せし千剣破の城趾あり、東、西、南共に絶壁たり、本丸の趾に古松三樹あり、ここよりいよいよ登れば転法輪寺最上乗院あり、楠公故城趾より二十八町にして絶頂に達す、西北に堺、大阪、尼崎、西ノ宮、神戸、兵庫の市街、摂河泉三国の山河、大阪湾の全形勢を双眸に収め、東北に大和北半の景象を掌上に弄《ろう》し得、登臨の客をして覚えず楠公賊を鏖《みなごろ》しにするの当年を想起せ

ートル

しむ。

山城、大和、近江、伊賀の境上に蟠屈《ばんくつ》せる花崗岩塊は、山城《やましろ》相楽《そうらく》郡のほとんど全部、大和《やまと》添上《そえかみ》郡の一片、近江《おうみ》滋賀《しが》郡の一片、栗太《くりた》、甲賀二郡の全半、伊賀阿拝郡の全半に延縁し、その間近江に袴越《はかまごし》山、笹間《ささま》ケ岳（海抜四八〇メートル）、不動山（海抜六一四メートル）、矢筈《やはず》山（海抜六三二メートル）、鶏冠《とさか》山（海抜五三九メートル）、阿星《あぼし》山（海抜七四九メートル）あり、近江、伊賀の境上に竜王《りゅうおう》山（海抜五〇八メートル）、笹《ささ》ケ嶺（海抜八二一メートル）、高《たか》畑《はた》山（海抜七〇六メートル）ありといえども、要するに顕著なるは、

笠《かさ》置《ぎ》山

山城相楽郡木津川の上流笠置村（海抜六二メートル）にあり笠置村は片麻岩上にありといえども山は花崗岩たり海抜三七二メートル山は後醍醐帝蒙《もう》

山城木津川の上流笠置村、もしくは伊賀上野町より西の方島ケ原村を経、山城相楽郡に入り、大河原村より笠置村にいたり登り得、すなわち笠置村より直ちに木津川を南に渡り、山の西北隅より登る、十町にして福寿院あり、その傍両石相対《たい》峙《じ》するところ「第一城門」と称す、太平記にいわゆる足助《あすけ》次郎重範《しげのり》大弓長箭《ちょうせん》をもって賊将二人を斃《たお》したるところ、城門の傍「地獄谷」は奈良般若寺僧兵の巨石をもって賊に投じたるところ、「薬師石」「弥勒《みろく》石」あり、高さ各々百尺、「文珠《もんじゅ》石」、「胎蔵石」、「金剛石」あり、次いで石門を過ぐ、門石長さ六

塵《じん》のところにして事は今をへだたるまさに五百六十四年前にあり

十尺、その下空濶《くうかつ》数人並び行くべし、門の左に「胎内くぐり」あり門を出ずれば「太鼓石《たいこ》」あり、これをたたけば鳴る、「不動岩」「平等岩」あり、平等岩はその面坦平、「揺石《ゆるぎ》」あり、要するに登臨するに容易にしかも花崗岩の怪奇を呈出するはこの山にあり。

飯《はん》道《どう》寺《じ》山

近江甲賀郡の中央

海抜七二九メートル、水口駅の西南一里余、飯道神社あり、老杉《ろうさん》鬱蒼す。

笠置の花崗岩塊は南の方直ちに片麻岩と相連なり、南方、東方に大いに膨張して、大和国の東半、伊賀国の南半、伊勢国の西南部に延縁《えんえん》し、その間大山巨嶺《きょれい》また多々。

山城、近江の境上に延縁する花崗岩塊は、琵琶《びわ》湖の西岸を障屏《しょうへい》す、平安城の荘厳を添え、琶《は》湖《こ》の美を倍すもの実にこれ、すなわち

比《ひ》叡《えい》山《ざん》

山城愛宕《あたご》郡より近江滋賀郡にまたがる
天台山、台嶺、艮岳、北嶺、都富士、我立ツ杣《そま》の称あり

京都市より田中、一乗寺を経、二里二十一町の間人力車を駆り山の西麓《せいろく》に達す、また大津町より正北一里二十町、人力車を駆り、官幣大社日吉《ひよし》神社に詣る、社より登ること十町、花《はな》摘《つみ》社あり、花摘社より延暦《えんりゃく》寺中堂まで二十町、中堂より八町絶頂に達す、頂は「四明峰」と称す、京都の全市、加茂川の平原、琵琶湖の全体、「近江八景」、ことごとく眉《び》端《たん》に集まり、

比良岳《ひらだけ》　海抜八二五メートル
近江滋賀郡の西北
海抜一二三〇メートル

宛然《えんぜん》一大パノラマ、ただ北方のみ比良岳に遮断《しゃだん》せらる。大津町より絶頂まで六里二十余町、山麓八屋戸村より一里十五町「近江八景」中「比良《ひら》の暮雪」とはこれ、頂よりは琵琶湖を下瞰《かかん》し絶佳。

竹生島《ちくぶしま》　近江琵琶湖北部の島、長浜町の西北早崎村より五十町
全島花崗岩に成る

琵琶湖上の小蒸汽船ときどき寄島することありといえども、特にいたらんと欲せば、長浜町もしくは彦根町より日本船を賃し渡航し得、島に弁財天の社あり、花崗岩壁湖面より峭絶《しょうぜつ》し、島上老樹鬱蓊《うつおう》、黄昏《おうこん》数千の禽鳥、この間に宿せんため帰来するところ奇観たり、その他奇観多し、眺望また佳。

六　湖東の花崗岩

琵琶湖東、近江、美濃《みの》の境上、国見《くにみ》嶺（海抜八一三メートル）以北に花崗岩塊あり。国見嶺花崗岩塊の南、秩父岩を隔てて、近江伊勢の境上に沿い南走せる一帯の花崗岩延縁《えんえん》す、すなわち竜ケ岳（海抜一一八二メートル）、編笠《あみがさ》岳（海抜一〇一六メートル）、釈迦ケ岳（海抜一一〇五メートル）、千草越（海抜七七二メートル）、御在所《ございしょ》山（海抜一一五三メートル）、鎌ケ岳（海抜一二五四メートル）、入道ケ岳（海抜九八一メートル）、仙ケ岳（海抜一〇九三メートル）、鈴鹿《すずか》峠（海抜三七三メートル）、高畑山（海抜八五一メートル）等あり、この帯の北部に水晶、黄玉、柘榴《ざくろ》石の産所あり、東部に二温泉場あり、南部に千載集《せんざいしゅう》のいわゆる

「ふるまゝに跡たえぬればすゞか山雪こそ関の戸ざしなりけれ」（内大臣）という鈴鹿関の故址《こし》あり、白雪花崗岩に反映する故関の路、歌趣想うべし。

七　中部日本の花崗岩

花崗岩の大塊、富士山火山脈の西に曳《ひ》き、中部日本に蟠屈《ばんくつ》す、すなわち北は大約北緯三十七度より南は同三十五度西は大約東経百三十七度より東は同百三十八度にいたるものにして、越《えち》後《ご》、越中《えっちゅう》、信濃《しなの》、飛騨《ひだ》の境上より信濃に入り、少しく断絶してまた起こり、信濃の中央より美濃の境上に膨張し、ついに参河《みかわ》に入るもの。その間越後越中、信濃飛騨の境上に綿亙《めんこう》せる花崗岩帯と、その西に延縁せる片麻岩帯との間に劈入《へきにゅう》せる火山岩帯（すなわち立山火山脈、第百四十三頁より第百四十八頁の間につまびらかなり）あり、這般《しゃはん》三岩帯の錯交《さくこう》するところこれ日本国中の真成なる「深山幽谷」にして、火山たる立山、大蓮華《だいれんげ》山も、絶頂にいたりては実に花崗岩より構造せらる。信濃の中央に入り、いわゆる木曾地方ことごとく花崗岩に成り、その荘厳雄大なる景象を表出するは実にこの岩による。中部日本の花崗岩中、すべからく登臨を試むべきは、

（信濃南安曇《あずみ》郡より飛騨吉城郡にまたがる越中より綿亙《めんこう》）　信濃松本町より一里二十町新村にいたり、新村より三里二十一町島々村にいたり、この村にて登山の諸準備をなし、かつ案内者、人足を賃し二日間山中に宿する予算をもって出発す

岩 木 山

(陸奥国弘前市岩木川の橋上より望む)

小野岳（岩代国南会津郡の東北境にあり）
岳下より北方に直瀉せる小野川の渓水怒激して所在の火山岩を浸食し一部分のみを遺留しこの景象を化成す

鎗ケ岳

せる花崗岩帯はこの岳にいたりて尽き乗鞍岳御岳の火山岩塊のために遮断せらるるもまた起こりて信濃の中央を貫通す
海抜三五三一メートル

べし、島々村より登ること八時間にして海抜およそ一千五百メートルのところにいたれば「徳本ノ小屋」あり、それより三里にして「宮川ノ小屋」あり、これを山麓となす、宮川より登ること六里すなわち七時間にして絶頂に達し得、その間花崗岩をうがてる奔湍《はんたん》に沿うこと三時間、花崗岩の群嶺こごも天を衝きて起こり、奔湍を去るや、山いよいよ嶮、景物ますます荘厳、花崗岩ほしいままにその怪奇の状を呈出すること一幅の大画図に異ならず、行々積雪を踏み、時にライ鳥、熊、カモシカをみる、花崗岩山の本色を知らんと欲せば、すべからくこの山に登るべし。

駒ケ岳

信濃西筑摩郡、上伊那《いな》郡の間にまたがる木曾街道の右側（東行）に聳立《しょうりつ》しいわゆる木曾街道の景物にいよいよ跌宕《てっとう》を倍すもの実にこの花崗岩山にあり
海抜二五五七メー

中仙道上松より四里八町、六時間にして絶頂に登り得、その間翠然《すいぜん》たる偃松《はいまつ》は雪のごとき花崗岩の上に匍匐《ほふく》し、その景画も及ばず、頂に神社あり、ここより四望せんか北に立山の連山、鎗ケ岳、妙高山、戸隠《とがくし》山、飯綱山、善光寺平、松本平を双眸《そうぼう》中に収め、北東に向かえば千曲川の平原を隔てて白根山、浅間山、碓氷《うすい》嶺、荒船山信濃、武蔵、甲斐《かい》境上の群嶺を認め、東に八ケ岳、甲斐《かい》の駒ケ岳、鳳凰山、白根山をみ、次いで万《ばん》仞《じん》の芙蓉峰を仰ぎ、南は天竜の溪谷油画のごとく、遠江《とうとうみ》の秋葉山、参河《みかわ》の鳳来寺山をみ、ようやく西より北せば、美濃の恵那《えな》山、信濃の御岳、加賀の白山長揖《ちょうゆう》し来る、眼界壮宏《そうこう》、画

師、詞客、高士もって登臨するに足る。
—トル

花崗岩帯、駒ケ岳より直ちに美濃の境上に膨張し、ついに参河に入る。

参河《みかわ》の花崗石

東京を去り、東海道汽車に搭じ、国府津《こうず》停車場にいたる、大概は第三紀層岩の粉砕《ふんさい》して沖積せしところを過ぐ、ゆえに土壌鮮白ならず。国府津を去るや、鉄路函嶺《はこね》の裏麓《りろく》を環《かん》繞《じょう》し、佐野停車場に達するまでは、ことごとく新火成岩地（富士岩、すなわち安山岩）をよぎり、鉄路両側の石垣にいたるまでみな新火成岩をもって築く。すでにして沼津平原に入る、この平原やもと這般《しゃはん》新火成岩の粉砕して沖積せしところ多し、土壌ゆえに黯灰《あんかい》色を帯ぶ。駿河《するが》、遠江《とおとうみ》の間に入るもまたしかり、その間第三紀層ありといえども、これまた黯灰《あんかい》色を帯ぶもの。ひとり参河の境に入り、蒲郡《がまごおり》停車場を過ぐるや、四囲の山岳みな花崗岩にかかり、その表面の風化水食せしものは、分離して白種雲母片となり、石英粒となり、玻璃《はり》状なるもの、珠玉状なるもの、夕陽残照と相映じ、ここに真成の「白沙」を成し、青松その間に点綴《てんてつ》して初めていわゆる「白沙青松《はくさせいしょう》」の風景を現じ来る。湘南《しょうなん》、駿、遠州の風景や実は灰沙《かいさ》青松たり、海辺の真風景たる「白沙青松」は、参河の南部、西部にいたらずんばよく眺観《ちょうかん》すべからず。

閲得世途険似山。　世途《せいと》を閲《えつ》し得たり　険なること山に似たり。
身帰郷国心自閑。　身は郷国に帰り　心自《おのずか》ら閑《かん》なり。
松青沙白参州路。　松は青く沙は白し　参州路《さんしゅうじ》。
人在平生夢寐間。　人は在り　平生夢寐《むび》の間。

岡崎以北の花崗石（南部の花崗石は多量に雲母を包含《ほうがん》して結晶す、ゆえに良石材をなさず）、細粒もしくは中粒にしてかつ耐火性なるもの多し、これ他州にはなはだ見ざるところ、かつ在来石材を伐《き》り出すに盤石よりするの風あり、これもっとも可、異日、建築物に、道路修築に、築港に、鉄道敷設《ふせつ》に、砲台新設に、全国に隆起するに当たり、かつ相模石、伊豆石のごとき安山岩質、凝灰岩質の、湿気深き日本国にはついに建築石材となすに足らざるを知了するの日にいたらば、参河の石材は無限の販路を発見せん。ただ今日に当たりて最も稽査《けいさ》すべきは運搬賃にあり、運搬にして低廉《ていれん》なるを得ば、予は確として予言す、日本将来の建築石材は、常陸《ひたち》、参河二州産のものをもって中部日本に覇《は》を称せんと。けだし江戸開府以降、今日にいたるまで相模《さがみ》石、伊豆石の東京に覇《は》を称したるは、（一）安山《あんざん》岩質、凝灰《ぎょうかい》岩質なるをもって、石伐り器械の不完全なりし時代にありても容易に伐り出しえたること、（二）道路、鉄道等の便なき運搬の不完全なる時代にありても、その産地の東京附近にありたるをもって、容易に運搬しえたること、（三）在来建築上に石材を多用せざりしをもって、花崗石のごとき堅硬《けんこう》なるものを多く伐り出すも割の合わざりしこと、これなり。今や時勢一変、花崗石を容易に伐り出すの器械は輸入せられ、運搬の利便は日に月に増進し、かつ花崗石を多用するの時代はまさにいたらんとす、いわんや東京のごとき火災頻《ひん》多《た》なるところ日本のごとき湿気深き国土にありては、耐火性にして細粒もしくは中粒の花崗石にあらずんば、とうてい建築用となすに足らざるをや。予相豆の間を過ぎ、新火成岩地を経歴し、もって北条氏五代の覇《は》図《と》と共にその末路を憑弔《ひょうちょう》し参河《みかわ》に帰りて旧火成岩地を踏み、心ひそかに異日の隆興を祝して去る。

（以上二項、鄙《ひ》著《ちょ》『地理学講義』抜粋）

中部日本の大花崗岩塊の東に片麻岩延縁《えんえん》す。すでにして甲斐国裡に入り、二塊の花崗岩あり、西にあるを駒ケ岳塊、東にあるを金峰山塊と称す、共にその延縁せる面積は些少《さしょう》なるも、しかもこの小塊中に高峰累々《るいるい》、奇抜無比試みに登臨せんか。

鞍《くら》懸《かけ》山　甲斐《かい》北巨摩《きたこま》郡西北　海抜一四八三メートル、釜無川右岸教来石村より流レ川を西に沿い登る。

〔甲斐北巨摩郡西部　釜無川右岸台ケ原村より登る、村より絶頂まで七里と称す、

駒ケ岳

この花崗岩塊は甲斐の西北隅に蟠屈《ばんくつ》し一縷《る》の秩父岩帯を隔て信濃と接す
この花崗岩塊の北に鞍懸《くらかけ》山、南に鳳凰山あり駒ケ岳はその中央に秀立す
海抜三〇〇二メートル

山中に入れば宿泊用に供すべきものは二小屋あるのみ、かつ飲水に欠乏すれば台ヶ原村にて各種の準備をなすを要す、絶頂に二峰あり、一峰に大己貴命《おおなむちのみこと》の銅像建ち、一峰に摩利支天《まりしてん》の小像立つ、絶頂より四望せんか、北に越後の妙高山、信濃の戸隠山、飯綱山、浅間山、駒ケ岳、甲斐、信濃境上の連山、八ケ岳をみ、東は釜無《かまなし》川の溪谷を隔てて金ケ岳、木賊《とくさ》山、金峰山、国司岳、武蔵の秩父山彙を双眸《そうぼう》中に収め、東南には富士山、伊豆半島を隔てて太平洋を認め、南に白根山、七面山、身延山長揖《ちょうゆう》し来り、富士川、安倍川の二溪谷を下瞰《かかん》し、西よりようやく北せば、遠く美濃の恵那山、信濃、飛騨、越中の群嶺を観る。

鳳《ほう》凰《おう》山

甲斐《かい》北巨摩《こま》郡南部
海抜二九一二メートル

釜無川右岸円野村の左よりコム川の溪谷に下り、西南に登り、御坐石を経、円野村より五里、山の東麓《とうろく》に達す、麓より絶頂まで二里半。

地《じ》蔵《ぞう》岳

甲斐北巨摩郡南部

海抜二七九七メートル、鳳凰山の近南、御坐石より青木湯を経、登り得。

この山塊は甲斐北巨摩、中巨摩、西山梨、東山梨四郡の北境より信濃南佐

甲府市より北の方和田峠の下まで約二十五町間人力を駆《か》り、和田峠を登り、天神森に下り、ここより花崗岩をうがてる荒川の左岸を溯り、奔湍《ほんたん》の花崗岩を浸食せる奇絶壮絶なるところをよぎり、昇仙峡、仙娥《せんが》滝を経、花崗岩を去り、火山岩地

金《きん》峰《ぷ》山《さん》

久郡東南隅に入り金峰山（海抜二五五一メートル）を中心とし東に奥仙丈山（海抜二四九七メートル）国司岳（海抜二五七二メートル）あり

に入り、御岳《おんたけ》の金桜神社（海抜八八三メートル）に詣《もう》で、社前より北東行し、下黒平村にいたり火山岩地を去り、ふたたび花崗岩地に入り、北北東行すること二時間にして宿泊用に供すべき一屋あり、ここより正しく登り始め、六百メートルの高サを登れば絶頂に達す、その間花崗岩の大塊磊落《らいらく》とし、山径嵯峨《さが》、懸梯《けんてい》二ヵ所鉄鎖をつなぐところ二ヵ所あり絶頂に高さ八間余の花崗岩塊あり、矗々《ちくちく》として攀ずべからず、頂よりは北は浅間山、東に秩父《ちちぶ》の連山南に富士山西に八ヶ岳を望む。山中処々に大塊の水晶を産出す。

八　北日本の花崗岩

北日本は、南日本に比量せば、花崗岩普遍せず、要するに南日本特に畿内《きない》、中国は花崗岩の占有地にして、北日本、北海道は火山岩の占有地たり、南日本と北日本との間に景物の特異するもとよりその所。

北日本の花崗岩は、（一）常陸《ひたち》の筑波《つくば》山塊（二）常陸、磐城《いわき》の境上より磐城の全部、岩代の東北境に延縁《えんえん》せる火山岩および片麻岩帯、（三）下野《しもつけ》、岩代間の赤安山《あかやすざん》（海抜一九四五メートル）、帝釈山《たいしゃくざん》（海抜およそ九百メートル）、田代山《たしろやま》（海抜およそ千八百メートル）あり、

川合の切通《きりとおし》
（参河国北設楽郡三輪村大字川合にあり）

寝覚の床（信濃国西筑摩郡駒ヶ根村大字上松駅の内字寝覚の里臨川寺より望む）

木曾川の上流ここにいたり迫りてその幅二、三間に狭まりて奔湍《ほんたん》激して花崗岩を浸食す。西岸に屏風岩、硯岩、烏帽子岩、蓮華岩、釜岩、組岩、浦島太郎の釣舟石等あり。東岸に腰掛石、獅子石、床石、葛籠岩《つづらいわ》あり。奔湍の懸崖を噛《か》むところ豪爽《こうそう》。

（四）岩代《いわしろ》に入り駒ケ岳（海抜二〇〇四メートル）より北緯三十七度線の前後に蟠屈《ばんくつ》せる一塊、（五）岩代、越後《えちご》、羽前《うぜん》の境上なる飯豊《いいで》山塊の蒜場《ひるば》岳（海抜一三四〇メートル）、三笠山、烏帽子《えぼし》山、大日岳（海抜一九三〇メートル）、飯豊《いいで》山（海抜一八八〇メートル）、地蔵山あり、（六）飯豊山塊の西南、越後に入り、二本平《にほんだいら》（海抜一〇七七メートル）あり、（七）二本平《にほんだいら》の直北、飯豊山塊の直南、越後新発田《しばた》町の南に菅名《すがな》岳、法性山、五ツ森山、五頭《ごず》山あり、（八）北緯三十八度線以上、越後、羽前の境上に蟠屈《ばんくつ》せる大塊あり、その北に火山岩帯を隔てて三塊あり（九）陸前、羽前、羽後の境上に一塊あり、（十）北緯三十九度線以上にいたりては、陸中の各所に普遍し、特にその太平洋岸はことごとく花崗岩より成り、山田、宮古、鍬《くわ》ケ崎、久慈《くじ》の各港湾は、みな太平洋の激浪花崗岩を浸食して穿鑿《せんさく》するところ、（十一）陸中の中部と羽後《うご》の中部との間に一塊あり、（十二）羽後秋田市の東北に一塊あり、（十三）羽後、陸奥《むつ》の境上太平洋岸より蟠屈《ばんくつ》せる一塊あり。その他三、四所に点在するありといえども、瑣《さ》瑣《さ》たる小塊にしてもとより記するに足らず。北日本の花崗岩にして古往今来人口に膾炙《かいしゃ》するものは、

常陸《ひたち》筑波《つくば》、真壁《まかべ》、新治《にいばり》三郡にまたがる山頂は男体、女

東京市より水戸鉄道に頼り下館停車場に下車し、ここより登山するに二途あり、（一）人力車を駆り南南東行し、壚坩《ろかん》質の平地を馳する六里、山の南腹筑波町（町に近づくに従い道

体の二峰に分かれ女体は最高点をなし海抜八七八メートル

この山ははなはだ高からずといえども関東沖積《ちゅうせき》平原の中心より突立するをもってこれを望むはなはだ顕著なり中腹以上まではことごとく花崗岩より成りかつこの山より北方もまた花崗岩直ちに下野《しもつけ》の境上に延縁すといえども絶頂のみは閃緑《せんりょく》岩に属す

筑《つく》波《ば》山《さん》

路登りとなりようやく嶮峻《けんしゅん》に出でて登るもの、(二)下館より東南行し町屋（海抜五三メートル）に出で、ここより北折し伊佐々村を経、山の北麓《ほくろく》羽取村より登るもの。(二)は間道なるをもって(一)の道途を取ること可、すなわち筑波町にて筑波神社に詣《もう》で、直ちに登り始む、山麓より中腹以上にいたるまではことごとく花崗岩より構造せられ、南方、東方太平洋よりの風は水蒸気を拉《らっ》し来り直ちにこの山に衝撃《しょうげき》するをもって、松杉鬱蓊《うつおう》、特に山の南側は翠色《すいしょく》滴れんとす、町より西峰すなわち男体山の絶頂まで五十町、頂は閃緑岩より成る、伊弉諾尊《いざなきのみこと》を祀《まつ》り、神社数坐あり、頂よりは関東平原の全体、富士、浅間、日光の連山を望み、眼界壮宏、精神躍らんとす、男体《なんたい》山より東峰すなわち女体《にょたい》山にいたる七町余、処々に鉄鎖をつなぎ登山者の便に供す、女体山頂もまた閃緑岩より構造せられ、伊弉冉尊《いざなみのみこと》を祀り、眺望《ちょうぼう》の壮宏なる男体山に譲らず、ここより筑波町に下るおよそ二里、四時間半にして上下し得。筑波神社の傍より東に下るおよそ一里、白滝明神社あり、その傍に白滝あり、飛瀑《ひばく》ははなはだ壮観。筑波山中は溪水花崗岩を浸食し、奇怪万状、しこうしてこれらの溪水はたいがい南流して霞浦《かすみがうら》に注ぐ。

東北鉄道に頼り仙台市より塩釜《しおがま》に下車し、ここにて小蒸気艇

金《きん》華《か》山《ざん》

陸前牡鹿《おじか》郡半島の東南端より一葦《い》の海峡を隔てて太平洋中に屹立《きつりつ》す西部海岸の一小片は変成的水成岩より成るも他はことごとく花崗岩より成る古歌に「みちのく山に黄金花さく」と咏み島名を「金華山」と喚び島に金山彦命金山姫命を祀るなどこの島は黄金を産出するがごときも実はしからずただ花崗岩中に雲母《うんも》の閃《せん》閃《せん》たるをみて黄金

に搭じ海路直ちにいたり得、また石巻《いしのまき》、荻浜《おぎのはま》港よりも海路いたり得。陸路よりせんとせば、牡鹿《おじか》半島の西南岸鮎川《あゆかわ》村にいたり、村より東行すること十五町、その間松島の八十八島、石巻湾の全景、太平洋の煙波万頃《ばんけい》をかつ賞しかつ歩み、ついに金華《きんか》山の対岸なる「山鳥の渡し」に出で、ここにて大声を発し彼岸なる金華山の舟夫を喚び（牡鹿半島は浪濤《ろうとう》怒激するをもって船をつなぐべからず、ゆえに渡船は常に彼岸なる金華山にあり）船に上り海峡を東渡することおよそ三十町（この間の海峡は古来より浪濤険悪なりと称すれどもさまでにあらず）、黄金神社の下に上陸し磊落《らいらく》たる花崗岩塊を踏み、松、樅《もみ》、杉、山毛欅《ぶな》、栂《つが》、枹《なら》、その他雑樹の鬱葱《うっそう》せる間を登り、ときどき猿、鹿を認め、ついに黄金神社に詣《いた》る、全島中この社屋の外また宿泊用に供すべきものなきをもってよろしく神官を経て若干の供神料を上《たてまつ》り社内に宿泊すべし、好個の野菜料理を供せらる、神官は年々酒百三十石を醸造《じょうぞう》す、芳醇《ほうじゅん》にして過飲すれども頭に上らず、社前に長さ一間半幅三尺の石製手洗鉢《てあらいばち》あり、社よりさらに登り、大塊なる花崗岩を踏み、山毛欅の根の露出蟠屈《ばんくつ》せるところを渉《わた》り、弘法《こうぼう》大師の坐念せしところと伝うる大石塔の下を過ぎ、ついに絶頂に登る、黄金神社より頂まで十六町、頂に海神命の小祠《しょうし》を建つ、ここより

と誤認せしか島中に猿、鹿多し古歌に「宮城野《みやぎの》の萩の小鹿の妻ならん」と咏みたるごとく昔時陸前に鹿の多く逍遥《しょうよう》せしも人口の繁殖と共に剿滅《そうめつ》し今日この島に遺存するものならん

眺望せば、太平洋の水浩渺《こうびょう》として地平線を限り、西に松島の八十八島を下瞰《かかん》し、その跌宕《てっとう》雄渾なる一たび眺望するものついに忘るべからず、山を下り東岸なる花崗岩製の燈台をみ、「道者巡り」すなわち島を四周せる径路に出で、すべからく島を回行すべし、万頃《ばんけい》の太平洋水怒激して花崗岩崖を齧《か》むところ、壮快の極、この島は温暖海流（黒潮）、寒冷海流（親潮）の会所に衝《あた》り、多量の水蒸気発上し、山頂に撞突《とうとつ》するをもって、草樹はこれに潤沢せられ、鬱蓊葱翠《うつおうそうすい》の間より泉水湲《かん》潺《せん》として噴出し、花崗岩をうがちて流れ、清冽晶明《せいれつしょうめい》、これまたこの島の美を添うもの、かつ南方より仰望せば、山色の純《じゅん》碧《べき》にして光沢《こうたく》の粲然《さんぜん》たる、筑波山と共に日本国の山岳中まれにみるところ、二山実に山色の美の模範たり。

北海道は日本国中にて花崗岩の最も少々なるところ、ただ渡島《おしま》、後志《しりべし》に四小塊点綴《てんてつ》すると、日高山脈の南走して襟裳《えりも》海角にいたる間に細長き一帯あると、襟裳《えりも》海角傍近に四小塊、北見《きたみ》に二小塊あるのみ、その他に散在するは小片塊に過ぎず。

飛驒に入るの記

矧《しん》川《せん》生《せい》

明治二十九年五月十二日、越中富山市（海抜六メートル）を発す。前宵《ぜんしょう》大雨、暁来《ぎょうらい》霽色《せいしょく》一新、行々四里、沖積層地を過ぐ、一路坦平《たんぺい》新樹空に連なり、麦隴《ばくろう》万頃《ばんけい》、駸々《しんしん》として穂を抽《ぬ》き、首夏の景象おのずから人に可なるを覚ゆ。笹津《ささつ》を過ぎ、神通《じんずう》川を渡る、地質一変して第三紀層となり、川の両岸断崖《だんがい》百尺、大石錯峙《さくじ》し、水勢やや猛激、しこうして当面の山容岳色ようやく凡にあらざるを認む、けだし仙寰《せんかん》の門戸たり。左顧《さこ》一橋を見る、崖深く流れ疾《と》くして抗すべからず、木板を排列して飛梁《ひりょう》を造り、索《さく》数条をもって梁の両端を岸石につなぐ、亭々《ていてい》として半空にかかり、人の渡るや震掉《しんとう》してやまず、一奇観たり。笹津より路神通川に沿いて上り、珠羅《しゅら》岩《がん》の一嶺《れい》を越ゆ、嶺窮《きわ》まりて坂あり、坂窮まりて渓あり、渓に傍《そ》いて村あり、片掛と名づく、茅舎《ぼうしゃ》二、三十、参差《しんし》として向背《こうはい》相望む、屋外泉水あり、清きこと歯を漱《くちすす》ぐべし。珠羅《しゅら》岩の地を去りて片麻岩《へんまがん》の地に入り、いよいよ行くや、水（神通川）いよいよ藍靛色《らんてんしょく》をなし、ますますすすむや、山ますます純緑色をなし、風物七分は人間の物にあらず。猪谷《いのししだに》を過ぐ、水痛奇山痛奇、人間の物残るは二分のみ。蟹寺《かにでら》を経、水絶怪山絶怪、人間の物残るやわずかに一分。すでにして高原川の宮川と会同するところにいたり（二川合流して神通川となる）、一橋を渡り、飛驒《ひだ》の境に入るや、人は恍然《こうぜん》として仙寰《せんかん》に上り去る。

すでに飛驒の境に入る、一路羊腸《ようちょう》、高原川の危岸に沿い、いよいよ入りてますます高峻《こうしゅん》に、巌石狼藉《ろうぜき》、横臥《おうが》するあり、直立するあり、仏身のごときあり、鬼面に似たるあり、唐獅子《からじし》の怒吼《どこう》するがごときあり、アフリカ黒奴の笑顔に似たるあり、人の頭を圧して上より墜《お》ち来らんとするがごときあり、右側の山より突兀《とつこつ》として路を奪わんとするものあり、しこうして左はすなわち深谷

飛騨の山中　高原川の上流（記事と参照すべし）

千仞《じん》、流水激射、万人の巨砲を一時に轟発《ごうはつ》するに似、まことに一代の壮観をきわむ。谷村にいたる、山民の俵を車にし力を併して挽《ひ》き上ぐるを見る、車三々五々魚貫《ぎょかん》して過ぐ、いう遠く北海の塩を運送するものと、民屋渓谷の間に散在し、あるいは山側を墾《ひら》きて圃《は》を起こし層々階段のごときあり、あるいは絶壁のへこめるところ一抔《ぼう》の土あればすなわち麦を植ゆるあり、山民の経済利薄くして力労する想うべし。すでにして峡逼《せま》り水窄《せば》まり、一橋を過ぐ、橋下乱石堆畳《たいじょう》し、水、石背より下り、飛沫《ひまつ》人衣を撲《う》つ。行々半里、山回り、渓転じ、東茂住村（海抜二八一メートル）に達す、村は鉱坑をもって名あり、坑は今をへだたる三百八年前、天正十六年、越前《えちぜん》の人茂住宗《むね》貞《さだ》なるもの、飛騨《ひだ》の国主金森長近《かなもりながちか》の命を奉じ初めて採掘せしもの、口碑《こうひ》に伝う、慶長十三年、宗貞のここを去るや、両手に軽宝を提《ひっさ》げ七馬に純金を載すと、当時の盛ん知るべし、しこうして坑脈今に枯れず、加賀の人某採掘に従うという、村の一亭に憩《いこ》い富山市より携《なずさ》うるところの行厨《こうちゅう》を開きて午餐《ごさん》す、亭婦《ていふ》鱒《ます》を供す、肉鮮紅にして脆美《ぜいび》、いう高原川に捕るところと。村を去り行くこと十数町、一橋あり、跡津川の高原川と会同するところに架す、会処に無数の大石蟠屈《ばんくつ》し、跡津川の水一直線にそそぎ下りて石と衝撃し、高原川の水これを助けて激闘し、石また容易に屈せず、悍然《かんぜん》として二水を逆《むか》え撃ち、水と石と両々気力を相角すの巨観にいたりては、真個に造化の大文章となす。橋左の山腹、処々に鉱坑の散在するを見る。ここより船津町にいたるの間四里程（中央鹿間村海抜三八六メートル）、高原川の両崖峭然《しょうぜん》、長松老杉《ろうさん》崖半に聳起《しょうき》し、棣棠花《やまぶき》は黄に、山桜は淡白に、山躑躅《つつじ》は紅にはた紫に子細にその間を点綴《てんてつ》して、紫藤さらに花樹点綴の間を攀縁《はんえん》す、しこうして崖下は怪巌森列、大渦洶湧《きょうよう》、人をしてそぞろに土佐派、円山派《まるやまは》、南宗派《なんしゅうは》（文人画の）

の合作せる大屏風《だいびょうぶ》を展《の》べ観るの感あらしむ。いまだ船津町にいたらずして一鉱坑あり、東京三井氏の有にかかる、規模はなはだ壮宏《そうこう》。

船津町、人口二千八百、海抜三九二メートル、東北に高原川を控え、川を越えて二十五山（海抜一三一七メートル）聳起《しょうき》し、秀翠《しゅうすい》映発、画くがごとし、飛驒国第三位の市邑《しゆう》。

船津町に夕餐《ゆうさん》し、餐後、柏原嶺を超ゆ、時に暮色蒼然《そうぜん》としていたり、瞑色《めいしょく》四合、草樹地質のなんたるやを弁せず、ただ脚下《きゃくか》に渓声《けいせい》の怒雷《どらい》に似たるを聞くのみ、いよいよ上るや、路Sの字形をなし、前人はまさしく後人の頭上にあり、ついに頂に達す（海抜八〇六メートル）梅花まさに老いて落英地に満つ、気候の沿海地方と相違せる徴すべし。嶺を下るや、一流水あり、鏘然《しょうぜん》として耳を清ましむ、古歌（万葉集）のいわゆる「飛驒の細江」すなわちこれ。船津より五里二十余町、古川町に達す、ときに夜十一時半。

古川町、人口四千、海抜四九三メートル、街衢《がいく》は荒城川と宮川と会同するところに駢列《へんれつ》し、瀟洒《しょうしゃ》ことに愛すべし、飛驒国第二の市邑。十三日、古川町を発す、一路三里二十余町、宮川に沿い、地勢坦平《たんへい》、煙樹清遠、眼界ために豁然《かつぜん》たり。午前十一時高山町に入る。

高山町、人口一万六千、海抜五八〇メートル、宮川その西に流れ、青沙白石、加茂川に似たり、しこうして街衢《がいく》斉整《せいせい》にして都雅《とが》、町外の城山（金森長近《かなもりながちか》のきずきたるところ）また温藉《うんしゃ》にして東山のごとし、むべなり「小京都」の称あるや。この夜新月眉《まゆ》のごとし。

飛驒の山水に秀絶《しゅうぜつ》せるこのごとし、われ詞人画客のここに遊ぶもの特に少なきを憾《うら》みとす、請う飛驒に遊ばん哉。

（四）登山中の注意

準備おわり、すでに山に登る、その間おのずから注意すべきものあり、警戒すべきものあり、すなわち

嶮峻《けんしゅん》の箇所を上下する注意

嶮峻なる箇所にいたれば　杖を竪《たて》に地を着けず、自己の身体を直角にして着くべし、すなわち平地を歩むさいのごとく杖を脚の方に向かいて着かず、その端を目の前にあるがごとくに着くべし。

嶮峻危険なる箇所にいたれば　側目ふらさず面貌《めんぼう》を正前に向け、おもむろに攀《のぼ》るべし、脚滑りなば、直ちに面貌と腹部を地面に着け、両手を伸ばし、シガミ着くこと毛虫のごとくなすべし。

断崖を下るには　きわめてじょうぶなる麻縄を巨木にくくりつけ、他の端にて自己の身体をしかとくくり、縄を手にしてもって下るべし、もし地質探検のさいのごとく、その内の一人（甲）だけ断崖《だんがい》を下り、他の人（乙）は崖上にあることとなりせば、崖上にある乙は巨樹を後ろにし、樹に倚《よ》りつつ麻縄の端をしかと手にし、おもむろにこれを伸ばし、甲をして心強く下るを得せしむべし。

注意

登山中、大風雨に会し、もしくは氷雪の溶解するに際せば、間々岩石の頭上より崩《ほう》堕《だ》することあり、これ秩父《ちちぶ》岩または石灰岩に多しとす、秩父岩は縦横に裂理《さけめ》あるを

もって、水蒸気その間より入り、ときどきこれを崩堕《ほうだ》せしめ、石灰岩は炭酸を多量に含有するをもって、内部より容易に溶解し、塊となりて崩堕す、ゆえに大風雨の節、もしくは春夏の交、日中太陽の温度にわかに高昇するさいに当たり、這般《しゃはん》二岩質の山中に入れば、よろしく警戒するところなかるべからず。

岩石崩堕の注意

山中、氷雪の上を歩行するさいの

山中積氷雪の上を歩行せんとせば　あらかじめ日本の雪国にて使用する「雪鞋《ゆきぐつ》」をうがつを要す。洋製の長靴なれば、いわゆる「ネイルド、ブーツ」すなわち底に釘《くぎ》を打ち着けたものをうがつべし。積氷雪中、越後の連岳間、立山山彙《さんい》の間、信濃《しなの》、飛騨《ひだ》の群嶺《ぐんれい》間、北海道の山中に入れば、ときにあるいは脚を積氷雪の上より踏みはずして深渓に陥ることあり、また地上に堅く堆積《たいせき》せる氷雪なりと想いこれを踏むや、すなわち氷雪の崩堕して、倶《とも》に共に断崖上より落つることあり、これことに注意警戒せざるべからず、もしそれ二人なれば、じょうぶなる麻縄をもって両々の身体をおよそ八、九歩の距離を隔ててしかとくくり、しこうして後歩行すべし、たとい一人脚を踏みはずしたるも他の一人全力を揮《ふる》いて曳《ひ》きつくれば、容易に陥落《かんらく》することなし、また一隊をなすものなりせば、甲より乙、乙より丙、丙より丁と適宜の距離を隔てて全隊の人員をことごとくくくりつけて歩行すべし、このごとく予防はしかりといえども、個々未前に警戒するをもっとも必要とす。薄氷の上を渉らんとせば蘆荻《ろてき》また芒《すすき》のごとき類の草を多量に刈り取り、これを厚く氷上に敷き、その上より水をそそぎ、水の堅く凍るを待ちて渉るべし、車馬を渉《わた》らせんとするにもこの方法に頼るべし、もっとも重量の大なるのなれば、凍りたる草の上にさらに草を敷き、また水をそそぎてまた凍らし、重量いよいよ大なれば、幾回にてもこの法を実施すべし。牛馬の道を誤りて雪中に踏み入りたるさい は牛馬の眼前に馬具または厚き毛布様のものを幾枚も重ねて投ずべし（雪上に）、牛馬はすなわちこの上に飛び登り、ついに雪中より脱出し得。太陽の光線、山中の積雪に反映するや、歩行者の眼を眩迷せしめかつ眼を傷なうこと多し、ゆえにあらかじめ色眼鏡を携帯するを要す、色眼鏡を携帯せざるさいは、通常の眼鏡上を有り合わせの縮緬《ちりめん》もしくは絽《ろ》にて蔽《おお》いしかしてうがつも可なり、しかれども色眼鏡もまた通常の眼鏡をも携帯せざるさいには、山中に長さおよそ五、六寸、幅、厚さ共におよそ一寸五分ぐらいなる一小木片を取り、その中央をくぼめて自己の鼻上にかかるようになし、またその両眼の上と想うところに横に細長き一線をうがち、木片の両端より糸またはカンジンヨリを通じてこれを両耳にくりつけ、しこうして後歩行すべし、この横にうがちたる細長き一線は眸の直径より短きをもって、光線の網膜に到達する分量ために減少し、氷雪上よく眩暈《げんうん》もしくは眼傷を予防するを得べし、しからずんば、ハンケチを取り出し、両眼と口のところだけを切り抜き、もってこれを被うなり、両端を糸にてしかとくくりつけ落ちぬようになすべし、このごとくせば太陽の光線雪上に反映するさい、ただに眩迷《げんめい》を避けうるのみならず、また面《おもて》をさすがごとき寒風をもあわせ防ぐに足るべし。

山中の急湍《きゅうたん》、橋舟なき溪水または川河、沼地を渉るさいおよび深溪を越ゆるさいの注意

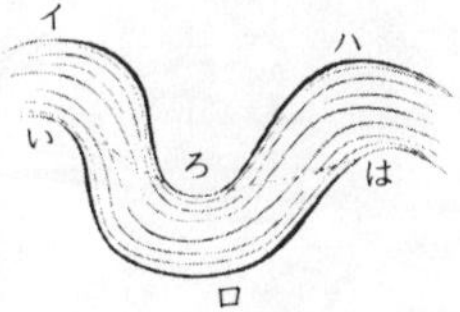

第一図

急湍を渉らんとせば　巨石《きょせき》を抱《かか》えて渉るべし、このごとくせば重量はなはだ大なるをもって流水の速力たとえ急激なるもすなわちこれに抵抗するを得べし、いよいよ急激なればますます重量を大にすと知るべし。橋舟なき溪水または川河を渉らんとせば　人は三尺以上、馬は四尺以上の深さを渉るべからず、石を糸の端にくくりつけもって水中に投ぜば深さを測量しうべし、また川河を渉らんとせば、その幅狭きところにおいてすべからず、かならず幅広きところにおいてすべし、特に河岸の突出するところにおいて渉るべし、たとえば第一図のごとき川河にては、(い)より(ろ)、(ろ)より(は)と渉り、あえて(い)より(イ)、(ろ)より(ロ)、(は)より(ハ)と渉るべからず、なんとなれば河流は内曲すなわち(イロハ)のごときところにては通常断崖をなして水深く、突出部すなわち(いろは)のごときところにてはたいがい沙州をなすをもってなり。沼地を渉らんとせば　蘆荻《ろてき》または芒《すすき》の類を多量に刈り取り、これを沼地の上に敷き、その上を歩行すべし草は多量に敷くほど安全なり。深溪または断崖側立せる溪水を越えんとせば　此岸の上なる一巨樹の垂れ下がる枝にじょうぶなる麻縄をしかとくくりつけ、縄の他端を堅く手にて持ち、ブランコのごとく前後に幾回となく

山中にて泉流を発見しもしくは井をうがつ方法、泥水《でいすい》腐水《ふすい》を飲みもしくは渇したるさいの注意

身を振り回し、しこうして後ハタト彼岸に飛び越ゆべし。

山中にて泉流の所在を発見せんと欲せば草樹の著しく鬱蓊《うつおう》蒼翠《そうすい》なる辺、水畔に生ずる草樹のある辺、水禽《すいきん》の飛鳴せる辺を犬と共に捜索すべし、かならず泉流を得。石灰岩は裂理多きをもって、水分を多量に包含す、ゆえにこの岩の所在には泉多し。花崗岩、または太古紀《たいこき》層の岩中にも、また小泉水多し地面の湿いたるところに鉄棒を力強く竪《たて》に衝《つ》き込めば、泉を発見することあり。

泉流の無き地方にて水を得んと欲せば　溪間にて地面の湿うところ、もしくは甲岩質と乙岩質と相交差するところ、もしくは裂理罅隙《かげき》多き岩質のあるところを撰択し、井をうがつべし、井をうがつに各種の方法ありといえども、もっとも簡便なるはインドのベンガル、アッサム、ヒマラヤ山地方にて土人のもっぱら実施するところに倣《なら》うにあり、すなわち「ケルカリ」とよぶ具を使用するものにして、青竹の太さおよそ二寸ぐらいのものを節の下より、直ちに切り、切り口より次の節までの間を竪に十二条ぐらいに絶ち割り、第二図のごときものを製作し、しこうしてこの竹の他の端はハスに切り、ハスに切りたる端をまっすぐに地中に挿《さ》し入れ、土壌をうがちよくかき回したる後、十二条に割りたる他の端をもってうが

第二図

ちたる土壌の中に力強く挿し入るれば、土壌は条の間に挟入《きょうにゅう》して、すなわち掘り上ぐるを得、このごとく両端を交《かわ》る交る使用して地をうがてば、頃刻《けいこく》にして泉流の湧出するをみるべし。

山中飲水なくただ腐水のみ溜りあるさいには　ついにこれを飲まざるべからず、しかれども飲めば熱病もしくは下痢にかかるのおそれあり、ゆえに通常の炭もしくは焼けぼっ杭（樹枝を火にて焼きたるもの）を腐水に投じて、沸騰《ふっとう》点まで沸《わ》かし、しこうして後飲めば害なし、また苦味ある草の汁を投じて飲むも可なりと。インド人はきわめて火熱したる鉄を水中に投じ、しこうして後これを飲むといえり。

泥水を濾すには　枯れ草、燈心《とうしん》草の類を一つかみ取り、これにて長さ五、七寸の円錐《えんすい》体を造り、円錐体の頂の方を下となし、底を上に向け、上より内部に泥水を注入すれば、泥はたいがい内部に残留し、清水は滴々として下より落つ、草類なきさいは、ハンケチにて漉《こ》せば、不十分ながら幾分か澄《す》みたる水を得。

雪は食うべからず　口中にて雪を解かすには熱を費やす、ゆえに食後かえって渇《かつ》す。

無水なる地方にて渇したるさいは　つとめて口を湿《うるお》わせ、唾《つば》の流出するようになせば、おのずからこれを医《いや》すべし、すな

山中に露宿する方法および注意、山中の茵褥《いんじょく》、露宿のさいの着衣

わち木葉をかむか、もしくは滑らかにして水を吸わざるもの（例えば堅緻《けんち》なる小石）を口中に含めば、唾おのずから流出すべし。アラビア人は口部を布片にて緊《きつ》くくり、唇の上下を密接せしめ、自らこれを湿わせ、渇《かつ》を予防するを常とす、唇《くちびる》乾けば渇を覚ゆることにはなはだし。要するに出発前に大いに水を飲み、その後はあとうだけこれを飲まず、たまたま飲めば大いに飲むという習癖を作るべし、渇に堪《た》ゆるは登山者第一の武器となす。

山中に露宿せんと欲せば　通常渓間に入り宿するを可なりと想う者あれども、その実はあえてしからず、渓間は空気の流通特によろしからずして間々腐敗し、加うるに靄霧《あいむ》この間に凝集し、温度の下降する夜中ことにはなはだしく、かつ春霜の降るは常に渓間に多しとす、ゆえに決して渓間に宿すべからず、かえって小高き箇所に宿するを可とす、夜来靄霧は山の下部に降るをもって、小高き箇所は乾燥なるが上に、四辺放開なしおれば、空気の流通もはなはだ可なりとす。

大岩石の下に宿するも可なり　岩は昼間太陽の熱を吸収し、夜中はこれを放出するをもって、夜中その下に宿臥《しゅくが》せばはなはだ温暖なり、同理に拠り、昼間炎熱のさい、岩下に休憩せ

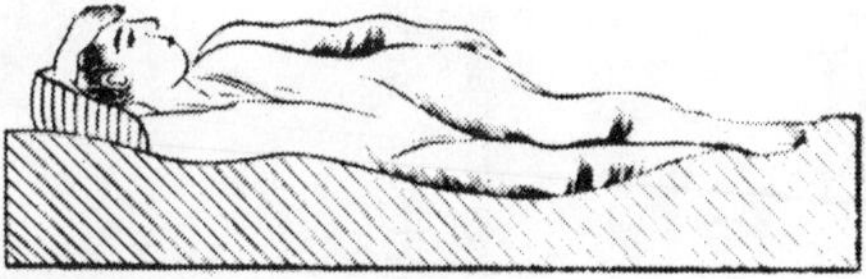

第三図

ば、ことに清涼を覚ゆ。

強風のさいは樹下に宿するを可なりと想うものあれども、樹はただ露宿者のために屋根をなすのみにして屏風《びょうぶ》をなさず、特に暴風のさいは樹下をもっとも不可となす、しかれど多量に草を刈り取り、長さ一間、厚さ高さ共に二尺ぐらいに堆積し、その下に臥《が》するを最可とす。

地上に臥せんと欲せばよろしく石塊、草樹の根、落枝などをよく掃《はら》い、地面を平らかにし、衣服、毛布を被り、その上に臥すべし。

しかれども快く臥せんと欲せば第三図のごとく、幅三尺、長さ六尺の地面を中央に向け漸次《ぜんじ》に深く掘り、もっとも深きところを五寸となし、この窪処《わしょ》の上に臥すべし、図中の枕は嚢《ふくろ》に砂を盛れるもの。

山中の茵は草を地上に敷きて臥し、さらに草をもって蔽《おお》うにあり。

三、四人の同行者あれば　甲乙丙は丁の臥するだけの間隙《かんげき》を作りてまず草上に臥し、丁は甲乙丙の臥したる上を草にて十分に蔽いたる後、あらかじめ間隙の作りあるをもって、甲と乙との間もしくは乙と丙との間に、まず両脚を入れ漸次に腹部、胸部を入れ、四人駢《なら》びて臥すべし、この法はスコットランドの山中にてもっぱら行わるるところなりと。露宿のさい衣服はかたく身体に纏《まと》うをもって可なるべしと想う者あれども、かたく衣服を纏えば、血液の循環を遅鈍《ちどん》にし、皮膚よりの蒸発を障害し、各般の分泌を阻格し、体熱の高昇を停止するをもって、かえって風邪《かぜ》などの病患を招くこと多し、ゆえに衣服を纏うに過度にフワフワとなすべからずといえども、またあえてかたくすべからず。

水蒸気多きところに露宿するさいは盛んにタキ火をなし、その傍に臥すべし、しからずんば手拭《てぬぐ》いまたはハンケチの類をもって面部を蔽いて睡《ねむ》るを要す、要するに身体を露わさぬようによくよく蔽うをもっとも緊要となす。

身体を洗うには小石を収集し、その上にて火を盛んに燃やし、もって石をきわめて熱し、その上に小量の水をそそげば、蒸気一時に起こるをもって、裸体をその間に投じ、手拭いをもってよく拭い垢汗《こうかん》を洗うべし。また火を盛んに燃やし、その上に樹枝を投じ、さらに水をそそげば、蒸気しきりに起こるをもって、裸体をその間に投じ、手拭いをもって拭えば、爽快《そうかい》極まりなく連日の疲労を慰《い》するに足る。

蛇、蝮蛇《まむし》にさされたるさいは直ちに螫所《せきしょ》の上をかたくくくりたる後、口もて強く螫所を吸い、次いで小刀をもってこれ

登山中の衛生、治療、および医薬、毒虫類に螫《さ》されたるさいの治療

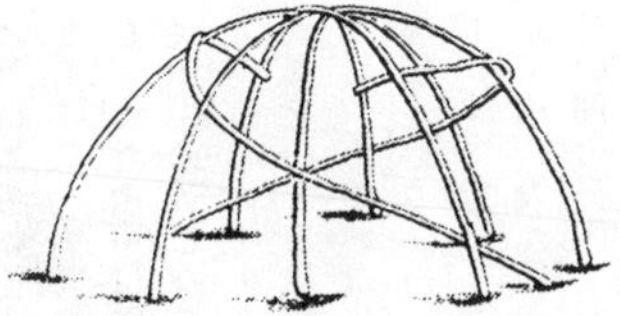

第四図

をえぐるか、しからずんば鉄をもって焼くべし。

毒虫、蜂、虻にさされたるさい　はきせるのヤニを塗るべし、非常の痛みなれば蛇にさされたるごとく治療すべし。

菌の毒の有無を予知する法　は一片の銀貨を鍋に投じ菌と共に水にて煮るべし、菌の毒はたいがい硫化物にあるをもって、毒あれば、銀貨の表面黒色を帯び、硫化銀を化成すべし、このごとき菌は食うべからず、要するに素性の判明せざる菌は、あえて食わざるを知となす。

毒物を誤食しこれを吐《と》瀉《しゃ》し出さんとせば　湯または石鹸水にて火薬一摘《つま》みを飲み、咽喉《のど》に指を入るべし。

山中にて大雨もしくは雲霧のために湿いたる衣服は、これを乾かさずしてふたたびうがてば、風邪、下痢、熱病、その他の病患（ときには不治の）にかかることははなはだ多し、ゆえに湿いたる衣服はよくよくかわかすを要す、すなわち樹枝を曲げて半圏となし、枝の両端を地面に挿《さ》し込みて、第四図のごときものを編み作り、その上に湿いたる衣服をかけ、内にて火を温和に燃やし、衣服に火の着かぬよう注意し、十分に乾かししこうして後着すべし。

北海道登山中の苦楽および注意

北海道登山中の苦　北海道の高山には径路無く人戸無きをもって、これに登るに準備品も多量に労苦もまたおのずから多し、加うるに山中いたるところ下草に熊笹《くまざさ》繁生し、かつや北海道の樹木はみなその根を深く土中に進入せざるをもって、大風雨の節は容易に倒るるも、人のこれを拉し去るなく、そのままに打ち棄てあれば、いたるところに旅行者の苦労を倍す、エゾ松、トド松の巨木のごとき特にしかり、ひとり巨木の松樹のみならず、矮小《わいしょう》なるハイ松は高山を蔽い、その枝は弾性を有するをもって、人これを踏めばたちまち倒れてたちまち起きはなはだ煩困に堪えざらしむ、また山中に蚊、藪蚊《やぶか》、木虱《きじらみ》多く、虻《あぶ》群のごときことにはなはだしとす、これを登山中の苦となす。

北海道登山中の楽　しかれどもあに苦のみならんや、北海道の高山は原人時代の景象をそのままに開展するをもって、いたるところ奇警豪健、登山者の胸宇を恢弘《かいこう》せしむ、あるいは先導の蝦夷人をして河上湖畔に小屋を建てしめ、樺《かば》樹の皮を剝ぎて屋根を葺《ふ》き、もしくはフキの葉を採りてこれを蔽い、砂礫《されき》を屋内に布《し》き、その上にゼンマイの葉または石松を茵《しとね》となし、樺の葉をタキツケとなし、かつこれに火を点じて燈に換え、あるいは溪水にヤマベ魚を釣り、あるいは樹間に熊、貂《てん》を銃し、春夏の間はフキ、ゼンマイ、野生の土当帰（ウド）、千里竹（オンナダケ）の筍《たけのこ》を採り、秋冬の交は山葡萄、コクワの実を摘み、世間の毀誉褒貶《きよほうへん》ついに脳裡に入らず、別天地の生涯をなす、人生の至楽またこのごときものあらんや、君や請う北海道の山中に入らん哉。

北海道南岸、東岸の高山岳に登るには、飲料水を多量に携帯するを要せず、まったく携帯せざるも可、洋上より多量の水蒸気這般《しゃはん》山岳に凝結し、登山者の衣袂《べい》はなはだ湿い渇を覚えず。

霊南丘上避塵喧。
満院松花昼掩門。
三径久無詩客迹。
半庭過雨又黄昏。

江湖十載儘横行。
黄菊青橙旧酒盟。
懶向漢廷誇鳳喙。
清秋風味付儒生。

怕被人間識姓名。
模山範水寄平生。
日長春昼椿花落。
柳裏鶯児時一声。

霊南丘上　塵喧《じんけん》を避け
満院松花　昼門を掩う
三径久しく　詩客の迹無し
半庭過雨　また黄昏

江湖十載　横行を儘くす
黄菊青橙　旧酒の盟
懶《もの》うく漢廷に向って　鳳喙を誇る
清秋風味　儒生に付く

人間に　姓名を識らるるを怕《おそ》れ
山を模し水を範して　平生を寄す
日は春昼に長く　椿花《ちんか》落ち
柳裏鶯児　時に一声

日本人の自然拝崇

日本は山岳国なり、ゆえにこの国に生産せし民人は、平常その雄魁《ゆうかい》にしてかつ幽黯《ゆうあん》なる形容を覩目《ともく》し、また風雨晦明《かいめい》、四時の変更万状なるを観察し、自《おのずか》ら山岳をもって神霊の窟宅《くったく》となすの感想を涵養《かんよう》す。しかれば畿内《きない》の比叡《ひえい》、愛宕《あたご》、笠置《かさぎ》、芳野《よしの》、麻耶《まや》、七面、箕面《みのお》等の諸山における、東海道の猿投、本宮、七面、身延、富士、箱根、大山、高尾、筑波などの諸山における、東山道の日光、榛名《はるな》、妙義、浅間、戸隠、飯綱、御岳《おんたけ》、乗鞍《のりくら》、岩手、月山《がっさん》、羽黒、湯殿《ゆどの》、岩木などの諸山における、北陸道の白山《はくさん》、立山《たてやま》、妙高、弥彦などにおける、山陰道の大山《だいせん》などにおける、山陽道の書写山などにおける、南海道の高野《こうや》、那智《なち》、竜門などにおける、九州の彦山《ひこさん》、温泉、阿蘇、霧島などにおける、みな神もしくは仏を祀り、あるいは山伏《やまぶし》、巡礼者の登山してこれを拝崇するは、これ民人の山岳国に生産成育せしゆえとなす。特に火山はもっとも雄魁《ゆうかい》変幻に、自然の大活力を示現《じげん》するをもって、民人のこれを拝崇することに熱《ねっ》熾《し》に、その富士、浅間、戸隠、飯綱、御岳、乗鞍、日光、榛名、妙義、岩手、月山、羽黒、湯殿、岩木、白山、立山、妙高、弥彦、大山、彦山、温泉、阿蘇、霧島の大権現《だいごんげん》、明神もしくは神社なるもの、みな火山をもって神仏の棲息《せいそく》場のごとくに仮定するがゆえのみ。(鄙著《ひちょ》『地理学講義』抜粋)

武 甲 山（武蔵国秩父郡小鹿野町の西より赤平川を隔て東南に望む）
海抜一三一〇メートル　秩父盆地の東南外側より秀立す
その形洋鐘に類似し熄火山《そくかざん》のごとき外観あり
しかれども骨髄は硅板岩《けいばんがん》にして輝緑凝灰岩をもってこれを蔽い
さらに石灰岩をもって輝緑凝灰岩を蔽う
小鹿野町は秩父盆地内にあり同町より山麓まで直径二里強
北麓の下部なる大宮町に秩父神社を祀る
（地学雑誌に拠る）

浅間山噴煙　（明治二十七年六月十四日の現象）
（噴煙毎一分間につき一里の速度をもって流進する状態）
（地学雑誌に拠る）

五　日本には流水の浸食激烈なる事

日本の地形、幅狭く、たけ長く、蜿蜒《えんえん》として細く伸張し、しこうして峻崇《しゅんすう》たる山脈は、海岸線に并行《へいこう》して国の中央に連続す、いわんや火山力多大なるがゆえに、警抜秀俊《しゅうしゅん》なる峰頭は崛然聳起《くつぜんしょうき》し、玉筍《ぎょくじゅん》簇々《そうそう》、森列《しんれつ》して際なし、これをもってかもしそれ天魔を賃し来り、神《しん》斧《ぶ》を揮《ふる》いて日本国土の上より切割せしめんか、その横切面は鋭尖《えいせん》なる三角形をなさん、この時に当たり四周なる大瀛《だいえい》の水より発上せる多量の水蒸気は、雨となり、霜となり、氷雪となり、泉となり、澗水《かんすい》となり、河流となり、もって三角形の頂点より急激なる斜面を直瀉《ちょくしゃ》して下り来る、日本における流水浸食の激烈雄快なるもとよりしかり。その初め泉水声なきに似、すでにして幽咽《ゆういん》かすかに音あり、すでにして濺々《せんせん》、すでにして湲々《えんえん》、たまたま磐石に会うや、迂回して下り、ようやく斜面の急劇なると共に、ようやくその速力を増進し、たちまち巨巌に当たるや、ために止められて進行しえず、鬱勃《うつぼつ》憤然、奮躍《ふんやく》して巌に上り、これを剝磨《はくま》し去り、勢い駆逐《くちく》して下り、さらに峭然《しょうぜん》たる巌壁に当たるや、激して飛雨となり、濺沫《せんまつ》澗《かん》に満ち、かねて内部の孔竅《こうきょう》に浸入し、内外こもごも攻撃してついにかの於戯奇哉鬼橋奇。
鬼耶神耶将化児。
海内異観帰一掃。
天台石梁亦徒為。
吟客夜投帝釈窟。
大巘圧夢夢纔支。
暁霧攀入急峡際。
怪嶂危巒貫翠囲。
石門重開雲呑吐。
波角牽掣倒垂枝。
忽看大壑中否塞。
飛来長流何処之。
寧知空際通山脈。
百丈横跨千尋谿。
万古不撓穹隆勢。
雲根夭矯逸蟠螭。

於《あ》戯《あ》奇なるかな　鬼橋《おにばし》奇なり、
鬼なるか神なるか　将《まさ》に化せんとする児なり。
海内の異観　一掃《いっそう》に帰す、
天台の石梁　また徒為《とい》のみ。
吟客夜投ず　帝釈窟《たいしゃくくつ》、
大巘《たいげん》夢を圧し　夢纔《わず》かに支う。
暁霧攀じり入る　急峡の際、
怪嶂危巒《かいしょうきらん》　翠囲《すいい》を貫く。
石門重ねて開き　雲呑吐《どんと》す、
波角牽掣《けんせい》し　倒さまに枝を垂る。
忽ち看る　大壑《たいがく》中に否塞《ひそく》あるを、
飛来　長流　何処《いずく》にか之《ゆ》かん。
寧《なん》ぞ知らん　空際に山脈を通ぜんとは、
百丈横に跨《また》がる　千尋の谿《たに》。
万古撓《たわ》まず　穹隆《きゅうりゅう》の勢、
雲根夭矯《ようきょう》として　蟠螭《はんち》逸《はし》る。

上生老樹為欄楯。
牛馬来往似坦夷。
下如大月生溟渤。
水蕩仙氛相争馳。
縦有霖潦漂山至。
洞然流去屹不移。
疑他老蚪奔駃触山死。
又疑天半長虹飲谷夕。
鱗甲化石不絶離。
霊淑固結凝不虧。
不然太古架橋梁始。
真宰教民運巧思。
萍梗嘗捜東方勝。
金洞庚申屈指推。
不知絶奇在目睫。
一条圧倒万嶔巘。

上に老樹を生じて　欄楯《らんじゅん》を為し、
牛馬来往す　坦夷《たんい》に似たり。
下に大月の　溟渤《めいぼつ》に生ずるが如く、
水蕩仙氛《すいとうせんふん》　相争い馳《は》す。
縦《たと》い霖潦《りんろう》有るも　山に漂《ただよ》い至り、
洞然《とうぜん》として流れ去り　屹《きつ》として移らず。
他《か》の老蚪《ろうと》奔駃《ほんいつ》し　山に触れて死ぬかと疑い、
鱗甲《りんこう》化石　絶離せず。
また天半の長虹　谷に飲する夕かと疑い、
霊淑固結し　凝りて虧《か》けず。
然らずんば　太古橋梁を架けし始め、
真宰《しんさい》　民をして巧思を運《めぐ》ら教《し》む。
萍梗《ひょうこう》　嘗て捜す東方の勝、
金洞庚申《こうしん》　屈指《くっし》の推《すい》。
絶奇の　目睫《もくしょう》に在るを知らず、
一条　圧倒す万嶔巘《きんげん》。

寄語天下烟霞客。
公論不是我言私。
不攀晃岳勿談美。
不渡鬼橋勿説奇。

語を寄す 天下烟霞《いんか》の客、
公論 是れ我の私を言うならず。
晃岳《こうがく》を攀《よ》じずして 美を談ずる勿《な》かれ、
鬼橋を渡らずして 奇を説く勿かれ。

坂谷朗《ろう》廬《ろ》

帝釈《たいしゃく》ノ鬼橋《おにばし》

備後《びんご》国奴可郡帝釈村にあり一名神橋、また雄橋、いわゆる雌橋は雄橋より帝釈川の下流一里にあり「鬼橋」、「神橋」の俗称あれどもあえて鬼神《きしん》のこれを架したるにあらず単

備後国福山町より五里二十町、もしくは尾道町より六里十一町、蘆田《あしだ》郡府中村に出で、村より北行し、二里、同郡木野山村にいたり、さらに三里二町、甲奴《こうぬ》郡上下村にいたり、さらに三里三十一町、同郡稲草村にいたり、さらに二里十八町、三上郡庄原村にいたりて東折し、さらに四里三町、奴可《ぬか》郡西城村にいたりて南折し、さらに三里十二町、ついに帝釈村にいたる。また伯耆《ほうき》国米子《よなご》町より東南五里、日野郡二部村に出で、村より西南行し、さらに三里、同郡黒坂村にいたり、さらに三里三町、同郡霞《かすみ》村にいたり、さらに三里十七町、同郡多里村にいたり、さらに四里四町、備後国奴可郡小奴可《こぬか》村にいたり、さらに三里二十五町、同郡西城村にいたる（以下前出す）。帝釈村の東北、帝釈川の上流に一大河窟《かくつ》あり、「賽《さい》ノ

に帝釈川上流の激烈なる水力は峭然《しょうぜん》たる岩壁を浸食してこの石橋を刻出す

河原」と俗称す。帝釈村より帝釈川に沿い、山径を攀《よ》ずるおよそ半里、「鬼橋」の上に出ず、林樹鬱蓊《うつおう》、いささかも橋上にあるを覚えず、迂回して下に降り、仰望すれば、幅七間余、厚さ五間余、長さ三十間余の湾曲せる一大石橋、山より山に架し、帝釈川にまたがり、水面より高さ七間余にかかるをみる。

のごときを刻出し、すでにして奔馬のごとく下り、いたるところ脆弱《ぜいじゃく》なる地皮を剝磨《はくま》し来る。その

（二）火山岩における浸食

のごとき、流水はまず岩の表面を剝磨し、かつその多孔なるに乗じ、しきりに内部に入りて攻撃し、ついにかの箱根、日光、塩原の勝をつくり榛名《はるな》山中の奇巌（「葛籠岩《つづらいわ》」など）を彫鏤《ちょうる》し、その雄快なるはとうていシナ人、イギリス人などのその国にありて目睹《もくと》するあたわざるところ、特に豪放奇警なるは、

耶馬渓記

歳戊寅。遊鎮西。過海。南望彦山於雲際。已覚其有異矣。既経二肥薩隅。還寓豊後隈邑。臘月

五日。入豊前。遇一水北来。蓋発源彦山者。沿焉而東数十里。昏黒覚左右峰巒皆非凡。山渓相迫処。鑿山腹為道。又穿牖取明。余買炬以。入。遇牖。窺見月在渓水朗然。宿民家。翌大霧。待霽乃発。復沿渓東。愈東愈奇。群峰夾水攢竦。如春笋矗出。有土載石者。石挟土者。全石者。全石破裂成洞穴者。而石相闘其一欲仆者。石数層累成夏雲状者。而樹自石罅。横生縦生倒生而上指。叢生蔽石。如与石争勢而欲勝之。石又自樹中。奮躍而出。而石陰皆苔。紫緑相間。或没石半面。或没全身。又如援樹攻石者。大抵峰勢石皴。如董巨刻意図。時窮冬。多老木葉落。槎牙痩古。皆倪黄筆法。而苔枯蹙蒼渇者。王叔明也。古人筆墨。不吾欺也。至柹阪。憩孤店。店面石壁数丈。飛泉懸焉。仰則更有高峰。不知其幾十丈。余急釈所佩酒瓢。命燖之。竈突蕭然。会一猟師新獲豪猪。割而煮之。肪脆如水。連引数大白。又行。渓又数曲。随峰勢上下。或激雷噴雪。或渟膏凝碧。峰影為之或砕或全。似水妬山而乱其影也。至屈智林。渓稍開。有小村。過一橋。自此行渓北。開者益開。数十里。詣古城正行寺。寺主含公。余故人。竢余既久。余先詫曰。君州山水大奇。含公曰。更有奇者。使子目之。居二日。与含公。南行。行田塍間。至仙人巌。巌石突立山頂。含公指示余。余不甚賞。其明。又経田塍。至羅漢寺。寺据山。鑿山作洞竪橋梁状。安五百像。余復不甚賞。宿寺前逆旅。挑燈而談。余曰。山不得水。不生動。石不得樹。不蒼潤。所以余賞馬渓。而不賞仙巌。至於羅漢。則人工耳。然皆馬渓之支裔矣。且馬渓。渓山相迫。

無田塍礙目。而其路坦夷。真可遊也。然為二豊通道。過者慣看。況公等生長此土。宜不覐其奇也。余則再遊不可期。将復溯之以諦観之。含公奮袂与偕。早発。過一水。北出馬渓口。峰容樹色。忽覚迥別。自浅入深。自平入奇。泝前数曲者。一曲奇於一曲。比諸前遊。更可喜也。復至絶壁下孤店。店主識余面。驚曰。是前喫猪客也。有何幹。再来此耶。余曰。欲看山耳。曰。山有何好看。吾不禁子看也。遂席渓畔。与含公。傾瓢一酔。宿山寺。明。雨。借轎西還。山峰得雨。皆変幻作態。或前以為一山者。分成数峰。如群仙駢肩。露其半身。万松振鬣。皷濤於雲中。又如廿五菩薩奏楽而至也。還至屈智林。含公慮吾酒尽。預戒家僮。駄樽於馬来。取酔。宿阿保村。翌帰寺。又三日辞去。踰海東帰。自海雲中。顧望鎮西山岳。其属豊前者。皆有別態。彦山其尤大者。耶馬山脈水理。蓋皆自彦山発。故独絶耳。余足跡幾半海内。弱冠東遊得妙義山。以為無双。今馬渓百里如妙義者。不知幾十峰。謂之海内第一。或不誣也。

頼《らい》山陽《さんよう》

（歳《とし》は戊寅《ぼいん》、鎮西《ちんぜい》に遊ぶ。海を過ぎ、南のかた彦山《ひこさん》を雲際に望む。已《すで》に其の異有るを覚ゆるなり。既に二肥薩隅《さつぐう》を経《ふ》。還りて豊後《ぶんご》の隈邑に寓《ぐう》す。臘月《ろうげつ》五日、豊前《ぶぜん》に入り、一水の北来するに遇う。蓋し源を彦山《ひこさん》に発する者なり。焉《これ》に沿いて東すること数十里、昏黒《こんこく》にして左右の峰巒《ほうらん》皆な非凡なるを覚ゆ。山渓相迫る処、山腹を鑿《さく》して道を為し、また牖《まど》

男阿寒岳
（阿寒富士）

こまくさ
（本州の高峰にも産す）
Dicontra pusilla,
Sieb et Zucc.

女阿寒岳の最高点
（火口壁より火口内の一部を望む）

めあかんふすま
（全世界の稀品）
Arenaria merckioides,
Maxim.
（釧路国女阿寒岳火口中の植物）

樽 前 山 （胆振国苫小牧曠原より西北に望む）

浅 間 山 （信濃国追分原より北に望む）

を穿《うが》ちて明を取る。余炬《たいまつ》を買い以て入る。牖《まど》に遇《あ》いて、月の溪水に在りて朗然たるを窺《うかが》い見る。民家に宿す。翌大霧あり。霽《は》るるを待ちて乃ち発す。復た溪に沿いて東す。愈《いよい》よ東すれば愈よ奇なり。群峰水を夾んで攢竦《さんしょう》すること、春筍《しゅんじゅん》の矗出《ちくしゅつ》するが如し。土の石を載する者、石の土を挾む者、全石なる者、全石の破裂して洞穴《とうけつ》を成す者、両石の相闘いて其の一たび仆《たお》れんと欲する者、石の数層累《かさ》なりて夏雲の状を成す者有り。而《しこう》して樹は石罅《せきか》より、横生し縦生し、倒生して上指す。叢生じて石を蔽《おお》い、石と勢を争いて之に勝たんと欲するが如し。石もまた樹の中より、奮躍して出ず。而して石の陰皆苔《こけ》むす。紫緑《しりょく》相間《まじ》り、或いは石の半面を没す、或いは全身を没す。また樹を援《たす》け石を攻むる者の如し。大抵峰勢石皴《せきじゅん》は、董巨《とうきょ》の刻意の図の如し。時は窮冬《きゅうとう》、多くの老木葉落ちて、槎牙《さが》痩古《そうこ》なり。皆な倪黄《げいこう》の筆法なり。而して苔の枯蹙蒼渇《こしゅくそうかつ》する者は、王叔明《おうしゅくめい》なり。古人の筆墨、吾を欺《あざむ》かざるなり。柹《かき》阪《さか》に至り、孤店に憩う。店の面《おもて》は石壁数丈にして、飛泉の懸《かか》る。仰げば則ち更に高峰有りて、其の幾十丈なるを知らず。余急ぎて佩《お》ぶる所の酒瓢《しゅひょう》を釈《と》き、命じて之を燖《じん》せしむるも、竈突《そうとつ》蕭然《しょうぜん》たり。一猟師の新たに豪猪《ごうちょ》を獲《と》るに会い、割きて之を煮るに、肪脆《ほうぜい》水の如し。数の大白《たいはく》を連引す。また行くに、溪はまた数曲、峰勢《ほうせい》に随いて上下す。或いは激雷雪を噴き、或いは渟膏碧《ていこうへき》を凝《こら》す。峰影之が為めに或いは砕かれ或いは全し。水の山を妬《ねた》みて其の影を乱すに似るなり。屈智《くち》の林に至り、溪稍や開く。小村有り、一橋を過ぐ。此《ここ》より渓北を行く。開く者益《ますま》す開く。数十里にして、古城の正行寺に詣《いた》る。寺主の含公は、余が故人《こじん》なり。余を竢《ま》つこと既に久し。余先ず詫《た》して曰わく、「君が州の山水大いに奇なり」と。含公《がんこう》曰わく、「更に奇なる者有り、子をして之を目《もく》さ使《し》めん」と。居ること二日、含公と南行し、田塍《でんしょう》の間を行きて、仙人巌に至る。巌石山頂に突立す。含公余に指示するも、余甚だしくは賞せず。其の明、また田塍を経《わた》りて、羅漢《らかん》寺に至る。寺は山に据《よ》る。山を鑿《さく》して洞壑《どうがく》橋梁の状を作《な》し、五百像を安んず。余復た甚だしくは賞せず。寺の前の逆旅《げきりょ》に宿す。燈《ともしび》を挑《かか》げて談ず。余曰わく、「山は水を得ずんば、生動あらず。石は樹を得ずんば蒼潤《そうじゅん》ならず。余馬《ば》渓《けい》を賞して、仙巌を賞せざる所以《ゆえん》なり。羅漢に至っては、則ち人工なるのみ。然れども皆な馬渓の支《し》裔《えい》なり。且つ馬渓、渓山相迫り、田塍《でんしょう》目を礙《さまた》ぐる無くして、其の路坦夷《たんい》なり。真に遊ぶ可きなり。然れども二豊《にほう》の為めに道を通ず。過ぎる者看るに慣れたり。況んや公等此の土に生長するをや。宜《うべ》なり其の奇を悳《さと》らざるや。余は則ち再遊《さいゆう》期す可からず。将に復《ま》た之を溯《さかのぼ》りて以て之を諦観せんとす」と。含公袂《たもと》を奮いて与《とも》に偕《とも》にす。早《つと》に発し、一水を過ぐ。北のかた馬渓口に出ず。峰容樹色、忽ち迥《はる》かに別なるを覚ゆ。浅きより深きに入り、平より奇に入る。前に数曲せし者を泝《さかのぼ》る。一曲は一曲よりも奇なり。諸《これ》を前遊に比すれば、更に喜ぶ可きなり。復た絶壁の下の孤店に至る。店主余が面を識《し》り、驚いて曰わく、「是れ前に猪を喫《きっ》せし客なり。何の幹《こと》有りて、再び此に来たるや」と。余曰わく、「山を看んと欲するのみ」と。曰わく、「山は何の好看有らん、吾れは子の看るを禁ぜざるなり」と。遂に渓畔《けいはん》に席し、含公と瓢《ひょう》を傾けて一酔す。山寺に宿す。明けて、雨ふる。轎《かご》を借りて西に還る。山峰雨を得て、皆な変幻して態を作《な》す。或いは前に以て一山を為す者も、分ちて数峰を成す。群仙の肩を駢《なら》べ、其の半身を露《あらわ》すが如し。万松鬣《りょう》を振い、濤《なみ》を雲中に皷《つづみ》うつ。また廿五菩《ぼ》薩《さつ》の楽を奏して至るが如し。還りて屈智の林に至る。含公吾が酒の尽《つ》くるを慮《おもんばか》り、預《あらかじ》め家僮《かどう》に戒しめ、樽を馬に駄《の》せて来たらしむ。取りて酔う。阿保《あほ》村に宿す。翌寺に帰る。また三日にして辞去す。海を踰《こ》えて東に帰る。海雲中より、顧みて鎮西の山岳を望む。其の豊前に属する者、皆な別態有り。彦山《ひこさん》は其の尤も大なる者なり。耶馬の山脈水理、蓋し皆な彦山《ひこさん》より発す。故に独り絶するのみ。余が足跡幾《ほと》んど海内に半《なかば》す。弱冠《じゃっかん》にして東のかた妙義山に遊び得たり。以て無双と為せり。今馬渓百里は妙義の如き者、幾十峰なるやを知らず。之を海内《かいだい》第一と謂うも、或いは誣《し》いざるなり。）

火山岩の水食を写すところ、筆々生動、真に逼《せま》る、これ山陽にあらずんばあたわざるもの山陽また句あり、

簇出奇巌勢接連。　簇出《そうしゅつ》せる奇巌《きがん》　勢接して連なる。
挿天碧笋茁春煙。　天を挿《さ》す碧笋《へきじゅん》　春煙に茁《さつ》す。

一峰別起形相類。　一峰別に起こるも　形相類す。
山脈知如竹迸鞭。　山脈　竹の迸鞭《ほうべん》の如きを知る。

とこれまたよく火山岩の水食を写す
のごときを穿鑿《せんさく》し、水勢いよいよ猛雄となり、捍怒《かんぬ》闘激するや、その

富士川

甲斐《かい》の笛吹《ふえふき》川系と信濃《しなの》より発源せる釜無川系とは甲斐西八代郡市川大門村傍近に相合併して富士川と称せらる富士山に発源せるものにあらず。甲府平原は太古の湖底にしてけだし笛吹川南流し湖水

甲斐国南巨摩《こま》郡鰍沢《かじかざわ》より定期の下り船あり、すなわち鰍沢（海抜二三七メートル六、沖積《ちゅうせき》層地）より川流と共に南下し、早川の東流してこの川に注入するところまでは水勢平々ことごとく第三紀層地の間を流れ、村また村、稲田班々、ときに巉巌《ざんがん》急湍《きゅうたん》に会うに過ぎず、早川合流のところより以南は、河流は第三紀層地を穿鑿《せんさく》するも、傾斜急劇なるをもって水勢また急劇、下山村（海抜二〇四メートル五、第三紀層地）を過ぎ、波木井村（鰍沢よりこの村まで二時三十分間ほど、村は身延《みのぶ》山久《く》遠寺《おんじ》への上陸場たり、村より寺まで四十分間ほど）南部（海抜一二七メートル八、第三紀層地）波木井より一時間ほど、万沢（海抜およそ八十三メートル）この各村を経、甲斐国南巨摩郡を去り、駿河《するが》国庵原《いはら》郡に入り、ようやく火山岩に会し、水勢澎湃《ほうはい》、火山岩に触れて四迸《ほう》倒注し、宛然《えんぜん》たる一大飛瀑、その響き轟然《ごうぜん》として奔雷《ほんらい》のごとく、たまたま「釣

を排出して現時の沖積平原を化成す富士川のたいがいは第三紀層地を流《りゅう》駛《し》するも水景の豪放雄快を極尽《きょくじん》するは南の方火山岩の間を流駛する辺にあり

橋」岩上にまたがり、危欹《きき》落ちんとするの観あるところ、さらに景象の奇警を添う、「釣橋」より以下、左岸は富士山より流下せる溶岩累積《るいせき》す、岩は直ちに富士山頂と延縁《えんえん》するもの、北松野村右岸にいたらんとするや溶岩は山を越えて右岸まで延縁し、ここに六角体の岩柱累々《るいるい》として横列し、その状積俵《せきひょう》に異ならず、いわゆる「俵岩」とはこれ、南松野村（右岸）に下れば、その対岸に岩本の輝石安山岩山秀立す、いよいよ南下し、ついに岩淵停車場（東海道鉄道）構内の溝渠《こうきょ》に入りここに上陸す、南部よりここまで三時間ほど、鰍沢より六時三十分間ほど

のごときを呈出す、さらに豪放雄快の一層々なるは、

（二）花崗岩における浸食

これなり。想う花崗岩は堅硬《けんこう》なるもの、容易に浸食さるるものにあらず、しかもなおかつ流水の汪々《おうおう》滔々《とうとう》に当たるべからず、ついに

みかげには堅く見えたる岩かねも　方非

　みづにくだけて景色そゆるか

のごとき状あり。しかれども花崗岩やもと堅硬なる大丈夫漢、あにいたずらに流水の勢威《せいい》に屈伏《くっぷく》するものならんや、もしそれ流水の勢威に浸食せられ、ついにくだけざるべからざるにいたれば、自ら自己の分条《すじめ》、裂理《われめ》によりて大塊にくだけおわる、ゆえにそのくだけたる痕跡《こんせき》や、踔厲《たくれい》跌宕《てっとう》、堂々として大丈夫漢の本色あり、甲斐《かい》の

甲斐甲府の北微西二里ないし三里の間にあり

この勝は甲斐東山梨、中巨摩《こま》二郡の間を流駛する荒川の溪水および沿岸に開展す荒川北より来り花崗岩を穿《せん》鑿《さく》しその水は晶明《しょうめい》その岩は雪白加う

甲府市より北微西二十五町、人力車を駆り和田村にいたる、村より和田峠を登り始め、「三本松」の下に一憩《けい》して下瞰《かかん》せば、甲府の全市、笛吹川の溪谷は双眸《そうぼう》中に落ち、荒川一帯銀のごとくその間に屈折し、景象一幅の油画に異ならず、峠はことごとく火山岩に成る、登りおわりて丸山村にいたれば、いまだ脚下に火山岩を踏みいるも、路の左方には花崗岩現出し来りて、高砂山全体白雪を積むに似たり、村より径路上下、半里、「天神平」に下る、いわゆる昇仙峡の勝は「天神平」以北にあり、荒川の一水北より花崗岩を穿鑿し来り、川左の路に沿いてその浸食の痕跡《こんせき》を、行く行く観視せば、その勝真個に筆に記すべからず、「天神森」を去るや、「長潭《ちょうたん》」あり、迅流《じんりゅう》の長く横に駛りて碧瑠璃《へきるり》を溶かすもの、「不動ノ滝」あり、滝の上、猿公《えんこう》の長揖《ちょうゆう》するがごとき一岩を「猿岩」と称

昇《しょう》仙《せん》峡

るに激烈なる浸食により奇々怪々の状を呈出すいわんや渓水処々に飛瀑をなしその雄快なる胸宇をさかんにすもしそれ霜気秋に横たわり木葉紅をさらし黄を染め水いよいよ瘦《や》せてますます青く岩いよいよ露われてますます白きの候にいたれば景象真個に神に入るを覚ゆこの勝ははなはだ江湖に知られずといえども東京傍近にて花崗岩水食の妙を探らんとせば

す、「轆轤《ろくろ》滝」は渓水のごとく飛跳《ひちょう》するもの、滝の傍に「富士岩」兀立《ごつりつ》す、宛如《えんじょ》たる一塊の小芙蓉《ふよう》、岩畔《がんはん》より「登竜石」を右にみ、「寒山石」、「十徳石」、「畳石」を左に仰望す、たちまちにして路右に大蛙《たいあ》の坐するを認む、いわゆる「蟾石《ひきがえるいし》」とはこれ、「羅漢山」、「一ノ岳」、「二ノ岳」天をかすめて聳立《しょうりつ》し、「天狗《てんぐ》岩」また頭上に突起す、ようやく北行せば天保十一年この路を開鑿《かいさく》せし農夫円右衛門の碑あり、面に結髪豊頬《ほうきょう》なる大漢の半身像を刻し、上に林鶴梁《かくりょう》の賛詞あり、「石門」に入る、両岩相抱携《ほうけい》して門をなし危欹《きき》崩れんとするの観あり、ここ「遮雨《しゃう》岩」右に突起し、「覚円《かくえん》峰」左に孤聳《こしょう》し、両壁夾《きょう》立《りつ》、中に一線の天光を露わし、岩みな花崗岩、松樹その罅隙《かげき》より乱生し、岩に根を蔽わせ扶持《ふじ》自ら守るところ、奇警跌宕《てっとう》、碑より少しく北せば、「浮き石」あり、雪白の花崗岩水中に横臥するもの、石の傍に「雪虹《せっこう》瀑」あり、雪飄《ひるが》えり虹《にじ》湧きその称にそむかず、瀑畔《ばくはん》の懸崖《けんがい》に岩面を磨して文を刻す、苺苔《ばいだい》字を食して読むべからず、いわゆる「磨《ま》崖碑《がいひ》」とはこれ、すでにして「昇仙橋《しょうせんきょう》」に上り、「仙娥《せんが》瀑」を観る、花崗岩屏立《へいりつ》し、瀑その上より瀉《そそ》ぎ下り、銀縄《ぎんじょう》条落、半ば潭《たん》に落つ時灑々《さいさい》として一束の砕雨《さいう》に異ならず、雨下り湍《たん》飛び奔《はし》りて橋外に出ずるところ、雄快一番、人目をさかんにす。（仙娥瀑より以北

一遊すべし

御岳《おんたけ》金桜神社に詣《いた》る記事は第六十ページ「金峰山《きんぷ》」の表中につまびらかなり、参照すべし）

のごときすなわちこれその他流水浸食の激烈なる

たにかはの音には夢もむすばじを　近衛摂政家照公《このえせつしようい えてる》

ねざめの床と誰れなづくらん

と咏みたる寝覚《ねざめ》ノ床（挿画中につまびらかなり）のごとき、木曾の懸橋《かけはし》所在のごとき、みな流水の花崗岩を浸食して鑿通《さくつう》せしもの真に観てもって壮とするに足る。かつそれ流水花崗岩の罅隙《かげき》に入り、冬間その結氷するや、結氷のさい、水の分子膨張すると共に、岩は罅《か》隙《げき》よりくだけ、音響轟々《ごうごう》としてなお万斛《ばんこく》の爆裂弾を一時に発霍《はつかく》するがごとしとは、木曾、甲州山民の往々説くところこれまた花崗岩が臨終《りんじゆう》の豪爽《ごうそう》なるところ。けだし木曾地方景象の雄大荘厳なる、いわゆる

そも〳〵木曾の路は大むね岨《そば》のかけぢさかしき山坂にてほのかなる溪《たに》あひ奥深き山里のみにて見上ぐれば千尋のきり岸青く聳えて空をかくし見下せば一筋の溪河《けいが》白く漲《みなぎ》りて玉をちらしあるは木こりの通ふ細路嶺よりみねにめぐりあるは筏《いかだ》をおろす流溪よりたににいり魂を驚かす水の響《ひびき》心をさむからしむる巌の形かの唐人の山は人の面よりおこり雲は馬

の頭にそひて生ずといひけむもかゝる所にこそはと思合はさるしかのみならず年経し林に風おこりて鳥の声ものさびしく古びたる石に霧まとひて滝の音かそけきなど言尽すべくもあらずかゝるけしきは世に大かた稀《まれ》なるをこの道をゆきかふ人は常になれてさる所としも思ひたらず豊後《ぶんご》の野馬《やば》溪《けい》上野《こうずけ》の妙義山などをことにふれてこと〳〵しくいひ出でつゝ二なきものに思ふもすくなからずそれはた世の常の所にはあらざらめれどたとへば扇などにかきたらむ絵ともいふべくやこゝのさまはそのすがた大にしてたけたかき屏風《びょうぶ》横長き巻物をみるこゝちなむせらるゝ心ある人は誰もしりたらむことながら事の序に驚すになむ

というもの、まったく流水の花崗岩大塊を浸食するところにあり。

下岐蘇川《きそがわ》記

天保丁酉四月。余竣役。与両藩士倶自江戸還。取路東山。舎輿歩行。旁探名勝。五月四日。下十三嶺。晩宿伏見駅。連日崎嶇経渉山間。頗疲。至奴輩把鎗荷鎧者。或瘏痛不能起。且聞水路之勝熟矣。因謀賃舟下岐蘇川。至桑名。殆二十里。不一日而達。乃召舟人戒之。翌日夙起。趣水浜求舟。舟人家在前岸樹林中。閉戸未起。阻以灘声喧豗。累呼不達。唇焦舌燥。久之乃応。与其児纔舟来迎。日已加辰。乃発。舟狭長。薄板為之。呼為鸕飼。児纔十三歳耳。父在舳。児在艫。各持櫨。操縦甚習。灘急舟走。両崖巒巘。一時皆揺。当前所見。倏忽在後。唯見岸行山走。而不覚舟移。山皆石身載土。松為之髪。而紅杜鵑粧点於其間。腥血如滴。又処々有水簾懸焉。綏綏灑灑。墜於潭石上。石皆奇状。皴羅列両岸。或特立若柱。或折裂若門。或若渇驥飲澗。或若臥牛横道。五色陸離相間。皴率作大小斧劈。間有作荷葉披麻者。濯波浪以出。交替去来。不暇応接。蓋譎詭変幻中。帯清秀深穏之態。非荊関之筆。倪黄之手。不能状也。雖僕隷輩不解山水之趣者。皆連呼奇不絶声。忽遇一大巌屹立水中。舟殆触之。少誤則虀粉矣。衆懼而黙。舟人笑捩柁避之。輙掠巌角過。如此者数処。未嘗差絲毫。但経巌際。波激舟舞。飛沫撲人。衣袂尽湿。回視僕従。各握両把汗。殆無人色。舟人甚間暇。従容吹煙而坐。視上流船併力挽上者。難易懸絶。已而離峡。漸平遠。犬山城露於翠微上。粉壁鮮明。衆望見歓然。比至城下。又有暗礁豁舟。砉然欲裂。衆復相顧瞿然。過此以往。漁舟相望。歌唱互答。衆心始降矣。盖始発抵此。為陸行半日之程。不一餉時而至。其快可知矣。嘗読盛広之酈道元所記。誇称江水迅急之状。至唐李白述其意云。千里江陵一日還。平生窃疑以為文人虚談。今過此際。始知其不誣也。但舟行甚迅。不能徐翫峡中之勝。為可恨已。又三里抵笠松。鳴鐘方報巳。登憩岸上店。目猶眩。仰見屋椽。動揺不定。瞑坐良久乃止。進鱒脆美媚口。此行跋渉山谷。蔬食弥旬。獲之以解菜。飯已。復入舟。岸愈濶。水愈緩。険阻已遠。無復可

利尻山

（北見国の海岸より西方およそ八里日本海中なる利尻島にあり）
海抜約千六百メートル　火山なり　火口なしといえども頂部は傾斜にわかに急　利尻島　周回十五里余　面積七方里　人口約六千　全島火山的なり（北見国礼文島香深村より望む）

二見浦夫婦岩

太平洋の激浪来り撃ち伊勢の海岸を浸食しもってこの景象を化成す　岩は古生層の最下部たる輝石および斜長石の砕片より組成す　緑泥質物を夾雑するをもって外観ははなはだ緑泥片岩に類似す

冬　島　（日高国様似より幌泉に至る海岸にあり）

太平洋の激浪来り撃ち海岸を構造せる日高山脈西側の岩石古生層もしくは第三紀層を浸食してついにこの景象を刻作す

観。枕藉而臥。風方逆。舟人用力搰搰甚労。櫨声喧聒。使人煩寃。午下。稍得風便。揚帆復走。衆乃睡熟。比醒達於桑名。日尚高。謝遣舟人。登陸而行。至四日市宿焉。自伏見至此。殆為二日半路程。道上行見家家挿菖蒲。彩旗翩然飜風。衆在行旅。倥偬渉日。殆忘月日。至是乃知属端午節。不図今日舟行為吊屈之挙。抑亦奇矣。且舟凌危険。布帆無恙。免為汨羅之鬼。不亦厚幸乎。蓋天下之至奇至美者。毎在於艱難危険之地。不独山水之勝也。求之者比於入虎穴探竜頷。危而後有所獲矣。余於是乎有感焉。未可以語千金之子也。姑記之以示苦学励行之人。　斎藤拙堂《せつどう》

（天保丁酉《ていゆう》四月、余役《えき》を竣《お》えて、両藩士と倶《とも》に江戸より還る。路を東山に取り、輿《こし》を舎《す》てて歩行し、旁《あまね》く名勝を探《さく》る。五月四日、十三嶺を下り、晩に伏見の駅に宿す。連日崎《き》嶇《く》として山間を経渉《けいしょう》するに、頗《すこぶ》る疲る。奴《ど》輩《はい》の鎗を把《と》り鎧《よろい》を荷《にな》う者に至りては、或いは瘏《と》痡《ほ》して起つ能わず。且つ水路の勝熟せりと聞く。因りて舟を賃《やと》いて岐蘇川を下らんと謀《はか》る。桑名《くわな》に至るまで、殆んど二十里、一日ならずして達すという。乃ち舟人を召して之を戒しむ。翌日夙《つと》に起く。水浜に趣《おもむ》き舟を求む。舟人の家は前岸の樹林の中に在り。戸を閉じて未だ起きず。阻《へだ》つるに灘声喧豗《たんせいけんかい》たるを以てす。累呼《るいこ》すれども達せず、唇焦《こ》げ舌燥《かわ》く。之を久しうして乃ち応ず。其の児と舟を艤《ぎ》して来迎す。日は已に辰《しん》に加え、乃ち発

す。舟は狭く長く、薄板もて之を為《つく》る。呼びて鸕飼《うがい》と為す。児は纔《わず》かに十三歳なるのみ。父は舳《じく》に在り、児は艫《ろ》に在りて、各《おの》おの櫨《ろ》を持ち、操縦甚だ習えり。灘急《たんきゅう》に舟走る。両崖の巒巘《らんけん》、一時に皆な揺《ゆ》らぐ。当前《とうぜん》に見る所、倏忽《しゅくこつ》として後に在り。唯だ岸の行き山の走るを見るのみにして、舟の移るを覚えず。山皆な石身にして土を載《いただ》き、松之《これ》が髪を為す。而して紅杜《こうと》鵑《けん》其の間に粧点《しょうてん》し、腥血滴《せいけつしたた》るが如し。又た処々に水簾《すいれん》の懸《かか》る有り。綏《すい》綏灑灑《すいさいさい》、潭石《たんせき》の上に墜《お》つ。石皆な奇状、両岸に羅列《られつ》す。或いは特立して柱の若《ごと》く、或いは折裂《せつれつ》して門の若く、或いは渇驥《かつき》の澗《たにかわ》に飲むが若く、或いは臥牛《がぎゅう》の道に横たうが若し。五色陸離《ごしきりくり》として相間《まじ》わる。皺《しわ》は率《おおむ》ね大小の斧劈《ふへき》を作し、間荷葉披麻《まかようひま》を作す者有り。波浪に濯《あら》われ以て出で、交替して去来し、応接に暇あらず。蓋し譎詭《けつき》変幻《へんげん》する中に、清秀深穏《しんおん》の態を帯《お》ぶ。荊関《けいかん》の筆、倪黄《げいこう》の手に非ずんば、状する能わざるなり。僕隷《ぼくれい》が輩《はい》山水の趣きを解せざる者と雖も、皆な奇を連呼して声を絶えず。忽ち一大巌の水中に屹立するに遇い、舟殆《あやう》く之に触《ふ》る。少しく誤らば則ち齏粉《せいふん》たらん。衆懼《おそ》れて黙す。舟人笑いて柁《かじ》を捩《ひね》りて之を避《さ》く。輙《すなわ》ち巌角を掠《かす》めて過ぐ。此《か》くの如き者数処あり。未だ甞て糸毫《しごう》も差《たが》わず。但だ巌際を経るとき、波激し舟舞い、飛沫《ひまつ》人を撲《う》ち、衣袂湿《しめ》りを尽《つ》くす。僕従を回視するに、各《おの》おの両把《りょうは》に汗を握《にぎ》り、殆んど人色無し。舟人甚だ間暇《かんか》あり、従容《しょうよう》として煙を吹かして坐す。上流に船の力を併《あわ》せて挽《ひ》き上ぐる者を視るに、難易懸絶《けんぜつ》す。已にして峡を離る。漸《ようや》く平遠たり。犬山城翠微《すいび》の上より露わる。粉壁《ふんぺき》鮮明なり。衆望見じて歓然たり。城下に至る比おい、また暗礁《あんしょう》有りて舟を齧《か》み、砉然《けきぜん》として裂けんと欲す。衆復た相顧《かえり》みて瞿然《くぜん》たり。此を過ぎて以て往く。漁舟相望み、歌唱もて互に答う。衆心始めて降らんとす。蓋し始めて発して此《ここ》に抵《いた》る。陸行の半日の程を為し、一餉時《いっしょうじ》ならずして至る。其の快知る可し。嘗て盛広之《せいこうし》酈道元《れきどうげん》の記す所、江水迅急《じんきゅう》の状を誇称《こしょう》するを読み、唐の李白《りはく》其の意を述べて、「千里の江陵一日にして還る」と云うに至りては、平生窃《ひそか》に以て文人の虚談を為すと疑う。今此の際を過ぎ、始めて其の誣《あざむ》かざるを知るなり。但だ舟行甚だ迅《はや》く、徐《おもむ》ろに峡中の勝を翫《もてあそ》ぶ能わず、為めに恨む可きのみ。また三里にして笠松に抵《いた》る。鐘を鳴らして方《まさ》に巳《し》のときなるを報ず。登りて岸上の店に憩う。目は猶お眩《くら》むがごとし。仰ぎて屋椽《おくてん》を見るも、動揺して定まらず。瞑坐《めいざ》すること良久《やや》しゅうして乃ち止む。鱒《ます》の脆美《ぜいび》なるを進めて口を媚《よろこ》ばす。此の行山谷を跋渉《ばっしょう》し、蔬食旬《そしょくじゅん》に弥《わた》る。之を獲て以て菜を解く。飯已《や》みて、復た舟に入る。岸愈《いよい》よ濶《ひろ》く、水愈よ緩《ゆる》やかなり。険阻已に遠く、復た観る可き無し。枕藉《ちんしゃ》して臥す。風方《まさ》に逆なり。舟人力を用い搰搰《こつこつ》として甚だ労す。櫨声喧聒《ろせいけんかつ》たりて、人をして煩冤《はんえん》せ使《し》む。午下《ごか》、稍《ようや》く風の便《べん》を得。帆を揚《あ》げて復た走る。衆乃ち睡熟《すいじゅく》す。醒《さ》むるに比《およ》び桑名に達す。日は尚お高し。謝して舟人を遣《のこ》して、陸に登りて行き、四日市の宿に至る。伏見より此に至る、殆んど二日半の路程と為す。道上を行くに家々に菖蒲《しょうぶ》を挿し、彩旗《さいき》翩然《へんぜん》として風に飜《ひるが》えるを見る。衆行旅に在りて、倥偬《こうそう》として日を渉《わた》り、殆んど月日を忘る。是に至りて乃ち端午《たんご》の節に属するを知る。図《はか》らざりき、今日舟行し屈《くつ》を吊《とむら》うの挙を為さんとは。抑《そもそ》もまた奇なり。且つ舟危険を淩《しの》ぎ、布帆《ふはん》恙《つつが》無く、汨羅《べきら》の鬼と為るを免る。また厚幸ならずや。蓋《けだ》し天下の至奇至美なる者、毎に艱難危険の地に在り。独り山水之勝あらざるなり。之を求むる者は虎穴《こけつ》に入り竜頷《りゅうがん》を探《さぐ》るに比す。危くして後獲《う》る所有り。余是に於てか感有り。未だ以て千金の子《こ》に語《つ》ぐ可からざるなり。姑《しばら》くは之を記して以て苦学励行《れいこう》の人に示す。）

山陽《さんよう》火山岩の水食を写し拙堂《せつどう》は花崗岩の水食を写す各々別景各々異、しこうしてその真を写すや一、共に一代の辞宗、文采後世に表すに足るもの

かつや花崗岩たる、多くは白色に、雲母、石英、長石、角閃石《かくせんせき》の各結晶より組織せるをもって、湍水《たんすい》のこれに衝《あた》るや、

砂川にて白く長し誠に銀河と云ふべき也（河内名所図会）

という天ノ川（河内）のごときをつくり、宛《えん》として銀河のかくるがごとく、水晶簾《れん》を斜めに垂るるに似。たまたま秋月の皎然《こうぜん》として浮かび出ずるや、これに映じて熒々《けいけい》たるもの、さらに反射して一層々の清輝《せいき》を添え、いわゆる

名月のかつらや浮木あまの川　河内　天ノ川　自慶《じけい》

やま白しまことに月の御影石《みかげいし》　摂津　御影山　枝静《しじょう》

の観を現じ来るいわんやこのごときの月光、矢矧《やはぎ》（参河《みかわ》）の花崗岩渓谷を照らして千軍万馬の古戦場に映じ、笠置《かさぎ》山（山城）の花崗岩峡に入りて、元弘帝蒙塵《もうじん》の故趾《こし》に輝き、湊川（摂津）両岸の花崗岩沙に反射し嗚呼《ああ》忠臣墓台の花崗岩に反射するにいたりては踔厲跌宕《たくれいてっとう》なる真に言うべからず。ひとり月のみならんや、梅花もまたしかり、もしそれ渓流一道、花崗岩を穿鑿《せんさく》し来り、梅樹、懸崖峭壁《けんがいしょうへき》の間に綺錯《きさく》し、槎枒《さが》横斜、花影さかしまに水に蘸《さん》し、花や玲瓏《れいろう》、水や晶明《しょうめい》、宛として万玉を累積するがごとし、梅花の絶勝たる月ケ瀬（大和《やまと》）のごとき実にこれ。もし月ケ瀬の梅花、月と映発するや。

時将二更。月色清朗。歩抵真福寺。枝枝帯月。玲瓏透徹。影尽横斜。宝鈿玉釵錯落満地。水流其下。鏘然有声。覚非人境。傍岸西行。前望月瀬。水清如寒玉漾月影。蹙作銀鱗。而両山之花倒蘸其上。隠約可見。一棹中流。山水倶動。吾平生之願至是酬矣。

斎藤拙堂《せつどう》

（時は将に二更《にこう》ならんとす。月色清朗なり。歩きて真福寺に抵《いた》る。枝枝《しし》月を帯ぶ。玲瓏《れいろう》透徹《とうてつ》、影横斜《おうしゃ》し尽《つく》す。宝鈿玉釵《ほうでんぎょくさい》、錯落《さくらく》として地に満つ。水は其の下を流れ、鏘然《そうぜん》として声有り。人境に非《あら》ざるを覚ゆ。傍岸を西行し、前に月瀬《つきがせ》を望む。水清きこと寒玉の如く月影漾《ただよ》い、蹙《せま》りて銀鱗《ぎんりん》を作す。而して両山の花倒《さかし》まに其の上に蘸《ひた》す。隠約《いんやく》見る可し。一たび中流に棹《さお》させば、山水倶《とも》に動く。吾が平生の願い、是に至りて酬《むく》わる。）

となり雪と映発するや

丹崖碧巌悉化為白玉堆。花亦加素彩。如粉傅何郎之面。其美更増。一俯一仰。入目皚然。独溪光益碧作縹玉色耳。梅溪之清於是焉極矣。古人論梅。謂譲雪三分白。然雪以白勝。梅以艶勝。各有佳趣。　斉藤拙堂

（丹崖碧巌《たんがいへきがん》悉《ことごと》く化して白玉の堆《たい》と為る。花もまた素彩《そさい》を加え、粉傅何郎《ふんふかろう》の面の如し。其の美更に増す。一俯一仰《いっぷいちぎょう》、目に入るもの皚然《がいぜん》たり。独り溪光《けいこう》益《ます》ます碧《みどり》にして縹玉《ひょうぎょく》色を作《な》すのみ。梅溪《ばいけい》の清、是に於いてか極まれり。古人の梅を論じて、雪に三分の白さを譲ると謂う。然れども雪は白を以て勝《まさ》り、梅は艶《えん》を以て勝る。各おの佳趣《かしゅ》有り。）

となり月雪と相合わせて映発するや

山雲篩白界斜陽。
万玉斂容如譲光。
与雪相争応不屑。
待他月姊闘明妝。

山雲　白を篩《ふる》いて　斜陽を界《へだ》つ、
万玉　容《よう》を斂《おさ》めて　光に譲《ゆず》るが如し。
雪と相争うて　応《まさ》に屑《いさぎよ》しとせざるべし。
他《か》の月姊《げっし》を待ちて　明妝《めいしょう》を闘わさん。

張氏紅蘭《ちょうしこうらん》

となる、しかも梅花を映発するもの、あにひとり月と雪とのみならんや、渓は花崗岩なるをもって燦然《さんぜん》たり、水は花崗岩を穿鑿《せんさく》するをもって清冽《せいれつ》なり晶明《しょうめい》なり、梅月、雪を全体より大いに映発せしむるは、主として花崗岩にあり、月ケ瀬の梅花をもって勝絶する偶爾《ぐうじ》にあらず。もしそれ所在の地勢いよいよ急劇となり、ついに九十度前後にいたるや、流水はすなわち瀑布となり、怒噴直下すること百尺、花崗岩屏《へい》をうがちて来り、ために万斛《ばんこく》の雪を運びて天より擲《なげう》ち下ろすがごとく、白光閃々《せんせん》、たちまちにして「滝壺《たきつぼ》」に下るや、花崗岩またここより突出して水を承け、水、岩に激して逆上し、飛沫《ひまつ》百道、玉瑩珠跳《ぎょくえいじゅちょう》するの壮観にいたりては、花崗岩によらずんばついにみるべからず、その

みづの色ただしら雪と見ゆるかな　　皇后宮太夫顕房《こうごうぐうたいふあきふさ》

誰れさらしけんぬのびきの滝　　摂津

たき壺は銀の盥《たらひ》やみづすずし　寿《じゅ》角《かく》

という小野ノ滝（挿画中につまびらかなり）、仙娥滝（第九十七ページ「昇仙峡」の項中につまびらかなり）のごときこれ。すでにしてこの岩の流水に浸食せられ、ついに粉砕《ふんさい》となるや、その成素なる雲母《うんも》、石英、長石、角閃《かくせん》石は各個分離して、下流所在に雪のごとき白砂を散布し、青松その間に点綴《てんてい》していわゆる白沙《はくさ》青松《せいしょう》の活画図を描き出し、中国、瀬戸内諸島の美を添え来る。その夜見《よみ》ケ浜半島（伯耆《ほうき》会見《あいみ》郡）、幅一里、長さ四里、出雲《いずも》の島根半島と相対して日本海に斗出《としゅつ》し、一線の白沙、亭々《ていてい》たる青松これをよそおい、藍碧《らんぺき》の海水は東、西、北の三面を彩《いろど》り、真個一盆《いちぼん》の大蒔絵《まきえ》、人をして遊賞低徊《ていかい》措《お》くあたわざらしむものは、実に日野川の流下運搬せし花崗岩砂の日本海の浪濤《ろうとう》と中ノ海（出雲）の水勢とのために、東西両側より駆り揚げられ、ついに砂州を化成せしもの。その他中国における花崗岩浸食の奇跡には、

小《お》瀬《ぜ》川《がわ》ノ蛇《じゃ》喰《くい》岩《いわ》

周防《すおう》、安芸《あき》二国の境界をなせる小瀬川上流（里称木野川）の峠川と相会するところに当たり川底の花崗岩に

川口より上る四里半、周防国玖珂《くが》郡藤谷村大字《おおあざ》岩根にいたるや、花崗岩懸崖《けんがい》をなし水中たちまち巨大なる花崗岩（「魚切《うおきり》岩」）をみる、魚この岩より上流に登るあたわずゆえにこの名あり、岩より里余、川底の花崗岩処々に口径三尺ないし五尺深さ四尺ないし十余尺の洞穴《どうけつ》をうがち洞に尺大の石を蔵《おさ》む、「蛇喰岩」すなわちこれ、石礫《せきれき》の上流よりとく馳せ下りたる

洞穴をうがつもの　ものこの会流地にいたりて止まり、花崗岩の裂隙《きげめ》にさしはさ
すなわちこれ　　　まり、流水のために内にありて転々摩擦《まさつ》しついにこの洞をう
がつ（農学士東条平二郎氏の記事に拠る）

のごときあり。要するに流水浸食の神韻は花崗岩にあり（第二百十三ページより第二百五十三ページにいたる「花崗岩の山岳」と参照すべし）。その

（三）石灰岩における浸食

にいたりては、日本に水蒸気の多量なるがゆえ、地下の泉流もまた多量、しこうして石灰中の炭酸はこの泉流中に溶解して、その特性たる絶大の浸食力を逞《たくま》しゅうし、ために石灰岩は内部にありて自ら溶解し、洞窟《どうくつ》をうがちて深山中に奇怪を倍す。想う石灰岩の洞窟や、たいがいは口狭くして内ひろく、身を側《そばだ》てて洞門に入り、五体を伏して蛇行《だこう》すれば、ようやく大にようやくひろく、燭《しょく》を挙げて凝視するに、虚朗《きょろう》玲瓏《れいろう》、洞頂、洞底、石鐘乳《ちちいし》万千株、あるいは森然《しんぜん》として上よりさかしまに垂《た》れ、あるいは矗乎《ちくこ》として下より竪立《じゅりつ》し（いわゆる「底《てい》鐘《しょう》」）、巨なるもの、細きもの長きもの、縮《ちぢ》まるもの、鋭《するど》きもの、上下相迎え、あるいはいまだ合せざるものあり、あるいはわずかに合したるもいまだ合所の細きものあり、あるいは合

すこと業すでに久しく合所の太まりて一柱と化成せるものあり、その他石灰の洞壁《どうへき》に沈澱《ちんでん》するもの、磊落《らいらく》踔厲《たくれい》、踞《うずくま》りて虎のごとく、獅子《しし》のごとく、立ちて人に似、仏に似、燭火《ともしび》に近きものは鮮紅色、やや遠きものは雪白色、遠きものは藍靛《らんてん》色をなし、光彩多変、火を挑《かかげ》みて四周を照らせば、万株の石鐘乳、底鐘、石鐘柱はことごとく純紅色と変じ、壮麗陸離《りくり》、恍《こう》として水晶殿中《すいしょうでんちゅう》、もしくは不夜城裡《り》に入るがごとく、あたかも聴く泉流の淋鈴《りんれい》としてはるかに自然の音楽を奏するを、人をして杳然《ようぜん》として仙寰《せんかん》の遠からざるを覚えしむ、むべなりその

秩父二十八番札所観音《かんのん》地内胎内潜《たいないくぐ》りの岩窟《いわや》

武蔵秩父《むさしちちぶ》郡影森村にあり武甲《ぶこう》山の外皮たる石灰岩は延縁し来り西麓《せいろく》なるここにいたりて峭《しょう》壁《へき》をなし地下の泉水内部よりこれを浸食してこの大洞窟を穿鑿す昔時《せきじ》弘法大師この

秩父郡大宮町より西南およそ二十町、洪積層地を踏み、行々武甲山の秀色《しゅうしょく》を左に仰望し、上影森村にいたり、左折して細径を行くことおよそ十町、石竜山橋立寺に達す、寺は二十八番の札所たり、堂後には石灰岩峭壁《しょうへき》をなし、その下部に洞《どう》窟《くつ》あり、いわゆる「奥ノ院」とはこれ、洞口すこぶる狭くして低く、一人ずつ傴僂《くる》してわずかに入るべし、洞内暗黒咫《し》尺《せき》を弁ぜず、入る者燭《しょく》を秉《と》る、行くこと数歩、梯《はしご》あり、これを下れば一大房あり、板を布《し》き歩行に便にす、ここより下方に向かい、さらに二房あり、一を「牛馬ケ窟」と称す、大房より上方に向かい長梯あり、これを上れば第二房に入る、第二房より斜めに洞底を登り、ついに出口にいたる、洞内には石

洞窟を発見せりと里称すれどもすなわち信をおくべからず

鐘乳、底鐘、石灰の洞壁に沈澱せしもの、一々怪奇万状、「弁天」、「大黒」、「大梵天《だいぼんてん》」、「三宝荒神」、「帝釈天《たいしゃくてん》」、「彌勒」、「菩薩」、「五百羅漢」、「白髯明神《しらひげみょうじん》」等の渾名《あだな》あり、泉水点滴、涼気《りょうき》骨に徹し久しく居るに堪えず、十五分間にしてあまねく探討しうべし、出口より橋立村まで数町に過ぎず。

出流《いずる》ノ岩窟《いわや》

下野《しもつけ》下都賀《しもつが》郡の西北隅出流村にあり戊辰《ぼしん》の変初めて発するの前およそ一月勤王の徒義をここに挙ぐしかも人すくなく力微に賊名を附せられついに鏖《みなごろし》にせられ事跡湮滅《いんめつ》し世いささかもこれを知らず想い見る万行の血涙出流の泉水にそそぎたる当年のことを感慨泉水と共

両毛鉄道佐野停車場より下車し、人力車を駆《か》り佐野川に沿いて北行し、葛生《くずう》町を経、下都賀郡に入るや、すなわち出流村に達す、佐野町よりこの村までおよそ六里、村より二町、渓路を登れば、絶壁上に「大師《たいし》ノ窟《くつ》」あり、長梯《ちょうてい》に上り口に達し得、この窟より少許《しょうきょ》にして「観音ノ窟」あり、鉄鎖に頼り梯《はし》子《ご》に上りて口より入れば一大房あり、内に大黒天聖道上人《しょうどうしょうにん》（この窟のいわゆる発見者）の像を安置す、石鐘乳《ちちいし》、石鐘《せきしょう》四周に森列《しんれつ》し、荘厳無比、これを観世音《かんぜおん》の背姿と称す、「観音ノ窟」を出ずるや、二小窟あり、内部相通す、梯子《はしご》に頼り上窟に入れば、内より下窟に下り外部に出ずるを得、二窟よりさらに三十間、「大日如来ノ窟」あり、窟は内部にて二条に岐《わか》れ、一は深さおよそ二十五間一は遠く北部の山中に穿入《せんにゅう》し測るべからず。またこの所在に泉水の卒然と石灰岩峭壁《しょうへき》の中途より流出することなお酒樽《さかだる》の栓《せん》を抜きたるがごとき奇観をなすものありまた佐野停車場の西北一里半、出流原に一川流に無量の石灰岩山に逢うやたちまち潜入して失踪《しっそう》ししこうして該山《がいざん》の他側よりまた流出するものあり。

天《あま》ノ岩戸《いわと》

志摩《しま》答志《とうし》郡逢坂《おうさか》峠の南腹にあり一名「滝祭窟」地下の泉水石灰岩を浸食してこの洞窟を穿鑿せしもの

逢坂峠の南腹にあり、口狭く傴僂《くる》して入る、内に入りおよそ十間、一小瀑布《ばくふ》あり、高さおよそ六尺、いよいよ進めばおよそ六畳敷の一大房広房あり、房広しといえども、口狭くして水あり、裸体にし傴僂《くる》せずんば入るべからず、洞内冷気ことにはなはだし、いかなる大暑の候といえども寒暖計七十度以下に過ぎず。鼎石《かなえいし》は天《あま》の岩戸《いわと》より四十町、答志郡磯部《いそべ》村大字《おおあざ》恵利原にあり、石灰岩の水食せられて鼎形《ていけい》をなすもの、「正従鼎石《かなえいし》大神」とはこれ。

権現ノ窟

美濃《みの》不破《ふわ》郡赤坂村の北方にある洞穴

里人この洞をもって権現《ごんげん》の在所なりと崇視す。この洞の所在には石灰岩北方一面に曳《ひ》きて延縁し、石灰、大理石の産出をもって古来より名あり。

鐘《かね》乳《ち》穴《あな》

備中《びっちゅう》阿賀郡水田村里人この洞を神視す上房郡高梁《たかはし》町より二里二十八町巨《こ》瀬《せ》村にいたりさらに二里三十二町阿賀郡背部村にいた

洞口ははなはだ大、しかれども中に入るや、しばらくにして行き当たり、石壁峭立す、壁に小口あり、燭《しょく》を秉《と》り、傴僂《くる》してこの口を入れば、第一房あり方およそ四、五十間、石鐘乳《ちちいし》、底鐘《ていしょう》森列すること万株、石灰岩の洞壁に沈澱するもの形状多変、「御釜《おかま》ノ台」、「魚ノ棚」等の名称を付す、また行き当たり石壁あり、壁上横に小穴あり、匍匐《ほふく》して入れば、第二房あり、房内は高低の二段をなす、さらにすすむ懸崖斗絶《とぜつ》す崖を下れば湍水《たんすい》あり、小飛瀑をなし轟然《こうぜん》声あり、湍《たん》を渡れば行

りさらに一里二十町水田村に達す村にこの洞あり

羅漢洞

伊予《いよ》上浮穴郡小屋村、松山市より南行し三坂峠を越え久万町村を経神納村より二里余深嶺幽谿《ゆうけい》を渉《わた》りて達す洞の深さ四町四十八間、支洞一町半

肥後《ひご》球摩《くま》郡の東境火山岩の間に二水発源し南流多良木村にいたりて相合

き当たりに石壁あり、壁上小穴あり、穴より中に入れば、第三房あり、広さ五、六畳ばかり、前二房に比較せばことに小、行き当たりに石壁あり、壁上小穴あり、これより内いまだ測りたるものなし。

洞門木をもって閾《しきい》を造る、狭隘《きょうあい》にして身を伏して入る、門内岩石錯互《さくご》、危欹《きき》として落ちんとするの観あり、燭を秉《と》りすすむ、「胎内潜《くぐ》リ」と里称するところあり、水その下に滙溜《かいりゅう》し、傴僂《くる》すれども内せまくして一脚を水に浸す、ここを過ぐれば洞内宏闊《こうかつ》、石鐘乳《ちちいし》、鐘底森列《しょうていしんれつ》し、その数いくばくなるを知らず、上下両鐘、相合して一柱をなすもの駢列《へんれつ》し、「一ノ鳥居」と称す、鳥居の下に「斜坂」、「団子《だんご》山」あり、さらにすすめば、一泓《おう》の滙水《かいすい》あり、洞恐らくはここに尽く、洞内蝙蝠《こうもり》いたるところに翺翔《こうしょう》す、土俗この洞を神仙の在所なりと迷信し、入ればすなわち暴風起こると唱《とな》う(真鍋嘉一郎氏の記事に拠る)。

人吉町の対岸向町より舟を賃し、十六里、通常六時間にして八代町に下り得、向町より球摩《くま》太郎山下を過ぎ、ようやく「鎗倒シ」の奇巌を仰望し、流勢ますます猛劇、急湍飛《ひ》瀑《ばく》を瀉《そそ》ぐところ数所あり、いたるところ岩石（たいがいは角岩）に怒激し、特に「御前岩」なる大盤石の河心にわだかまるところにいたれば、雨となり雪となり、舟客をして悚然《しょうぜん》毛髪を

球《く》摩《ま》川

し西折して柳瀬村にいたるや八代郡五ケ庄村より発源して南流する川辺川を相合わせ人吉町を経さらに万江川を合わせ一勝地村にいたるや北流して球摩、葦北二郡の間を馳《し》走《そう》し八代郡に入りてようやく西流しついに八代町の西南にいたり海に注ぐ長さ二十五里

竪《た》てしむ、たまたま古生紀層の石灰岩壁峭然《しょうぜん》、木板を鉋《かんな》せるごときもの両岸に夾立《きょうりつ》し、中より一線の天光を露わすところ、松、杉、竹、蒼翠《そうすい》として岸に臨み、棣棠花《やまぶき》は黄く、山躑躅《つつじ》は紅に、山桜は淡白に、相競いて乱開し、青黄紅白、淡濃浅深、綺羅繡錯《きらしゅうさく》、丹青も画くあたわず、すでにして河流ようやく沖《ちゅう》積《せき》平原に入り水勢緩慢《かんまん》、ついに八代に達す。この流れを上下する船は前後に楫《かじ》ありて、前楫後楫《まえかじあとかじ》相弁用《へいよう》してわずかに急湍《きゅうたん》の間を漕《こ》ぎ得、実に日本三急流の一たる名にそむかず。八代湾沖に全島純然たる大理石（石灰岩）より成る白島あり、大奇観。

神瀬《こうのせ》ノ岩戸《いわと》

神瀬ノ岩戸　は人吉《ひとよし》八代間舟路の半程、川を下る八里、右岸に登り十八町、その口獅子《しし》の口を張りたるがごときものすなわちこれ、洞は、南に開き、幅高さ共に三十間、深さ四十間余、中に小祠を安置す、石鐘乳、底鐘万株駢列《へんれつ》し、燕《つばめ》のごとき小鳥幾百となくその間に和鳴翶翔《こうしょう》し、洞底《とうてい》泉流湲潺《かんせん》として声あり、里人この洞を神の在所とし、小鳥を神使と尊崇す。

その他風穴（常陸《ひたち》多賀郡）のごとき、みなあるいは神を祀《まつ》り、仏を安置し、あるいは神仙の在所なりと崇視することを。けだし古来山伏《やまぶし》が修験道《しゅげんどう》の秘所と唱《とな》え、役《えん》の行者《ぎょうじゃ》が密法を修

磤馭慮島《おのころじま》の春色　（淡路国）

鬼通路

（紀伊国南牟婁《むろ》郡北山川の流域）

したるところと伝え、弘法大師の護摩《ごま》洞《どう》などいえる洞窟《どうくつ》もそのいわゆる奥妙を窮《きわ》め神霊を発《ひら》けば、石灰岩の溶解してうがちたるもの十に七八。その他地下の流水突爾《とつじ》と石灰岩壁の中途より外に瀉出《しゃしゅつ》すること、宛然《えんぜん》酒を盛れる樽《たる》の栓《せん》を抜きたるがごときの観あるものあり。地上の流水、この岩を穿鑿《せんさく》し、ために両岸峭然《しょうぜん》、垂直線状をなし、その面平滑、なお木板を拉《らっ》して新たに鉋《かんな》し、鉋して琢磨《たくま》幾回せるごとき状をなすものあり。みな奇観。

石灰岩の浸食中、奇観のさらに奇観なるは石門にして、かの絶大無双なる川合の「切通」（参河《みかわ》北設楽《きたしだら》郡《ぐん》三輪村大字川合、豊川の上流にあり、高さ四十四メートル、右側の門柱に洞《どう》穴《けつ》あり。この傍近に石灰岩の洞穴処々に散在す、洞中石鐘乳多し）のごとき、実に渓流の石灰岩を浸食して穿鑿するところ、真個に鬼工。火山岩、花崗岩、石灰岩における流水浸食の結果、奇警雄快なるのみならず、

（四）各岩の浸食に伴える雑多の結果

またしかり。想うに流水浸食の結果は、日本の景象に美、奇、大を添うもの。かの

二十二日晨起理装赴静川。鶴浦送至岸。則昨夜所僦小艇艤焉。乃解纜縁流而溯。是為九里峡。蓋聞峡尽則鬼渓。渓接紀和勢之界。其源発北山川。南流為静川入海。静川俗称音無川。舟程九里許。故又有九里峡之名。舟漸溯。景漸奇。一里而花開。二里而鶯囀。茅屋柴門。隠見渓靄山嵐間。陸句所謂。山重水複疑無路。柳暗花明又一村之趣可想焉。進到急瀬。舟子歩岸。繂以百丈。其深湍攀舷撑篙。能服手足之労。如学五禽之戯。時近午。使永井生啓行厨。洗盃酌酒。燃薪煎泉。恁然自適。或臥吹烟。或仰看瀑。或捨舟歩沙。或投礫驚魚児。或喚樵夫。或数流筏。凡接心目者。莫不一資遊興。既抵小川口村。暮色蒼然。就農家宿。距鬼渓可一里云。二十三日早起解纜。宿霧未散。渓山糢糊。舷頭時聞鳴玉戛々之響。則暗泉激石也。九里峡之間。有四十八瀑布。昨余所見。不過其半。所謂山陰道中応接不暇者。既而峡尽天明。仰噏璀燦翠霞。俯漱浄瀠流水。不復知身在一幅画図中也。舟子忽報曰。自此入鬼渓焉。回視。山勢逼縮。巘崖左右起。維石硌㟲。鬼斧神劖。奇正交発。所前歴之潺湲急瀬。変為弥漫澄沢。玲瓏紺碧。静如鏡。其長凡八町。土人因称曰八町瀞。瀞之半得一大巌石。屹立水中。高五十余丈。突兀擎天。石身劈裂。蒼蘚罨之。頂挾一株古松。蒼髯婆娑。望之如遊竜冲天。曰位牌。飛泉灑巌。巌傍斜抽一巨石。形如画軸。曰鎌巻、峭立安排。曲稜略具。苔痕化雲母色者。屏風石也。麗滑難攀援者。滑岩也。其佗曰仏石。曰蛭石。曰釜島。曰大黒島。皆因形取名焉。弥縫之以石楠躑躅等。

或倒懸恠松。或横架枯木。石吻相嚙。崖肩争聳。殆将飛墜。而藤蔓支之。雲気蒸之。魚影浮空。山光涵水。奇観万状。変態錯出。寔造物者之無尽蔵也。舟子仰指澱巌穴曰。暗岩也。就見之如何。乃令先導。攀危崖。躋峭壁。踵額相接。始能達洞口。中虚寂然。可容十余人。横鑿竅穴。如窓牖然。其奥黯然不可測。所以名暗也。余大声一嘯。則四壁震動。即錯愕盤旋而下。時已晡。繫舟于屛風岩下。復傾残樽。陶然一酔。題句曰。詩中山水画中舟。占得風光最上頭。鬼通路是神路通。憑仗先生記所由。低回顧恋久之。遂命帰棹出澱渓濶山舒。激流如箭。忽経小川口村。入熊野川。於是就芳野之途。鬼渓之勝如彼。而寥々無聞。抑山霊秘之歟。嗚呼世之湮没不著者。豈唯此而哉。　野村雨荘《うそう》

（二十二日晨起《しんき》し装を理《ととの》えて静川に赴く。鶴浦送りて岸に至る。則ち昨夜僦《やと》う所の小艇艤《ぎ》せり。乃ち纜《ともづな》を解き流れに縁《よ》りて溯《さかのぼ》る。是れ九里峡為《た》り。蓋《けだ》し峡尽くれば則ち鬼渓なりと聞く。渓は紀和勢に接するの界なり。其の源は北山川より発し、南流して静川と為り海に入る。静川を俗に音無川と称す。舟程、九里許《ばか》り。故にまた九里峡の名有り。舟漸《ようや》く溯れば、景漸く奇なり。一里にして花開き、二里にして鶯囀《さえず》る。茅屋柴門《ぼうおくさいもん》、渓靄山嵐《けいあいさんらん》の間に隠見《いんけん》す。陸が句の所謂《いわゆる》、「山重水複《さんちょうすいふく》路無きかと疑う、柳暗花明《りゅうあんかめい》また一村」の趣き想う可し。進みて急瀬に到る。舟子《しゅうし》岸を歩み、縴《ひきづな》は百丈を以てす。其の深湍《しんたん》には

舷《げん》に攀《よ》じて篙《さお》を撐《と》り、能く手足の労に服す。五禽《ごきん》の戯《ぎ》を学ぶが如し。時に午に近し。永井生をして行厨《こうちゅう》を啓《ひら》か使《し》む。盃を洗いて酒を酌み、薪を燃やして泉を煎《せん》ず。恁然《じんぜん》として自適す。或いは臥《が》して烟《けむり》を吹き、或いは仰ぎて瀑《ばく》を看《み》る。或いは舟を捨てて沙《さ》を歩き、或いは礫《れき》を投じて魚児を驚かす。或いは樵夫《しょうふ》を喚《よ》び、或いは数《しば》しば筏《いかだ》を流す。凡そ心目に接する者、一として遊興に資さざるは莫《な》し。既に小川口村に抵《いた》り、暮色蒼然《そうぜん》たり。農家の宿に就《つ》く。鬼溪を距つること一里なる可しと云う。二十三日、早起して纜《ともづな》を解く。宿霧《しゅくむ》未だ散ぜず、溪山糢糊《けいざんもこ》たり。舷頭《げんとう》時に鳴玉戞々《めいぎょくかつかつ》たるの響きを聞く。則ち暗泉の石を激するなり。九里峡の間、四十八瀑布有り。昨に余の見る所、其の半ばを過ぎず。所謂山陰道中応接に暇《いとま》あらざる者なり。既にして峡尽《つ》き天明らかなり。仰ぎては璀燦《さいさん》たる翠《すい》霞《か》に噏《きゅう》し、俯《ふ》しては淨濚《じょうえい》たる流水に漱《くちすす》ぐ。復た身の一幅の画図中に在るを知らざるなり。舟子忽ち報じて曰わく、「此れより鬼溪に入る」と。回視すれば、山勢逼縮《ひょくしゅく》し、巘崖《げんがい》左右に起つ。維《こ》れ石の谽谺《かんか》せる、鬼斧神鑱《きふしんさん》、奇は正に交《こも》ごも発す。前に歴《ふ》る所の潺湲《せんかん》たる急瀬、変じて弥漫《びまん》せる澄沢と為る。玲瓏紺碧、静かなること鏡の如し。其の長さ凡そ八町、土人因《よ》りて称して八町瀞《はっちょうどろ》と曰う。瀞《とろ》の半ばに一大巌石を得《う》。水中に屹立《きつりつ》して、高さ五十余丈、突兀《とつこつ》として天を擎《ささ》ゆ。石身劈裂《へきれつ》し、蒼蘚之を罨《おお》う。頂きに一株の古松を挾む。蒼髯婆娑《そうぜんばさ》たり。之を望めば遊竜の天に冲《ちゅう》するが如し。位牌《いはい》と曰う。飛泉巌に灑《そそ》ぐ。巌の

韓　国　岳
（西霧島山）

高千穂峰
（東霧島山）

円月洞（紀伊国の南部海岸）

紀伊国田辺町より熊野にいたる海岸は激浪巉岩を浸食し嶄抜奇峭の景象ははなはだ多し　稜盾岩、円月洞の外、白良浜、鬼橋岩、鉛山、玉浦、千畳などの奇勝あり傍に斜めに一巨石を抽《ちゅう》す。形は画軸の如し。縑巻《けんかん》と曰う。峭立安排《しょうりつあんばい》し、曲稜略《ほ》ぼ具《そな》わる。苔痕雲母《たいこんうんも》色と化す者、屏風《びょうぶ》石なり。麗滑《れいかつ》にして攀援《はんえん》し難き者、滑岩なり。其の佗《た》、仏石と曰い、蛭《ひる》石と曰い、釜《かま》島と曰い、大黒島と曰う。皆な形に因《よ》りて名を取るなり。之を弥縫《びほう》するに石楠躑躅《しゃくなげつつじ》を以てす。或いは倒《さか》しまに恠松《かいしょう》の懸《か》かり、或いは横に枯木の架かる。石吻相嚙《せきふんあいか》む。崖肩《がいけん》争い聳《そび》ゆ。殆んど将《まさ》に飛墜《ひつい》せんとして、藤蔓《ふじづる》之を支《ささ》う。雲気之を蒸《じょう》す。魚影空に浮き、山光水に涵《かん》す。奇観万状、変態錯出《さくしゅつ》す。寔《まこと》に造物者の無《む》尽蔵《じんぞう》なり。舟子《しゅうし》仰ぎて瀞の巌穴を指さして曰う、「暗岩なり。就きて之を見るは如何《いかん》」と。乃ち先導せ令《し》む。危崖を攀じ、峭壁《しょうへき》を躋《のぼ》る。踵額《しょうがく》相接す。始めて能く洞口に達す。中虚寂然《せきぜん》たり。十余人を容るる可し。横に竅穴《きょうけつ》を鑿《さく》す。窓牖《そうゆう》の如く然り。其の奥黯然《あんぜん》として測る可からず。暗と名づく所以なり。余大声一嘯《しょう》すれば、則ち四壁震動す。即ち錯愕盤《さくがくばん》旋《せん》して下る。時は已《すで》に晡《ほ》なり。舟を屏風岩の下に繋《つな》ぐ。復た残樽《ざんそん》を傾け、陶然《とうぜん》として一酔す。題句して曰う、「詩中山水画中の舟、占《なす》ね得たり風光の最上頭、鬼通路は是れ神路通、憑仗《ひょうじょう》す先生の記の由る所」と。低回顧恋《これん》之を久しゅうす。遂に帰棹《きとう》を命じて瀞《どろ》を出ず。渓は濶《ひろ》く山は舒《のび》やかなり。激流箭《や》の如し。忽ち小川口村を経、熊野川に入る。是に於いて芳野の途に就く。鬼渓の勝彼の如し。而して寥々《りょうりょう》として聞く無し。抑《そもそ》も山霊之を秘すか。嗚呼《ああ》世の湮没《いんぼつ》して著われざる者、豈《あ》に唯だ此れのみならんや。)

なる紀伊の九里峡、瀞《どろ》八町、鬼通路のごとき、その名いまだ多く世間に喧伝籍甚《せきじん》せずといえども、まことに流水浸食の美、奇、大を代表するもの。

瀑布にいたりては、火山岩を浸食して怒噴《どふん》飛下せる日光の華厳《けごん》、裏見《うらみ》などの諸滝（下野《しもつけ》）、角岩を浸食して、雷轟《らいごう》雨暴し、一大角岩また下よりこれを承《う》けて散沫《さんまつ》珠玉を乱撒《らんさん》せる養老の滝（美濃《みの》）、直立二百七十五メートル、東、西二瀑布と相駢《なら》びて古生紀層の岩石を穿鑿《せんさく》し、ひとしく同一の滝壺《たきつぼ》に条落する大台《おおだい》ケ原《はら》山中の中ノ滝（大和）、澎湃《ほうはい》として斑岩《はんがん》を穿鑿し来り、九天の雨潦《うろう》一時にそそぎ下るに似、雄大荘厳《そうごん》、「日本第一」の称ある那智《なち》ノ滝（紀伊）、第三紀層岩を穿鑿し、その音奔霆《ほんてい》のごとく数町の外に返響する竜門ノ滝（大隅《おおすみ》）のごとき、日本のいわゆる大瀑布なるものすなわちこれ。

その他流水浸食の奇抜なる結果には、岩船越の岩船《いわふね》（河内《かわち》交野《かたの》郡巌船村、高さ六メートル余、長さ十五メートル、船に似たる巨岩）、葛城《かつらぎ》山中なる久米ノ石橋（河内石川郡平石村、幅一メートル、長さ二メートル半の巨岩、面に橋板のごときもの四枚あり）のごとき奇巌あり。多摩川上流（武蔵《むさし》）、鐘坂（丹波《たんば》、明智《あけち》光秀《みつひで》の城墟傍近）の石門あり、五串《いつくし》渓（陸前）、猿橋《さるはし》（甲斐《かい》）、山伏谷（美作《みまさか》、津山川の穿鑿せしもの、左岸に「地蔵巌」あり）、豪渓（備中《びっちゅう》）のごとき峡谷あり、しこうしてこのごとく流水の峡谷を穿鑿するや各般の地層は谷の両崖に各般の形式、状態彩色を現して露出し来り、みてもって美とすべきものあり、奇とすべきも

のあり、怪とすべきものあり。その

（五）流水の浸食に伴える他の現象

にいたりては、小虹《しょうこう》の起こるあり、溪声の大なるあり、岩石の磊落瑰奇《らいらくかいき》なるあり。もしそれ雲行勃々《ぼつぼつ》、急風に駆《か》られて奔騰《ほんとう》し、山背に衝《あた》りて少しく停まり、電光この間より一閃《せん》して、雷声殷々《いんいん》、須臾《しゅゆ》に風やみて雨粒垂直線状に下り倏忽《しゅくこつ》にして万丈の彩橋、雲雨を破りて現れ、一端は高嶺の絶頂に架して一端は溪下の水を飲み、その間幾多の小山岳を杭《くい》となし、睥睨《せいげい》一空、雲雨これをみ、あえて敵せずして寂然《せきぜん》避け去るもの実に虹にあらずや。しかも虹の天界に現る一回に一個もしくは副虹一個にとどまる、流上の虹にいたりてはしからず、

滝の中より虹数十条起こり錦を織れるがごとく誠に見事なり　大隅　竜門ノ滝

というごとく、懸瀑灑々《けんばくさいさい》砕雨をなすところ、もしくは流水乱石と闘い、噴沫《ふんまつ》四迸《へい》、飛瀉跳梁《ちょうりょう》する辺、日光たまたま反映するや、七色嬌麗《きょうれい》、処々に小暈《しょううん》を吐き、はるかに天界の虹と相応じて、大暈《だいうん》、小暈、上下数重、倚立《いりつ》互いに配対す、真に絶愛するに足るもの。

溪声にいたりては、日本の溪谷は浸食の激烈なるがゆえに、両岸峭然《しょうぜん》、斗崖《とがい》側立、ために流水音響の震動線はほしいままに外に放散するを得ず、音響峡内に凝結するが上に、峭然

たる斗崖《とがい》に反響し、かねて石に触れ巌と撃《う》ち、正響、反響相発し相応じ、加うるに日本の陸面は傾斜急劇に、かつや水蒸気の多量なるをもって、渓声はいよいよますます大となり、自然の大音楽を奏するを聴く。

岩石は、浸食の激烈なるがために、千変万幻し、かつや水力の猛劇なる、よく巨大の岩石を山中より下流に運搬し里人の指点して「弁慶《べんけい》の携え来りたる石」、「天狗の擲《さら》え来りたる岩」など称《とな》うるもの多くはこれ。想う石、水に頼りてあるいは平大となり、尖峭《せんしょう》となり、あるいは横臥《おうが》し、直立し、あるいは竜盤《りゅうばん》し、虎踞《こきょ》し、あるいは岸に臨みて流れを探り、水に浸して半ば露われ、あるいは砕石滾々《こんこん》として蕩漾《とうよう》し、沙脚蒹葭《けんか》の間に隠見《いんけん》し、石の気韻《きいん》、水を得てここに初めて生動す。要するに流水の浸食に伴える他の現象や、またしきりに日本国の景象に美を倍し奇を添うもの。

すでに流水の浸食をいう、ここにいたりて

静中また忙あり

坦然と凝滞《ぎょうたい》なし

境逆なるも晏安《あんあん》

ひとり寒素を守る

雪　湖　生　画
矧　川　生　題

（六）湖水の浸食

を叙述せんか。湖水は面積素《も》と小、ゆえに風一たび蓬々《ほうほう》として起こり、波浪を振るうに当たりては、その振るうべき範囲小なるがゆえに、波浪個々はかえって猛となり大となり、咆《ほう》哮《こう》洶湧《きょうよう》、沿岸地質の脆弱《ぜいじゃく》なる部分を浸食す。琵琶湖のごときこれに注入する諸河流の渣滓《さし》泥土により、沿岸に新土壌を沖積すること多しといえども、ときにまた沿岸の土壌を浸食することあり、竹生《ちくぶ》島は、けだし太古における陸地の古趾《こし》、堅硬《けんこう》なる花崗岩より構造さるるをもって、湖水はすなわち浸食しえず、石壁《せきへき》森然《しんぜん》もって今日に残留する所因、

> 竹生島のそばに小島ありこれはもとさきに生ぜし島なり又まゝ子島ともいふ勢田川の下流に黒津の大日山といふあり此小島はむかし竹生島かけてこゝにとどまりし山也といふ故に毎年三月三日島つなぎといふ事あり〔廻七十五間水面より高さ九間六寸〕又こゝに島つなぎ松あり（近江《おうみ》名所図会）

と、口碑《こうひ》宛然《えんぜん》地勢の現象と相適《かな》う、太古琵琶の沿岸を浸食せしこと推知《すいち》すべきのみ。その

（七）海水の浸食

にいたりてまたしかり。日本の海岸は多雨多風、水蒸気多量なるが上に、風激し、濤《とう》乱れ、乱濤《らんとう》と海洋中の塩分とは、外部より内部より沿岸地質の脆弱なる部分を浸食し、岩石ために崩墜《ほうつい》するや、風や、濤や、塩分や、共にこの崩墜せる岩石を駆り来り駆り去りて倔強《くっきょう》の削器《さくき》となし、浸食力さらにいっそう、あるいは奇礁《きしょう》を碁《き》峙《じ》せしめ、あるいは怪巌を紛錯《ふんさく》せしめ、あるいは巉絶《ざんぜつ》なる海角を刻出し、あるいは陸地の一部分を齧《か》みて新たに島嶼《とうしょ》を彫作し、あるいは懸崖《けんがい》斗壁《とへき》を鉋《かんな》し来りあるいは嶴湾《おうわん》を鏤《きざ》み、あるいは洞窟をうがち、石門を闢《ひら》き隧道《すいどう》を通ず。洋客の日本の海岸を咏ずるあり、

"Where sombre pines and feathery bamboos joined
In constant contrast, ever green; and peeps
Adown the sheer face of the jutting crag,
　Where blue-green waters lapped among the rocks,
　Swishing with sea weed, and the hollow caves
Resounded with the tide."——Rev. A. Lloyd.

ほの暗き松、竹の茂り　交わりて
絶えざる対照をなし常緑、そそり立つ
懸崖の面《おもて》の瞰下《かんか》する所、
海藻をまき込む青緑の海水、
岩間を浸し、　洞穴　潮騒の
反響を伝うる所

と、このごときの句、日本の海岸をみずんばついに発しえざるもの。さらに洋客の長崎の風物を哦《うた》うあり、

"When morning dawned a glorious scene displayed
Its coloured splendours to the trotters' view:
That land-locked haven a wond'rous picture made,
For three miles stretching out in shimmering blue,
Within its circling belt of hills embayed,
With creeks, and coves, and cranklings not a few:
To some old voyagers who were on board

It seemed good as a Scandinavian fiord."——A. Miall.

曙光《しょこう》の見え初《そ》むる折、光沢の潮路
壮大の彩りに漂客《ひょうきゃく》の眼を楽しませ
陸地《くがち》に囲繞《いじょう》の碇泊の地、一幅の驚嘆を点ず
三里ほのかな薄緑の拡がりに延び
帯状の連山に囲いこまれ
小湾在り、入江在り、湾曲少なからず
船上の老いたる乗客には、北欧、
狭湾《フィヨルド》に似て良しと感ず者も在りき。

と、ひとり瓊浦《けいほ》の「十八湾」のみならず、九州の西海岸や、犬牙《けんが》鋸歯《きょし》のごとき湾曲を彫鏤《ちょうる》し、恰好たるノルウェーのフィヨルド、その

孤洞如秋月。　　孤洞《こどう》　秋月の如く、
海口霧始空。　　海口　霧始めて空し。
扁舟直穿過。　　扁舟　直ちに穿過《せんか》し、
似欲向蟾宮。　　蟾宮《せんきゅう》に向かわんと欲するに似たり。

（山水奇観）

という

坊ノ津

薩摩川辺郡の西南隅にある港湾たりこの辺沿岸出入多し

坊ノ岬西南位に斗出《としゅつ》するところ、一大石門の海上に兀立《ごつりつ》するあり、「秋月洞」と名づく、利刀のごとき二岩海上に竪立《じゅりつ》するあり、「双剣石」と称うこの辺いたるところ海水浸食の痕《こん》跡《せき》歴々徴すべし、景物跌宕《てっとう》、真に奇観たり。

の奇観をつくり、景物いたるところ跌宕《てっとう》、その他対馬の海岸もまたしかり（挿画中につまびらかなり）。四国にいたりては、伊予の佐田岬、長嘴《ちょうし》海中に延曳《えんえい》する九里、その極西端、はるかに九州の地蔵岬（豊後《ぶんご》）と相応対するところ、太古紀層《たいこきそう》の挿緻《そうち》なる岩柱、矗々《ちくちく》として幾個となく海上に森立し、怒潮佐賀ノ関海峡より闖入《ちんにゅう》して、ますます柱を刮削《かっさく》し、真個に日本の偉観をなす、その土佐の

竜《たつ》串《くし》

土佐幡多《はた》郡三崎村蹉跎、一切二岬の間土佐陸地の西南位を取りて海上に延縁する沿岸にあり

三崎村の沿岸男体、女体二山の下、「布引石」、「竹石」、「竜門」、「仙人洞」、「紫雲」「鞠《まり》石」、「鬼礫石」、「獅子石」、「蛙石」、「雪中梅」、「小紋石」、「盲人石」、「不背山」、「木山」（峭《しょう》絶《ぜつ》なる巌丘上に一巨樹植《た》つものを称す）、「碁盤石」、「千畳石」、「夢ノ浮橋」等あり、これらの奇礁《きしょう》洞窟たるみな激烈なる海水および黒潮の浸食によりて刻出穿鑿《せんさく》せられたるもの。

のごとき、奇礁《きしよう》乱立、縦横欹《き》斜《しや》、また海水浸食の好模本、本州にいたれば、著名なる

親《おや》不《しら》知《ず》子《こ》不《しら》知《ず》　越中《えつちゆう》の東境より越《えち》後《ご》に入り市振、外波、歌を経て青海《おうみ》にいたる間の街道は巌崖《がんがい》日本海に臨む　市振より青海にいたる五里三十町間は巌崖日本海に臨み巉絶《ざんぜつ》を極尽《きよくじん》す市振よりいわゆる親不知子不知までは第三紀岩、親不知子不知より外波まで秩父岩、外波より歌までは珠羅岩、歌より青海までは石灰岩（少許《すこしばかり》）、秩父岩より組成す、日本海の浪濤《ろうとう》這般《しやはん》の岩石を衝撃しこの巌崖を刮削《かつさく》せしもの、浪濤《ろうとう》の飛沫《ひまつ》時に行人の衣袖《いしゆう》に乱撲《らんぼく》することあり。

松　島　陸前宮城、桃生《ものう》二郡いわゆる日本三景の一　いわゆる八十八島はもと陸前大陸（第三紀層）の地続きなりしも、太平洋の浪濤これを衝撃浸食し、一部分のみを残留してついに化成せしもの。

その他「観念窟」（紀伊友ヶ島）、熊野の海岸（紀伊）、「岩門《いわと》」（若狭《わかさ》遠敷郡外面浜の海中、高さ海上より八メートル半、東西二門あり大門小門と称す）、弁財天ノ窟（相模《さがみ》江ノ島）、夫婦《めおと》石《いし》（伊勢二見ヶ浦、挿画中につまびらかなり）、三尊窟（伊豆《ず》下田港の西南手石浦の岬上にあり、窟大にして舟を入るべし、最奥の石上に弥陀《みだ》三尊《ぞん》来迎《らいごう》の像を刻す）、鉉浦（伊豆熱海の近南）、鉉懸岩《つるかけいわ》（後志《しりべし》奥尻島、挿画中にあり）、冬島の海岸（日高、挿画中につまびらかなり）のごとき、みな海水浸食の奇跡。

ひとり洋海上、湖上のみならず、乾陸上にもまた流水浸食の奇跡遺存せるものあり、すな

わち末ノ松山（陸奥《むつ》、挿画中につまびらかなり）のごとき、太古湖水もしくは洋海に沿いたるさい、湖水もしくは海水に浸食されたるも、後、土地の昇騰《しょうとう》により、湖水もしくは海水の遠く排出せられたる痕跡《こんせき》は、今日古歌と地文学に徴してこれを証左し得。

これを要するに、日本の国土たる、内陸の水、洋海の水、共にその浸食劇烈なるがため、島嶼《とうしょ》地裂け、山開き、危峰削《けず》られ、怪巌わだかまり、石門ひらき、飛瀑下り、鬼窟うがち、起こり、懸崖《けんがい》洗われ、嶴湾《おうわん》屈折し、長嘴《ちょうし》短角凸兀《とつこつ》斗出し、瑰偉《かいい》、峻峭《しゅんしょう》、変幻、詰曲《きつきょく》を極尽す、真に日本の絶特。その挿画中なる越前浜坂浦の泥柱は内陸流水の浸食して刮削《かっさく》するところ、かの舟人の拝崇せる北海道神威岬端の「神威岩《かもいいわ》」は海水の浸食して彫鏤《ちょうる》するところ。

忍路高島不可企。
歌棄磯谷猶可矣」
奥嬢越児顔如玉。
琅琅唱出追分曲」
一唱二唱皆悲涼。
不知何声適我郎。

忍路高島　企《のぞ》む可からず、
歌棄磯谷　猶《な》お可なるがごとし。
奥嬢越児　顔は玉の如く、
琅琅《ろうろう》として唱出す追分《おいわけ》の曲。
一唱二唱皆な悲涼たり、
知らず何の声か　我が郎に適《ゆ》かんや。

矧《しん》川《せん》生

伝云。昔者。廷尉源義経。昵蝦夷一酋長之女。不告別。而往満洲。女追到神威海角。不及。悵望廷尉之船。顫身慟哭。呪曰。和人之船。載婦女。過此。則覆没矣。遂化為石。後人崇石。名神威巌。神威者。夷語猶曰神。従是本州之船。不帰載婦女。而入于海角以東。忍路。高島。在角東。歌棄。磯谷。在角西。追分之曲故云。徳川氏之末。織部正堀正煕。為箱館奉行。慨然曰。生育植養者天道也。豈有天孫之裔不可殖於蝦夷之理哉。乃艤大艦。満載婦女。放巨礮。而過神威海角。本州人移住蝦夷内地。始于此。

（伝に云う。昔者《むかし》、廷尉の源義経、蝦夷の一酋長《しゅうちょう》の女と昵《した》しむ。別れを告げずして、満洲に往く。女追いて神威《かもい》の海角に到るも、及ばず。廷尉の船を悵望《ちょうぼう》し、身を顫わし慟哭《どうこく》す。呪《のろ》いて曰わく、和人の船、婦女を載せて、此を過ぎば、則ち覆没せん、と。遂に化して石と為る。後人石を崇《あが》め、神威巌《かもいいわ》と名づく。神威《かもい》とは、夷語にて猶お神と曰うがごとし。是れより本州の船、婦女を帰載せず。而して海角に入りて以て東す。忍路、高島は角東に在り。歌棄、磯谷は角西に在り。追分の曲に故に云う。徳川氏の末、織部正堀正煕《おりべのしょうほりまさき》、箱館奉行と為り、慨然《がいぜん》として曰わく、生育植養は天道なり。豈《あ》に天孫の裔《えい》蝦夷に殖す可からざるの理有らんや、と。乃《すなわ》ち大艦を艤《ぎ》して、婦女を満載し、巨礮《きょほう》を放つ。而して神威の海角を過ぐ。本州の人蝦夷の内地に移住するは、此より始まる。）

六　日本の文人、詞《し》客《かく》、画師、彫刻家、風懐の高《こう》士《し》に寄語す

島帝国の文人、詞《し》客《かく》、画師、彫刻家、風《ふう》懐《かい》の高士にして、寂《せき》焉《えん》として草木と併《なら》び朽《く》ちんと欲せばやむ、しかも雄大卓《たく》落《らく》たる技倆を揮《き》灑《さい》し、絶代の大作、曠《こう》世《せい》の傑品を新創せんとするか、すべからく日本国土絶特のものに寄《き》託《たく》せんことを要す。夭《よう》桃《とう》白《はく》李《り》、嫩《どん》緑《りょく》軟紅、佳はすなわち佳、しかもこれいまだ諸君子が満《まん》腔《こう》の心血をそそぐに足らざるもの、諸君子が満腔の心血をそそぐに足るは、かの水蒸気にあり、活火山、熄《そく》火《か》山、火山岩にあり、流水の激烈なる浸食にあり。日本、水蒸気の変幻開《かい》闔《こう》や、千態万状、森《しん》羅《ら》せる景象ことごとくその間に隠見出没す、真成に造化の太秘を探らんとし、大極の至妙を悟らんと欲せば、水蒸気の変幻開《かい》闔《こう》によらずんばとうていあたわざるところ、万化を冥《めい》合《ごう》する実にこの一気より来る、諸君子なぞこれによらざる。活火山、熄《そく》火山、火山岩もまたしかり、自然の大活力を認識し、高《こう》邁《まい》雄抜の心懐を寄託せんと欲せば、ついにこれに頼らざるべからず。流水浸食力の激烈、これ我

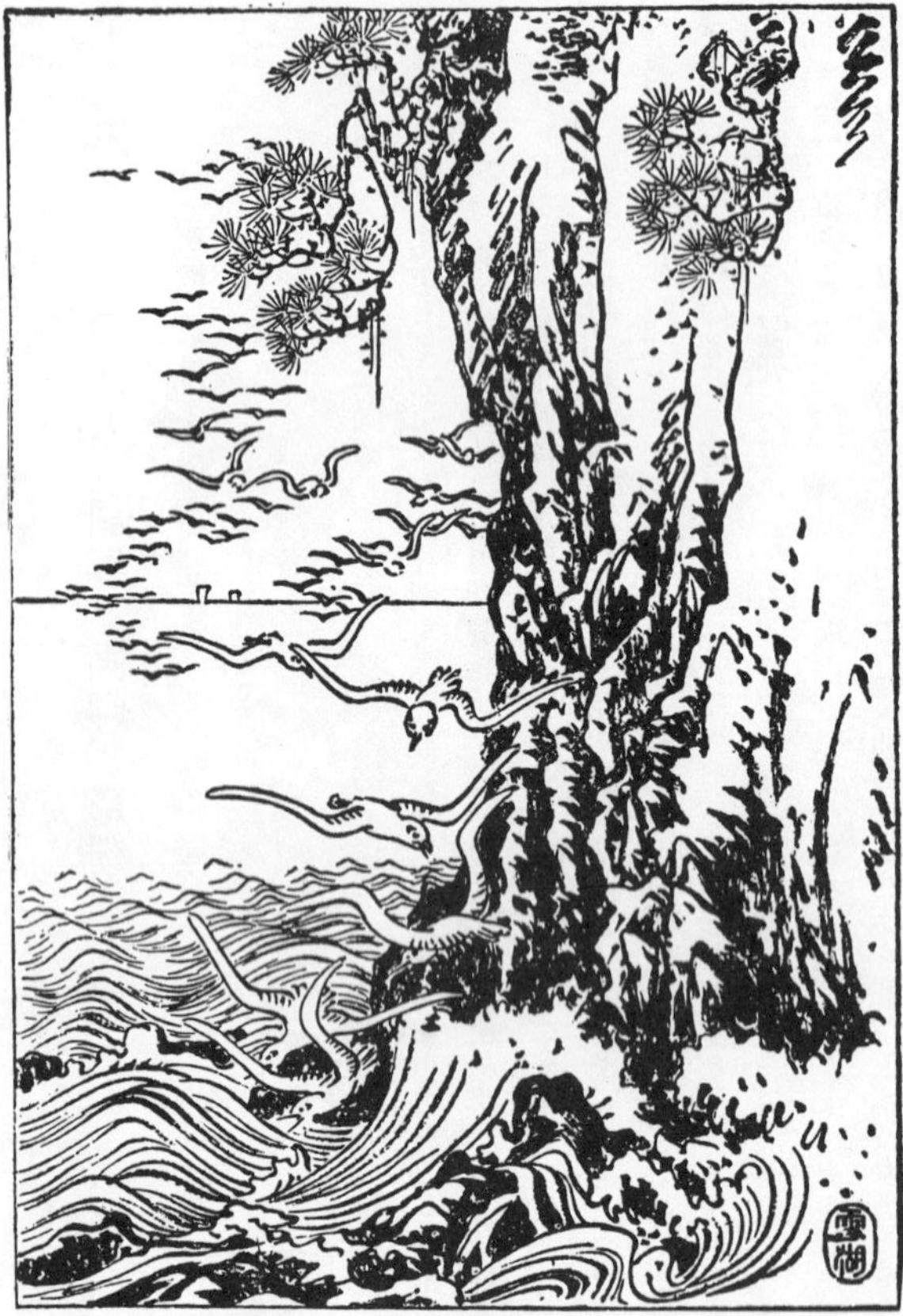

対馬の海岸

西岸の岩石は頁岩《けつがん》にあらずんば砂岩なり　風は西北風多し　宗助国の廟は小茂田村に建つ　小茂田浜神社と号し県社なり

稜盾《りょうじゅん》岩

（紀伊国の南部海岸）

紀伊国田辺町より熊野にいたる海岸は激浪巉岩《ざんがん》を浸食し聳抜奇峭の景象はなはだ多し

を恢弘《かいこう》し我を豪爽《ごうそう》たらしむ、いやしくもこの水蒸気を写し、この火山を刻み、この流水を描かんとするもの、あに庸々《ようよう》齷齪《あくせく》の徒のなし能《あた》うところならんや、諸君子にして志堕《お》ち節くだけ、唯々《いい》として俗と俯仰《ふぎょう》し、平山凡水の間に満足せんとするか、この造化の日本に厚賚《こうらい》するところをいかんせんとする。

かつそれ諸君子一たび北海道に遊ばんことを要す。想いみる、寒冷海流（親潮）東より来り、温暖海流（黒潮の支派、対馬《つしま》海流）西よりいたり、両々の相撞撃《とうげき》するや、水蒸気飛噴《ひふん》して白神岬頭（渡島《おしま》）に凝結し、雲霧《うんむ》四合、その上より岬頭《こうとう》の峰尖《ほうせん》高く半天に孤聳《こしょう》するところ、そのカモイコタン（後志《しりべし》）の絶壁三、四百尺、朔風《さくふう》蓬蓬《ほうほう》として満州より吹き当たり、乱濤奔《らんとうほん》馬《ば》のごとく壁下に迫りて、砕沫《さいまつ》軌道に飛瀉《ひしゃ》し、汽笛長嘯《ちょうしょう》、鉄車黒煙を噴きて隧道《すいどう》に入るところ、そのタップコップ（石狩《いしかり》）の山上、瀰茫《びぼう》六十里、石狩の大江汪々《おうおう》としてその間に曲折し、田疇《でんちゅう》墟落秩々《ちつちつ》として画くがごとく、新開地の活気鬱勃《うつぼつ》たるを映出するところ、みな諸君子が心懐を寄託するに足れり。特に心懐を寄託するに足るは、その原人時代の景象これなり、北海道自然の景象や、仮装せず、矯飾《きょうしょく》せず、欝々万古、実に化工の有りのままを開展す、絶代の大作、曠世《こうせい》の傑品、あにこの間に発せざらんや。

すでに日本江山の洵美《じゅんび》を尽述《じんじゅつ》す、ここにいたり感に禁《た》えざるものあり。初め皇天《こうてん》の洵美《じゅんび》なる国土を日本民族に賜与《しよ》するや、さらに今日より大なるものあり。

余嘗行天下。察其各土之風。如平安。水清山秀。風景極為佳麗。而人心繊嗇。無大国之風。浪華則俗。江戸則粗。皆不慊人意。窃思莫如我郷之楽。余阿波人也。郷為三谷。倚山成邑。谷邃峰秀。老木千章。蒼翠蔚然凌青霄。殆都会之所未有。平生以此自負。及航北海。覧雄城《おしよろ》大《お》樽《たるない》間等山川。則爽然自失。及閲島内諸処。益覚其勝出人意表。

岡本韋《い》庵《あん》

(余嘗《かつ》て天下を行き、其の各土の風を察す。平安の如きは、水清く山秀《ひい》ず。風景極めて佳麗を為す。而も人心繊嗇《せんしょく》たりて、大国の風無し。浪華《なにわ》は則ち俗、江戸は則ち粗、皆な人意に慊《あきた》らず。窃《ひそ》かに思うに我が郷の楽しみに如くは莫《な》し。余は阿《あ》波の人なり。郷三谷を為す。山に倚《よ》りて邑《ゆう》を成す。谷は邃《ふか》く峰は秀ず。老木千章《せんしょう》たり。蒼翠蔚然《そうすいうつぜん》として青霄《せいしょう》を淩《しの》ぐ。殆んど都会の未だ有らざる所なり。平生此を以て自負す。北海に航するに及び、雄城《おしよろ》大《お》樽《たるない》間らの山川を覧《み》、則ち爽然《そうぜん》自失せり。島内の諸処を閲するに及び、益《ますま》す其の勝人の意表に出ずるを覚ゆ。)

というかの樺太島を失いたるすなわちこれ。しかれども今やわが皇《こう》の版図は台湾島に拡張して、熱帯圏裡の景象は新たに日本風景中に加入し来り、かねて期年山東《さんとう》半島にしてわが皇

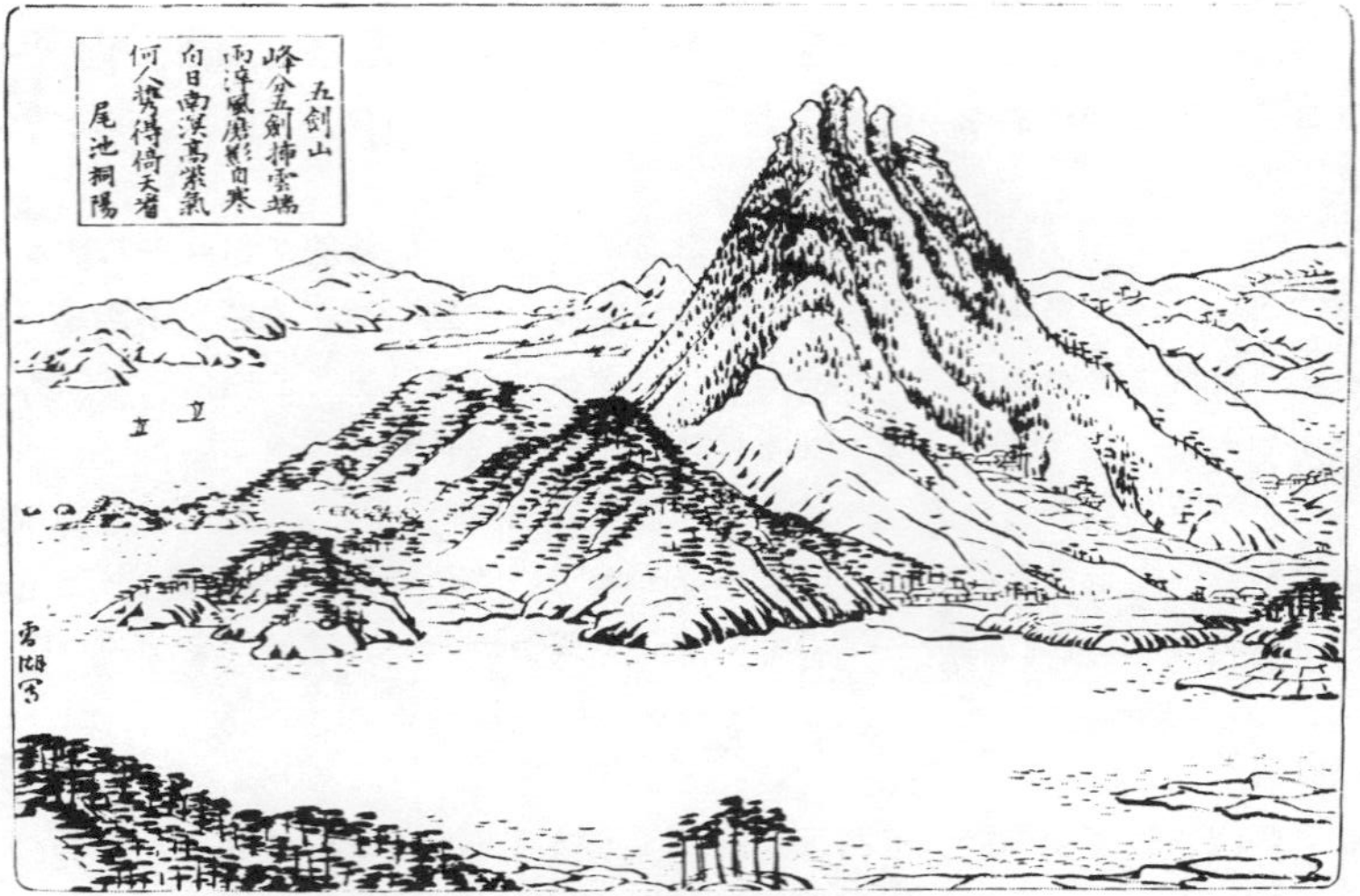

五 剣 山　（一名八栗山　讃岐国三木郡牟礼村より八町）
花崗岩の上に存在せる火山岩の太気、雨水等に浸食せられいわゆる「五剣」を化成す
元禄十一年五月十一日より二十一日に至る大雨のさい二十日払暁五剣の一（北峰）崩壊す

頼山陽、詩あり、いわく、「純石峰を為し　勢飛ばんと欲す。　峰頭更《さら》に戴《いただ》く　幾屢巖《いくすいぎ》。　西州画かんと索めしも　多く獲ること無し。　此の天然を獲しは　黄大痴《こうたいち》なり。」と。しかれども黄大痴は火山岩の水食をみえざる国土の人、火山岩、水食の磊落豪健なる景象はとうていその頭脳中に無きところ、よくこの景象を描きうるは日本の画家、詞人にあり。

の版図中に納まらんか、山東は、シナ人が古往今来「岱宗《たいそう》」と仰望《ぎょうぼう》する泰山のあるところ、すなわち新山河の雲煙水光を描き出し、『日本風景論』の材料を膨大して、改刷重版し、もってさらに風懐の高士、彫刻家、画師、詞客《しかく》、文人の一大粲《さん》を博《はく》せんか。料《はか》り知る、わが富士山を「岱宗《たいそう》」となし、「千島富士」（千島チャチャノボリ）、「蝦夷《えぞ》富士」（胆振後方羊蹄《しりべつ》山）、「津軽《つがる》富士」（岩木山）、「南部富山」（岩手山）、「吾妻《あずま》富士」（岩代《いわしろ》吾妻山彙中、一名小富士山）、「榛名《はるな》富士」（榛名山彙の最高点）、「信濃《しなの》富士」（黒姫山）、「鎌倉富士」（相模《さがみ》屏風山の傍）、「伊豆富士」（伊豆賀茂郡大室山）、「八丈富士」（八丈島西山、一名甑峰《こしきほう》）、「近江《おうみ》富士」（三上山）、「都富士」（比叡山）、「有馬《ありま》富士」（摂津《せっつ》有馬郡尼寺村角山）、「播磨《はりま》富士」（播磨明石町と三木町間のメコウ山）、「伯耆《ほうき》富士」（大山《だいせん》）、「安芸《あき》富士」（安芸広島市傍近）、「讃岐《さぬき》富士」（飯ノ山）、「小富士」（伊予興居島）、「筑紫《ちくし》富士」（筑前志摩郡可也《かや》山、里称親山）、「豊《ぶん》後《ご》富士」（由布岳）、「薩摩《さつま》富士」（開聞《かいもん》岳）と共に、台湾の最高峰玉山はさながら富士山に形似するをもって今や「台湾富士」と転名し、山東省の泰山は期年「山東富士」と変称し、ひとしく富士山の名称を冒《おか》さしめんことを。日本の文人、詞客《しかく》、画師、彫刻家、風懐の高士《こうし》は、ここにいたりて一新改観、先人に超越するの大作傑品を創作せずして可ならんや、何物の拘儒《こうじゅ》かまた「帝掬崑崙雪。置之扶桑東。突兀五千仞。芙蓉挿碧空」（帝は掬《すく》う崑崙《こんろん》の雪。之を置く扶桑《ふそう》の東。突兀《とっこつ》たり五千仞《じん》。芙蓉碧空《へきくう》に挿《さ》す。）と唱うものぞ、筆を擱《お》くに当たりて意気千秋。

七　日本風景の保護

この江山の洵美《じゅんび》なる、生植の多種なる、これ日本人の審美心を過去、現在、未来に涵養《かんよう》する原力たり。この原力にして残賊《ざんぞく》せられんか、日本未来の人文啓発を残賊《ざんぞく》すると同一般、しかも近年来人情醨薄《りはく》、ひたすら目前の小利小功に汲々《きゅうきゅう》とし、ついに遙遠《ようえん》の大事宏図《こうと》を遺却《いきゃく》し、あるいは森林を濫伐《らんばつ》し、あるいは「名木」、「神木」を斬《き》り、あるいは花竹を薪《たきぎ》となし、あるいは古城断礎《だんそ》を毀《こぼ》ち、あるいは「道祖神《どうそしん》」の石碣《せっけつ》を橋梁《きょうりょう》に用い、あるいは湖水を涸《こ》乾《かん》し、あるいは鶴類を捕獲し尽くし（維新後、松島の松樹を伐りて木材となし、東京忍ケ岡の桜樹を斬りて印材となし、「物を喰《くら》う」とて奈良春日《かすが》神社の鹿を絶えさんとし、「文明開化の世に無用の長物なり」とて東京芝増上《ぞうじょう》寺に放火せし者の類《たぐい》は、近年来、少しく改悛《かいしゅん》したりといえども）、もって日本の風景を残賊する、そこばくぞ、かつや名所旧跡の破壊は歴史観念の連合を破壊し、国を挙《あ》げて赤裸《せきら》々《ら》たらしめんとす。日本の社会は、日本未来の人文をいよいよ啓発せんため、ますます日本の風景を保護するにつとめざるべからず。名所図会類にいたりてもまたしかり、想う名所図会なるもの過去において人々に旅行を奨誘《しょうゆう》し、山水の間に優遊《ゆうゆう》するの好風尚《ふうしょう》を勾引《こういん》したる感化や著大、しこうして今日に当たるも憑拠《ひょうきょ》するに足るもの多し、これもとより棄《す》つべからず。

みやぎ野の萩や小鹿のつまならん花さきしより声も色なる
さまざまに心ぞとむる宮城野のはなのいろいろ虫の声々
宮城野の風まち詫《わぶ》るはぎが枝に露をかぞへてやどる月かげ
あき萩の下葉の露も色づきてうづらなくなる宮城ののはら
哀れいかに草ばの露のこほるらん秋風たちぬみやぎ野の原
鹿の音も虫もさまざま声たえて霜かれはてぬ宮城野のはら

と古歌に咏《よ》み、玉露金風、虫声萩花《しゅうか》、千古の韻事《いんじ》を留めたる宮城野（陸前）も、

宮城野に大根植てへらしけり　曰人

吟笻攬勝入煙蕪。　吟笻《ぎんきょう》して勝を攬《と》らんとするも　煙入りて蕪《ぶ》せり。
野草野花路欲無。　野草野花　路に無からんと欲す。
惆悵当年幽絶処。　惆悵《ちゅうちょう》して当年　幽絶せし処。
近来鋤地種蘿蔔。　近来地を鋤《す》きて　蘿蔔《らふく》を種《たね》まけり。

松井梅屋《まついばいおく》

となりおわんぬ。美や、利といまだ相調和せざる、由来同一の感慨。

八　アジア大陸地質の研鑽　日本の地学家に寄語す

これ『日本風景論』を艸《そう》しおわるに当たりていうべきもの。想う日本、東洋の表に立ち、地質もとより西大陸と等しからず、故をもって西洋地学家が定用するところの術語は、日本の地質系統を概括するに不明瞭、不便宜なるところ多々、これ日本の先輩地学家が三波川層、御荷鉾《みかぶ》層、秩父《ちちぶ》系、小仏《こぼとけ》系、三倉層、八谷層、御坂系などの新術語を創作せし所因。けだしかの土の地学家、所在の岩石に命ずるに、ローレンシャン系、ヒューロニヤン系、キャムブリヤン系、サイルリヤン系、デヴォニヤン系、ジュラシック系等の名称をもってするもの、これこのごとき岩系のアメリカ、イギリス、フランスに多在するをもってのみ。しかも日本や、もとアジア大陸より分離せる一大陸島、遠く太古《たいこ》に遡《さかのぼ》れば、大陸の一部分、故をもってアジア大陸の岩系、岩統は日本と等一なるもの多きを知る、ローレンシャン、ヒューロニヤン、キャムブリヤン、サイルリヤン、デヴォニヤン、ジュラシック等の名称、業すでにかの土の地系統を概括し得、アジア大陸の地質系統、あに日本の三波川層、御荷鉾層、秩父系、小仏系、三倉層、八谷層、御坂系の名称をもって概括し得べからずとせんや。日本はアジアの先輩国たり、アジア人文の開発は、日本人の天職とするところ、すなわち西洋地学家のいまだアジア大陸の地質をはなはだ研鑽せざるに当たり、日本の地学家たるもの、すべからくこれを辛苦経営し、三波川、御荷鉾、秩父、小仏、三倉、八谷、御坂等の新術語をもって、アジア大陸の岩石系統に冠せしめ、もって日本理学の令名《れいめい》を千秋に垂《た》れ、もって世界の理学に大材料を寄付し、もって日本地学家の使用せる新術語を地学世界いたるところに使用せしむ、これ日本地学家のなす有るべきところにあらずしてなんぞ、幸いに日本の地質図は先輩地学家諸君子の辛苦《しんく》経営に頼《たよ》りてほぼ大成す、今後のなす有るべきは実にアジア大陸地質図の大成にあり。想うてここにいたれば、西天を睥睨《へいげい》して長吁《ちょうう》するもの幾回、たれか吾妻《あずま》岳上、そそぐところの鮮血を拉《らっ》してこれを崑崙《こんろん》の山巓《さんてん》にそそぐものぞ。

九　雑感　花鳥、風月、山川、湖海の詞画について

（第一）日本国を構造せる主要の岩石　をまず参考のため列挙すべきか。

水成岩

無生大統

一　片麻岩《へんまがん》系

片麻岩類。雲母片岩。角閃岩《かくせんがん》。大理石。Eclogite岩。

一　結晶片岩系

滑雲母《かつうんも》片《へん》岩。雲母片岩。紅簾《こうれん》片岩。Glaucophane 片岩。斑点石墨片《はんてんせきぼくへん》岩。斑点《はんてん》滑雲母片岩。斑点

緑泥片《りょくでいへん》岩。緑泥片岩。等

古生大統

一　秩父系

輝《き》岩《がん》。石英岩。石灰岩。Adinole 板岩。古生紀凝灰《ぎょうかい》岩。砂岩。粘板《ねんばん》岩。蛮岩《ばんがん》。角岩。Radiolarian

板岩。等

二　小仏系

粘板岩。砂岩。Adinole 板岩。

中生大統

一　三畳系

粘板岩。砂岩。頁岩《けつがん》。蛮岩《ばん》。石灰岩。

二　珠羅《しゅら》系

粘板岩。砂岩。頁岩。石灰岩。

三　白堊《はくあ》系

砂岩。蛮岩。凝灰岩。頁岩《けつがん》。粘板岩。石灰岩。

近生大統

一　第三紀

凝灰岩。砂岩。蛮岩。角蛮岩。凝灰質砂岩。頁岩。泥灰岩。硅藻土《けいそうど》。等

二　第四紀

壌土《じょうど》。砂。粗質蛮岩。粘土《ねんど》。等

火成岩

古噴岩《こふんがん》

花崗岩類。石英斑岩。閃緑《せんりょく》岩。石英閃緑《せんりょく》岩。橄欖《かんらん》岩。斑糲《はんれい》岩。蛇灰岩《じゃかいがん》。蛇紋岩《じゃもんがん》。輝緑《きりょく》岩。閃緑玢岩《ふんがん》。輝緑玢岩。等

新噴岩

石英粗面《そめん》岩。黒曜《こくよう》岩。真珠岩。浮岩《ふがん》。Dacite。粒状安山岩《フロビライト》。輝石安山岩《きせきあんざんがん》。角閃《かくせん》安山岩。頑火石安山岩。火山焼岩。玄武岩。等

（第二） 富士山は「名山」の標準となすは、古往今来みなしかり、

富士の山おなじ姿に見ゆるかなあなた面もこなたおもても　衛門督僧都《えもんのかみそうず》

と、円錐《えんすい》体火山を描きて余《よ》蘊《うん》なし、真個に「名山」の標準なる哉。日本の山岳、富士を標準とし、富士の名称を冒《おか》すもの多々、ひとり安山岩（火山岩）たる岩木山開聞岳《かいもんだけ》の

富士見ずばふじとやいはん陸奥の岩木の岳をそれと詠《なが》めん　定家卿《ていかきょう》

薩摩がた頴娃《えい》郡《こおり》なるうつね島これや筑紫の富士といふらん　松葉集　読人しらず

と詠まれ安山岩たるチャチャノボリの「千島富士」、後方羊蹄山の「蝦夷《えぞ》富士」、岩手山の「南部富士」、吾妻山の「吾妻《あずま》富士」、榛名山の「榛名《はるな》富士」、黒姫山の「信濃富士」、大室山

（海抜五七五メートル）の「伊豆富士」、西山の「八丈富士」、飯ノ山の「讃岐《さぬき》富士」、興居《ごご》島南の「小富士」、由布岳の「豊後《ぶんご》富士」たり、玄武岩（火山岩）たる可也岳（海抜三九八メートル）の「筑紫富士」と喚《よ》びなさるるのみならず、花崗岩たる比叡山すら

ふりつもる雪の頃なほさぞなとも都の富士の岳のあけぼの　　拾《しゅう》遺《い》集《しゅう》

と咏まれ、古生紀岩中に噴出せし花崗岩たる三上山（海抜四五八メートル）は

おもひたつ富士の根とほき面影は近くみかみの山のはの雲　　堯《ぎょう》孝《こう》法師

と咏まれ、斑岩たる角山（海抜四六二メートル）すらまた

吾妻《あずま》見ぬ人のためとやうつすらんここに有馬の富士の芝山　　藤原宗織

と咏まる。要するに富士山をもって標準となすはみなしかり。

（第三） 詩文、俳諧、絵画は理学と調和適合せざるべからず

想う画人、俳人、詩人の要は、よく宇宙の機微《きび》を吹皷《すいこ》し、神韻縹緲《ひょうびょう》、恍乎《こうこ》として自然と同化冥合《めいごう》するにあり、しかも多くこれを悟らず、ややもすればすなわち没理学これ事とす、惜しむべからずとせんや。この間に当たりて

竹窻夜静近三更。　　竹窻《ちくそう》夜静かにして　三更に近く、

猶註孫呉眼益明。　　猶《な》お孫呉《そんご》を註するがごとく　眼は益《ます》す明らかなり。

山雨欲来竜気動。　　山雨来たらんと欲して　竜気動き、

一池健鯉成声。

一池の健鯉《けんり》　声を成す。

菊　池《いけの》渓琴《けいきん》

住みなれしこの里人のいひけらくあすは雨ふらん嶺の白雲　　高橋石足《いしたり》

詩歌共によく水蒸気の現象および結果を描き、よく理学と調和適合す。

（第四）驟雨《しゅうう》を画くに　画家たいていは斜線に描くを常とす、しかも雨粒は本来垂直線状に下るもの、その斜線に傾注するは、たまたま風に駆らるるをもってのみ。もしそれ雹《ひょう》大の驟雨粒、垂直線状に下りて水面を衝《う》ち水面処々ために凸騰《とっとう》するところ、これを斜線に描くよりかえって跌宕《てっとう》雄壮を倍すを覚ゆ。

（第五）太陽の光線を画くに　画家間々《まま》旭光《きょっこう》と旭光の外とを分別せず、午前約八時以後の光線といえども紅色の彩具を用うるものあり、午前約八時以後の光線は黄色なり、絶えて紅色にあらず。午後約五時以後、太陽の傍近は淡紫色となり、その上に淡紅色、淡黄色を彩るも、ようやく日没に近づくや、一転して太陽傍近《ぼうきん》は純紅色となり、その上に黄色、淡紫色を彩るを常とす。

（第六）画人青涯《せいがい》　画人、世情と伏仰《ふくぎょう》し、黄白を愛《お》しみ、阿堵物《あとぶつ》に齷齪《あくせく》す、太俗《たいぞく》太俗、曠世《こうせい》の大作、絶代の傑品を新創すあたわざるもとよりしかり。画人青涯の言行いまだもってことごとく訓となすべからず、しかも意味脱灑《だつさい》、天真爛熳《らんまん》、毫《ごう》も塵俗《じんぞく》の気なく、飄蹤放跡《ひょうじゅうほうせき》の間髣《ほう》髴《ふつ》として画君子の本色を得、いわんやその落筆するところの山水画、間々神《しん》に入るものあるをや、感ずるところあり、ために伝を立つ。青涯《せいがい》、姓は桜間《さくらま》、参河《みかわ》岡崎藩士なり。画を渡辺崋山《かざん》（同国人）と同門に学ぶ、崋山、常にいいていわく、青涯の山水画、気韻《きいん》高尚、予の遠く及ぶところにあらずと。青涯、人となり真率《しんそつ》無我、平常銭を得ば、すなわち酒に代え、放浪飄逸《ひょういつ》、赤貧洗うがごとく、負債山積《さんせき》、債鬼《さいき》こもごも門に迫る、すなわち深く門を鎖《と》ざして、内に沈黙閉居《へいきょ》し、ときどき犬クグリ戸より出入して、酒を街上に購《あがな》う。鈴木椿山《ちんざん》（同国人）と友とし善し、一日椿山、青涯を訪《と》い、その戸を敲《たた》く、たまたま戸内に声あり、いわく、今日不在と、その声まさに青涯なり、椿山怪しみ、ひそかに戸内を窺《うかが》えば、青涯裸体にして独坐し、傍に一の衣類あるを見ず、椿山意《おも》う、この故なりと、戸外を視れば、一単衣《たんい》洗濯して竿頭《かんとう》にあり、椿山衣に触れて試みるにすでに乾けり、すなわち衣を取り、少しく戸を開き、これを内に投じていわく、かくてもなお不在なりやと、青涯すなわち起たんとするに犢鼻褌《ふんどし》なし、側の扇《おうぎ》を取りて臍下《せいか》を蔽《おお》い、進みて衣を取り、これを着し、大声呼びていわく、青涯家にあり、青涯家にありと。青涯また画をつくるに一の文房具なし、わずかに筆硯《ひっけん》あるのみ、服部波山《はっとりはざん》、弱齢のとき、その家を訪う、たまたま醤油樽《しょうゆたる》を両側に置きて脚となし、上に雨戸を載せ、これに氈《せん》を敷き、もって画を作す、室中畳席無く、空虚なる米俵《こめだわら》を敷き、賓《ひん》主《しゅ》共にこの上に坐して毫《ごう》も愧《は》ずる色なし。また一日四、五の友人、青涯と街上に会う、青涯いわく、請う明朝朝餐《ちょうさん》前、予が家にいたるべし、いささか蕎麦《そば》を供すべしと、諸友意《おも》う、青涯赤貧《せきひん》洗うがごとし、その予輩《よはい》を招くことに異なり、しかれども蕎麦はもと価の賤廉《せんれん》なるもの、青涯あるいは供すべしと、明旦《みょうたん》、諸友朝餐《ちょうさん》に就かずして青涯の家にいたる、青涯欣然《きんぜん》これを迎え、談咲《だんしょう》数時、しこうして蕎麦《そば》の供なし、衆みな飢ゆ、しかもしいて談咲す、日亭《てい》午《ご》を過ぐ、いまだ供なし、たちまち青涯家を出で、しばらくして帰る、衆意《おも》う、かれかならず蕎麦肆《し》にいたりたるものと、果たして蕎麦肆の丁僮《ていどう》、一大盤を運びいたる、衆すなわちいわく、予輩はなはだ飢《う》えに堪えず、はなはだ飢えに堪えず、請《こ》う速やかに盤の蓋《ふた》を開けと、言いまだ訖《おわ》らず、各々手を延べて蓋を開かんとす、青涯蓋を擁《よう》していわく、昨日諸君に約するに蕎麦の供をもってす、これこの壁上に掲ぐる画幅の潤筆《じゅんぴつ》料をもって蕎麦を購《あがな》わんと期したればなり、これよりさき画の依頼者は僕に期するに、今日早天に来り受領せんことをもってす、これ朝餐前に当たり、諸君に蕎麦を供せんと約せし所因なり、しかもかれ依頼者今なおいたらず、僕も飢えたり、諸君の飢えたる想うべし。僕患《うれ》え、街上の蕎麦肆にいたり暫時《ざんじ》これを貸与せんことを求む、肆《し》の主人頑然《がんぜん》として応ぜず、わずかに蕎麦の湯を命じ来れりとすなわち盤の蓋を開けば、沸々《ふつふつ》たる蕎麦の湯のみ、衆大笑、覚えず絶倒《ぜっとう》し、各々湯を呑《の》みて去る。その真率《しんそつ》なる大概此類。出でて遊ぶに昼夜を弁ぜず、酒を呑むに限りなく、ときどき出仕の定時を違え、門限の期を過ぐ、しかれども岡崎侯その才を愛して悪まざりしという

（青涯の画作は東京駒込西善寺に蔵するもの絶品なりと）。

（第七）　沼あに美なからんや、天地の間、何物か美ならざらんや、鹵《ろ》湿《しつ》沮《そ》洳《じょ》のところ、沼《しょう》沢《たく》水《すい》淀《でん》のところ、人多くこれを厭《いと》う、しかもその間あに美なしとせんや、浅波水濁りて雨煙のごとく、凫児《ふじ》ときに拍々し、蘆芽《ろが》いまだ短くして、白鷺《はくろ》全身を露わす、あにこれのみならんや、鮒《ふな》魚一寸、萍蓬《こうほね》草黄く、沢瀉《おもだか》白き間に噞喁《けんぐう》し、鴨跖草《ほたるぐさ》紫葩《しは》を吐きて、螢光《けいこう》点々その上に乱払す、その他水草の最大最愛嬌《あいきょう》なるものたいていは沼沢に乱開す、沼あに美なからんや。

（第八）　自然の太妙は変々化々限りなきの間にあり　もしそれ単趣一様、始終永劫《えいごう》に遷《せん》転《てん》改新の彷彿《ほうふつ》すべきなけんか、なんのところに向かいてかついに慰悦《いえつ》興快を求めんとする。赤道線傍近《ぼうきん》、草樹禽獣《きんじゅう》怪異富饒《ふじょう》、しかも自然の妙境は赤道線傍近に纏綿《てんめん》せざるなり。その常緑樹、人これを絶愛す、しかれども秋風蟬声《ぜんせい》を奪い去りて、繁霜《はんそう》満林を黄化し、草枯れ緑尽き、「冬枯れ」の候あればこそ人に愛《め》ずられ、「冬枯れ」の候にして無かりせば、その愛ずらるるいかんぞここにいたらんや。南北二極圏内もまたしかり、混茫《こんぼう》一白、なんのところにか妙味の尋ぬべきぞ。想う東風氷を解きて、魚その上に出で、土脈潤《うるお》い起こりて草木萌動《ほうどう》し霞《か》靄《あい》ようやく靆《たなび》きて、雷すなわち声を発し、蟄虫《ちつちゅう》戸を啓《ひら》きて幾多は蝶と化し去り、梅花まず郊村に綻《ほころ》びて桃桜杏梨、二十四番取次《しゅじ》に乱開し、百花狼藉《ろうぜき》の間、黄鳥《こうちょう》は金衣公子の代身として妙音楽を奏し、燕子《えんし》いたり、鴻雁《こうがん》返り、虹初めて現れて、霜すでに止み、蒹葭《けんか》芽を抽《ぬきん》ずる頃、牡丹《ぼたん》、芍薬《しやくやく》あたかも紅欄《らんかん》干外に媚咲《びしよう》す。すでにして田々蛙《あ》声《せい》急に、蚯蚓《みみず》出でて、蚕《かいこ》桑を食《は》み初め、竹筍《ちくじゆん》土をうがち来りて、紅藍《べに》花《はな》火のごとく、麦秋《ばくしゆう》の季節、黄梅の時期交《かわ》る交るいたりて、満庭の新緑、半池の燕子花《かきつばた》まさに人に可なり、次いで炎風《えんぷう》来り、蟷螂《かまきり》ようやく長じ、白《き》桐《り》花を結びて、睡蓮《はす》暁露《ぎようろ》に披《ひら》き、雷雨にわかに下りて一夜積暑を洗い去る、すでにして新涼動き、気味水のごとく燈火読書ふたつながら親しむべく、玉露金風、虫声満地、時に鶺鴒《せきれい》鳴きて、鴻雁《こうがん》来り、燕子《えんし》返り、菊花紅葉、白霜黄橙《こうとう》、禾果《かか》ひとしく実る、すでにして虹かくれ、朔風《さくふう》木の葉を払い、熊穴に蟄《ちつ》して、鹿角落ち、天凝り地閉じ、六花繽紛《ひんぷん》、よく活力の現存を表示するものは、松柏科《しようはくか》、厚皮香科植物（山茶《つばき》、茶梅《さざんか》、茶茗《ちや》と側金盞《ふくじゆそう》、款冬《ふき》、水蘄《せり》）のごとき草類のみ、すでにして一陽来復《いちようらいふく》、春色また天地に充《み》つ、要するに自然の太妙は変々化々限りなきの間にあり。たまたま「徒《つ》れづれ草」を読みゆくりなく左の一節に会う、言うところ壮大跌宕《てつとう》ならずといえども、自然の変化を写し出して優に神品に入る、これここに抄出するゆえん

をりふしの移りかはるこそ、物ごとにあはれなれ。物のあはれは秋こそまされ、と人毎にいふめれど、それもさる物にて、今一きは心も浮きたつものは、春のけしきにこそあンめれ。鳥の声なども、ことの外に春めきて、のどやかなる日影に、垣根の草もえ出る頃より、やゝ春深く霞《かすみ》渡りて、花もやう〳〵けしきだつほどこそあれ。折しも雨風うちつ

づきて、心あわたゞしく散り過ぎぬ。青葉になりゆくまで、万にたゞ心をのみぞなやます。花橘《はなたちばな》は名にこそおへれ、なほ梅の匂にぞ、古の事も立帰り、こひしう思出でらるゝ。山吹の清げに藤のおぼつかなきさましたる、すべて思ひすて難き事多し、灌仏《かんぶつ》の頃、祭のころ、若葉の梢すゞしげに、繁りゆくほどこそ、世のあはれも、人こひしさもまされ、と人の仰られしこそ、げにさる物なれ。五月あやめふく頃、早苗とる頃、くひなのたゝくなど、心細からぬかは。六月の頃、あやしき家に、夕顔の白く見えて、蚊遣《かやり》火ふすぶるもあはれなり。六月祓又をかし。七夕まつるこそなまめかしけれ。やう〳〵夜さむになるほど雁《かり》鳴きて来るころ、萩の下葉色づく程、わさ田かり乾すなど、とりあつめたることは、秋のみぞおほかる。（中略）さて冬枯のけしきこそ、秋にはをさ〳〵おとるまじけれ。汀の草に、紅葉の散とゞまりて、霜いと白うおけるあした、遣水より烟のたつこそをかしけれ。年のくれはてゝ、人毎に急ぎあへるころぞまたなくあはれなる。すさましき物にして、見る人もなき月の寒けくすめる廿日あまりの空こそ、心細きものなれ。

（第九） 筑波山頂の眺望《ちょうぼう》　山は峻秀高聳《こうしょう》なるをもって、眺望絶佳《ぜっか》壮宏なりとせず、常陸《ひたち》の筑波山、厳格《げんかく》なる術語に準拠《じゅんきょ》せば、わずかに「丘陵《きゅうりょう》」以上のみ、しかれども関東平原に巍然《ぎぜん》と孤尊《こそん》するをもって、いやしくも東京傍近《ぼうきん》にありて眺望の太快を貪取《どんしゅ》せんと欲せば、この山に登臨するを要す。佐藤一斎翁《おう》の文、この際の消息を描写して妙、すなわちこれを抄出す。

念四。朝雨開霽。自下館至筑波。四里而遠。有間道。由此則可三里。到椎尾。椎尾阪寄。皆筑波支山。在北麓。山成三層。下為椎尾。次為阪寄。上即筑波陽峰。乃従間道。登椎尾。有薬師堂。山多獼猴。進登阪寄。皆石。無樹無水。純鍔峻絶。不能目導而脚従。登者往々摩突額鼻。或呼曰額摩。渇輒嚼草以取潤耳。頂稍平。可踞息。又進登陽峰。多老樹。可攀援。既極最高頂。雲鳥皆在眼下。累石安男体権現祠。東下数百歩。有坦夷処。寘二三小店。鬻餌以待客。稍南有泉竅。潺潺流注。即美那濃川発源処。清冽可掬飲。」又登陰峰。亦累石安女体権現祠。眺観益豁。近則足尾加波。皆可俯撮其髻。遠則高原日光秩父諸山。聯延綿亙。高低起伏。而不二山独巍巍然坐於坤位。大山箱根。如趨聴使令者。当不二之麓。見一泓如盆池。則浦賀内洋也。加納山鋸山亦如培塿蟻垤。而外洋一白曳練。摩房総諸山頂。左趨連於注子水戸。其間残山剰水。重抹軽掃。烟雲縹渺。丹碧点綴。可謂関東八大州一幅活全図也哉。」乃一周下南麓。石間無路。有竇穴。可出入者三処。絶壁峭立。有棧梯。可上下者一処。石滑趾不能駐。有鉄索。下垂下援。以升降者七八処。山腹有古鐘。不知何世鋳造。何人移置。此山雖不比日光之霊淑奥深。而危険則不啻十倍。至於眺観。亦以関東無出此右者矣。

（念四《にじゅうし》、朝雨開霽《かいせい》す。下館より筑波《つくば》に至る。四里にして遠し。間道有りて、此に由れば則ち三里なる可し。椎尾《しいお》に到る。椎尾阪寄、皆な筑波の支山なり。北麓《ほくろく》に在りて、山三層を成す。下は椎尾為《た》り、次は阪寄為《た》り。上は即ち筑波は陽峰《ようほう》なり。乃ち間道よりして、椎尾に登る。薬師堂有り。山獼《び》猴《こう》多し。進みて阪寄に登る。皆な石にして、樹無く水無し。純《じゆん》鍔《がく》峻絶たり。目の導きて脚の従う能《あた》わず。登る者は往々にして額鼻《がくび》を摩《ま》突《とつ》す。或いは呼びて額《がく》摩《ま》と曰う。渇《かつ》すれば輒《すなわ》ち草を嚼《か》みて以て潤《うる》い《お》を取るのみ。頂きは稍《や》や平らかなり。踞《きよ》息《そく》す可し。また進みて陽峰に登る。老樹多し。攀《はん》援《えん》す可し。既に最高頂を極む。雲鳥皆な眼下に在り。石を累《かさ》ねて男体権《ごん》現《げん》の祠《し》を安んず。東下すること数百歩、坦《たん》夷《い》なる処有り。二三の小店を寘《お》く。餌《じ》を鬻《ひさ》ぎて以て客を待つ。稍《や》や南に泉竅《せんきよう》有り。潺《せん》潺《せん》として流れ注ぐ。即ち美那濃川の源を発する処なり。清冽にして掬飲す可し。」また陰峰に登る。また石を累《かさ》ねて女体権現の祠を安んず。眺観益《ます》す豁《ひら》けり。近くは則ち足尾加波、皆な俯して其の髻《たぶさ》を撮《つま》む可し。遠くは則ち高原日光秩父の諸山、聯《れん》延《えん》綿《めん》亙《こう》し、高低起伏あり。而して不《ふ》二《じ》山独り巍《き》巍《ぎ》然《ぜん》として坤《こん》位《い》に坐す。大山《おおやま》箱根、趨《はし》りて使令を聴く者の如し。不二の麓に当りて、一《いち》泓《おう》盆池の如きを見る。則ち浦賀の内洋なり。加《か》納《のう》山鋸《のこぎり》山もまた培《ばい》塿《ろう》蟻《ぎ》垤《てつ》の如し。而して外洋は一《いっ》白《ぱく》にして練《ねりぎぬ》を曳《ひ》き、房《ぼう》総《そう》の諸山の頂きに摩《せま》る。左に趨《はし》りて注子水戸《みと》に連なる。其の間に残《ざん》山《ざん》剰《じよう》水《すい》あり、重く抹《す》り軽く掃《はら》う。烟雲縹《ひよう》渺《びよう》たり。丹《たん》碧《ぺき》点《てん》綴《てい》す。関東八大州一幅の活全図と謂う可きなるや。」乃ち一周して南麓を下《くだ》

吾妻富士（岩代国吾妻大巓より望む）

（一名矢筈山　俗称小富士　一切径山の東南十七町）楕円形なる旧火口あり長径五百八十メートル短径五百メートル火口壁は東部に高く西北部に低し内面は摺鉢形をなせり全山たいがい輝石安山岩より成る噴火の時代はいまだつまびらかならず（地学雑誌に拠る）

吾妻山大穴

一名八幡穴　摺鉢形なる旧火口なり

直径およそ一百五十メートル穴の底部に赤色の水をたたゆ　穴の生出時代はいまだつまびらかならず　八幡太郎義家時代に生出せしをもってこの名ありと称すれども信をおくに足らず（地学雑誌に拠る）

る。石間路無く、竇穴《とうけつ》有り。出入す可き者三処なり。絶壁峭立《しょうりつ》す。棧梯《さんてい》有り。上下す可き者一処なり。石趾《あし》を滑《すべ》らせて駐《とど》まる能わず。鉄索有り。下に垂れ下に援《たす》く。以て升降《しょうこう》する者七八処なり。山腹に古鐘有り。何の世の鋳造《ちゅうぞう》にして、何人の移置するやを知らず。此の山日光の霊淑《れいしゅく》奥深に比せざると雖《いえど》も、危険は則ち啻《ただ》に十倍ならず。眺観に至りては、また以て関東に此の右に出ずる者無きなり。）

（第十）『百鳥譜』　許六《きょろく》『百花譜《かふ》』を草し、半掃庵《はんそうあん》『百魚譜《ぎょふ》』を草し、也有《やゆう》『百虫譜』を草す、みな一代の俳人、自然の機微《きび》を写すや、往々《おうおう》神に入る。想う自然を写さんとする、自然を尊崇するの観念なかるべからず、しかも俳人由来放浪の極、筆端ややもすればすなわち淫猥《いんわい》に入りて省《かえり》みず、ひとり支考《しこう》の『百鳥譜』、この病にかからず、妙もまた前数者に譲らず、すなわち左に抄出す、ただ末節を削るもの、少病あればなり。

鶴《つる》は仙家のものなり、是がみさをは人に近からず。昔し陶淵明《とうえんめい》に達摩《だるま》の風骨ありといへるものは、鶴に淵明が風流あることを知らず。されば野草の花のあきらかに開きぬる時、柴門《さいもん》の月のあらたにすめる夜ならむ、此ものひとりは見まく思ふなり。」然るを鳶《とび》の無能にして、衣裳《いしょう》もおろそかに侍《はべ》るは、まして風雨にも厭《いと》はじとならん。かの荘周《そうしゅう》が夢に胡《こ》蝶《ちょう》とあそべる。是もむつかしとやは思ふ。

雉子《きじ》の啼《な》く声はいとかしこきに、百矢の数をのがれずやあらんといはれて、一朝にたまの命を落しぬるは、是も韓信《かんしん》が輩《はい》の文武をつくさざるものなるべし。蒼鷹《そうよう》の人を見こなして、眼の内にあらゝかなる才智をそなへたる、いとにくし。されど一芸に名あるものは、世の人それをゆるしもしつべし。かの斥鷃《せきあん》が蓬生《よもぎふ》の宿は、膝《ひざ》をいるゝに過ぎねば、大鵬《たいほう》の雲の万里を羨まず。さらばおのれを楽むのみにして、必ずうらやむ方にもあらず。」かの鳳凰《ほうおう》といふ鳥はいかなる鳥にかあらむ。稲負鳥呼子《よぶこ》鳥《どり》とかやはく鳥は春に住むなるよし。なかぬ物にや知らず。」椋《むく》と樫との二鳥は其実をはめる時の名なるべし。」然るを鶫《つぐみ》といふ鳥の、花におきふしたらむ、いと心得ね。」木々の花の咲こぼれて、明ぼのの雪にもまがへる時は、駒鳥《こまどり》の声のみひやゝかにしていとよし。されば此鳥の名は声のたぐひをいへるならん。」おのれがかたちを名になせるものは、目《め》白《じろ》頬白《ほおじろ》のたぐひなるに、鶎《きくいただき》は殊におかし。年々菊をいただきける自然の理はあまたねども、ことしはめづらしう梅花をもかざせよかし。雲雀《ひばり》は小春の空をよくおぼえて、鳥羽《とば》の田づらなどにふと啼出たるに、かひつけて囀る鳥もなければ、あはれさびしき物かなと思ふ時もある也。三光は啼く時に日月星といふなるよし。むつかしとも思はぬや。」仏法僧と啼く鳥ありて、高野《こうや》の山にのみ住むなる。是をも三宝とこそいはめ。」然るに鶯《うぐいす》の法華経と唱ふる、さるは世さらに老めきたるわざなり。」提壺《ていこ》の美酒をかひ、布穀《ふこく》の袴《はかま》をぬけよといふは、皆おのれがゆゑならねど、世の人の然らしむるものなるか。」蜀魂《しょくこん》の不如帰と啼くは、きはめて托物《たくぶつ》の声ならんのみ。

秋の雁《がん》の江天におくれ、時鳥《ほととぎす》の暁の雲にさけぶ、いづれにかさだめ侍らん。雁はあはれに、ほととぎすは悲し。

鸚鵡《おうむ》は恩をわすれぬよし。此国にはまれ〳〵なればよ知らず。むかし蔡君《さいくん》が、鸚鵡しもは、翠琶が身まかりし跡の名を呼伝へしに、心をいたましむ瘴江《しょうこう》のほとり、おなじく遊べとも同じくかへらずといへる、配所の詩ならばさもあるべし。」我国の鳥も物は得言はずして、万里の別を慕ひ行けるとかや、（扶桑十夷志八に、飼鳥《しちょう》の海を渡りて主君を慕《した》いしの故事有り）是さへ思ひかけぬ事なるべし。

燕もゆかりは忘れぬ鳥なり。終日にひるがへり終日に囀《さえず》りて、餌には必ず身をつくさずや。いはゞ江湖の僧の、一夜二夜にちぎり捨て、身を雲水にまかせたるが、年を経て後は見知らぬ人も多かる。されば行脚《あんぎゃ》の身の、人にも送られおのれも送りたらんに、涙のこぼるゝはいかなる時にかあらん。かの法師の宿かし鳥とよみつゞけぬるより、孤村に出て夕陽を啼尽せば、誰が家には今宵もおくらんと、あぢきなき事も思はるゝなり。鷓《しゃ》鵠《こ》とは名のかしこきものなり。青草の暮の雨には遊子の魂を驚かし、黄陵の暁の雲には旅人の涙を催す。」すべて夜啼くものはかなしきに、水鶏は隠逸《いんいつ》の風情を得たり。星月夜のおぼつかなき比に、磯の千鳥の多くあつまりゐて啼くは、心もきゆべくてかなし。たゞ人の別墅《べっしょ》なる所に、水の湛《たん》もいと浅くて、常は来馴れて遊ぶらん、戸などかいやりたる音に驚きて、忽ち二三声のすみ行くは、其あとも遙に見送られて、河風寒しと思ひ出たるは、待たるゝ人もなくて何にかはせむ。

鴫はましてたつ時のあはれなるに、馬糞といふ鷹の風にひるがへりたる、なまうかひにていとにくし、かの沢の夕暮は江山の風情をそなへたれば、もろこしの雲夢ときこえし沢は、いかなる沢にかあらむ。

白鷗は人をさけておのれ静なるものなり。然るを諫鼓鳥《かんこどり》のおのれ啼て人をさびしがらせむとす。」なべて卯《う》の花の曇はいとねふけなるに、夕日の影も木の間にちり残りて、山にはおもひかけぬ鳩《はと》も啼くなり。啼く処のさだかに知れねば是もいとさびし。此ものは偏《ひとえ》に雨の日をかなしめるとかや。百花の深き所ならば、終日ぬるとも厭はざらまし。梟《ふくろう》の昼出て迷ひありきぬるいとをかし。必ず笑はれじとはたらきたる顔にもあらす。さるたぐひの老僧にや、むかしも市中に遊びゐけるなり。

深草に住むなる鶉《うずら》は、其声すみやかにして世を憚らず。山にも近く水にも遠からず。粟《あわ》の穂の静なる時は、こゝにも出て遊ぶなるべし。

啄木鳥《きつつき》の飢を忍びかねて、木にそひ梢をたゝきあるきて、終日静ならぬこそ、はかなきわざなれ。限なき生涯のいとなみとならば誰も〳〵あさましき事多かるべし。されば空山の日影に雹《あられ》たばしりて、楢《なら》の柏もちり〳〵に吹かれ行く比は、此鳥の声の更に幽にして、いざや張道士《ちょうどうし》が家をとふらふ人にも似たれ。

木がらしの夜一夜吹あかして、しのゝめには吹かずなりぬるを、さし出る朝日の、殊に珍らしうさし籠めたる障子のかぎりは、もゆるばかり長閑《のどか》なるに、物の影のさと過ぎてまたゝきもあへぬは、いかなる鳥にか侍らんと、いつも〳〵思はるゝなり。蓋し鳶《とび》などのゆるやかに舞ありくも、隙を過ぐるほどなればあはたゞしきか。

軒の雀の晴をよろこびて、何やら殊《こと》の外に囀る、是は市人にもたとへ侍らん。「鶏は碁僧の風情《ふぜい》にして、人の隙《すき》を窺ひありくものなり。」家鴨《あひる》も同じ家にありて、おのれが身を惜しとも思はずや。たゞに淤泥のけがれをも厭はずして、是を世の外に出て物にもかゝはらぬと思ふは、さばかり悟りたがへたる事は、世の人の上にもあるかし、そなへおきたる翅《つばさ》も、いつかは青雲の心ざしにあへらむ、誠にあはれむべし。

世に人を葬る者ありて、常は顔など見合すべきにあらねど、なすべきわざとあれば、呼で酒のませ価をもやりつ、然るに鵜といふものは詮《せん》なき鳥なるべし。早川に魚などかづきあげたる、おのれならずとも網しても得つべし。さるものならば弁《わきま》へぬこともあるべきに、人の手にかはれて、追はみたる魚をも白地に吐かせて、それをめでたしとさゝめかし、笹《ささ》の葉打きせて贈りもおくられもする人は、鳥よりは一しほも劣り侍らんか。鷹は羽の下に鳥を組敷きて、誉《ほまれ》を人にも見られむと思ふは、せめて名の為にもなさばなりぬべし。」さらば此ふたつのものを我友となさば、打おきたる心のいとまもなからん。鵙《もず》はたちゐにつれなくて、へつらはぬものなり、子など持たらばいかにかあらん。鷺《さぎ》の風情はいとなまめかし。何がしの中将がわづかに人を思ひそめて、雨にもそぼち露にもしほたれて、常の心もさだかならねど、色には出でじ〳〵とこそ忍ぶなりけり。されど田面にうかれ出て田螺ふみまよふ比は、まさしくさる物のたとへとも覚えずなり。楚《そ》台《だい》の夢は一夜の枕に驚き、驪山《りざん》の契《けい》は万里の雲を隔つ。朝の嵐に錦帳《きんちょう》を動かせば、李《り》夫人が影もふたゝびは薫ることなし。然らば翡翠《かわせみ》といふ鳥は、いかなる美人の魂にかあらむ。杜子美が衣桁に啼くといへるも、此鳥ならで外はあらじ。名にめでゝ是を我友となさば、はしなき人にやあやしまれむ。」名を聞くより其姿の思はるゝ鴛鴦《えんおう》の中は更なり。瑠璃《るり》といふ名は世の人のきくをもかざれるかな。

鶯の声は滑にして、殊《こと》に住所もいやしからねば、是も美少年のたぐひにはあらめど、風情やゝおだやかならず、まして夜ならぬはいぎたなしもといへりけり。

鳶鳥《とびからす》の世をさみたる中にも、烏ばかり嘴《くちばし》のいやしきものはあらじ。夕べには寝まどひ朝にははやく起きて、前栽《せんざい》の木の実などにつきては、えおもひ捨てずや。いかなる時にか息などもつまるやうに啼て、いとどにくさげには侍るなり。それをも神のつかひのみならば、かゝる事いひもせまじ。

およそ鳥の嘴のたいらぎたるものは、死水のあかを啜り、とがりて長きものは魚を探り侍る。五穀をはめる鳥のまどかにして細やかならぬは、誠に備はりたることなるべし。

嘴のさきのかいまがりたるは、おのれが友をやぶるべきたくみにや、いとおそろし。

（第十一）発句、俳諧　これ一般平民の間に清高幽雅《ゆうが》の観念を啓発せしむるもの、絶愛するに堪えたり、十七字の句。

（第十二）自然を写す跌宕《てっとう》の語　は世間いまだ

あら海や佐渡に横たふ天の川　　芭蕉

のごとくはなはだ簡にしてしかもはなはだ跌宕《てっとう》なるものをみず、一誦、大海の胸を盪《とろ》かし、耿々《こうこう》たる銀河の金峰山上（佐渡）を帯するところ、歴々眼前に映じ来る。

（第十三）名取川の秋　大槻磐溪《おおつきばんけい》、名取川（陸前）の秋を咏ず、錦に似、

秋老源頭霜気清。　秋老《しゅうろう》源頭　霜気清く、

墜紅泛泛逐流軽。　墜紅《ついこう》泛泛《はんはん》として　流れを逐《お》いて軽ろし。

夜来急張漁梁落。　夜来急に張《みなぎ》り　漁梁《ぎょりょう》落ち、
幾隊香魚破錦行。　幾隊かの香魚　錦を破りて行く。

（第十四） 河内の景象　篠崎訥堂《しのざきとつどう》、句あり、景象を写して画のよう、

路入河州吾未曾。　路《みち》は河州に入る　吾未だ曾《かつ》てせず。
孖山稍近露双稜。　孖山《しざん》稍《よう》やく近づき　双稜《そうりょう》を露わす。
虫声満地午猶咽。　虫声満地《まんち》　午猶《な》お咽《むせ》ぶ。
野草秋風何帝陵。　野草秋風　何の帝陵《ていりょう》ぞ。

（第十五） 紀伊の景象と仁科白谷　日本国中、磊砢《らいら》の形姿を具《そな》えて、万象の蘊奥《うんおう》を含み、造物の鍾《あつ》むるところとなるも、僻隅《へきぐう》にあるをもって多く人の品題賞鑑《しょうかん》に遇わず、幽遠《ゆうえん》の間に埋没《まいぼつ》するを紀伊の内部、南部となす。あに無情の山海のみならんや、有情の人もまたしかり、「山林之《さんりんの》儒《じゅ》」（自称）仁科白谷《にしなはっこく》のごときこれ。白谷、身体魁偉《かいい》、腕力人に過ぎ、剣客《けんかく》遊侠の徒に交わるの間、海内の名山に登り、巨川を窮《きわ》め、あるいは長林に浩歌《こうか》し、あるいは絶島に孤嘯《こしょう》し、気力邁往《まいおう》、一韵到底の長古一編五百五十句を賦《ふ》するにいたる、しこうして世その名を知らず。坎軻《かんか》落拓《らくたく》、客死してやむ、痛むべき哉、その「南紀に遊ぶ歌」および「紀州雑詩」にいう、

嘗遊芙蓉峰。下視万国山。手掬星漢水。逍遙帝坐間。沆瀣滴我衣。嵐気撲我顔。超然遺身軀。吸風立空寰。今我投紀南。洗眼碧玉海。金峩当水起。雲物渾五彩。瓊殿参差竦。中有真人在。翩翩駕雲車。怡悦如我待。

（嘗《かつ》て芙蓉峰《ふようほう》に遊び、下に万国山を視る。手もて星漢《せいかん》の水を掬《すく》い、帝座《ていざ》の間に逍遙《しょうよう》す。沆《こう》瀣《がい》我が衣を滴《したた》らせ、嵐気我が顔を撲《う》つ。超然として身軀《しんく》を遺《わす》れ、風を吸《す》うて空寰《くうかん》に立つ。今我れ紀南に投じ、眼を碧玉《へきぎょく》の海に洗う。金峩《きんが》水に当《あた》りて起ち、雲物渾《すべ》て五彩あり。瓊《けい》殿参差《でんしんし》として竦《そばだ》ち、中に真人の在る有り。翩翩《へんぺん》として雲車を駕《が》し、怡悦《いえつ》して我を待つが如し。）

廻眸指点洞開処。為説神界勝。幽崖之下潭紺寒。石髄皓皓凝。蒼藤鬱陰黒。翠峭束泉。松脂滴古香。瓊芝雋鮮。浸淫玉液泄。錯落琥珀爛。可以漱兮。可以餐兮。聴之直揖去。高吟朗嘯極盤礴。神風冷冷生我屐。吹破紫雲幕。千奇万怪忽有無。無端瀑布懸寥廓。初驚天駟争下重九。中訝崑岡頽砕玉灼。終疑帝使風伯吹散雪山雪。化作万鶴舞之九霄碧落。対之清視聴。踞石嚼寒葩。神気益澄凝。冷冽徹仙牙。凌空更窮瀑之源。俯聆広楽心更快。因訝再遊芙蓉峰上。手掬漢水立天界。

（眸《ひとみ》を廻《めぐ》らして洞開《とうかい》する処を指点し、神界の勝を説くを為す。幽崖《ゆうがい》の下潭《ふち》は紺にして寒く、石髄皓々《せきずいこうこう》として凝《こ》る。蒼藤鬱陰《そうとううついん》として黒く、翠峭泉《すいしょう》を束《たば》ぬ。松脂《しょうし》古香を滴らし、瓊芝《けいし》雋《しゅん》鮮たり。玉液の泄《せつ》を浸淫《しんいん》し、琥珀《こはく》の爛《らん》を錯落《さくらく》す。以て漱《くちす》ぐ可く、以て餐《さん》す可し。之を聴きて直ちに揖去《ゆうきょ》し、高吟朗嘯《こうぎんろうしょう》して盤礴《ばんばく》を極む。神風冷々として我が屐《げき》に生じ、紫雲の幕を吹き破る。千奇《せんき》万怪忽《たちま》ち有無あり、端《はし》無くも瀑布寥廓《りょうかく》に懸《かか》る。初めは天駟《てんし》争い下りて九を重ぬるを驚き、中ごろ崑岡頽《こんこうくず》れ砕玉灼《さいぎょくや》くかと訝《いぶか》り、終には帝の風伯をして雪山の雪を吹き散じ、化して万鶴《ばんかく》を作りて之を九霄《しょう》の碧落《へきらく》に舞わ使《し》むるかと疑う。之に対して清視《せいし》聴《ちょう》し、石に踞《うずく》まりて寒葩《は》を嚼《か》む。神気益《ますま》す澄み凝り、冷冽《れいれつ》として仙牙《せんが》を徹す。空を淩《しの》いで更に瀑の源を窮《きわ》め、俯して広楽《こうがく》を聆《き》き心《こころ》更に快よし。因りて再び芙蓉峰の上に遊び、手もて漢水を掬《すく》い、天界に立つかと訝る。）

南州霊異地。風物一乾坤。山蔵秦民骨。谷抱平氏孫。悪苛応浮海。避乱此桃源。邈矣煙波外。逸書今尚存。海師方外傑。頗読我儒書。卜地開名岳。営堂倚太虚。山雲潤柱礎。空翠湿巌居。詩巻有霊集。読来或起予。光浦何明媚。無山不翠微。香刹抱松洞。漁家傍柳磯。魚在鏡中静。人行画裏稀。夕陽望更好。遊子澹忘帰。神女琛宮麗。菅公古廟空。桐糸伝夜響。梅蕊弄寒紅。月冷垂林露。香清渡浦風。嘎然孤鶴唳。応向紫霄沖。大海浮天漾。蜑村処処孤。長鯨噴浪去。遠帆入雲無。水底窺蛟窟。沙辺拾蚌珠。遙遙霞正合。何路到方壺。界破翠崖来。飛流千尺白。訝将万斛珠。自碧雲間擲。倒走吼銀竜。高懸明素霓。秖疑衣袂湿。無処不濛霢。

(南州霊異の地、風物一乾坤《けんこん》。山は蔵す秦民《しんみん》の骨、谷は抱く平氏の孫。苛《か》を悪《にく》みて応《まさ》に海に浮かぶべく、乱を此の桃源《とうげん》に避く。邈《ばく》たるかな煙波《えんぱ》の外、逸《いつ》書今尚お存す。海師方外の傑、頗《すこぶ》る我が儒書《じゅしょ》を読む。地を卜《ぼく》して名岳を開き、堂を営みて太虚《たいきょ》に倚《よ》る。山雲柱礎《ちゅうそ》を潤《うるお》し、空翠《くうすい》巌居《じゅしょ》を湿《しめ》らす。詩巻霊集有り、読み来りて或いは予を起こす。光浦何ぞ明《めい》媚《び》なる、山の翠微ならざる無し。香刹《こうせつ》松を抱く洞《とう》、漁家柳を傍にする磯。魚は鏡中に在りて静かに、人は画裏を行きて稀《まれ》なり。夕陽望めば更に好く、遊子澹《せん》として帰るを忘る。神女琛宮《しんきゅう》に麗《うる》わしく、菅公《かんこう》の古廟《こびょう》空し。桐糸夜響を伝え、梅蕊《ばいずい》寒紅を弄《もてあそ》ぶ。月は冷やかなり林に垂るる露、香は清し浦を渡る風。嘎然《かつぜん》たり孤鶴《こかく》の唳《れい》、応に紫霄《ししょう》の沖に向うべし。大海天に浮かび漾《ただよ》い、蜑《たん》村処処孤なり。長鯨《ちょうげい》浪を噴いて去り、遠帆《えんはん》雲に入りて無し。水底に蛟窟《こうくつ》を窺い、沙辺に蚌珠《ぼうしゅ》を拾う。遙遙《ようよう》として霞《かすみ》正に合し何の路か方壺《ほうこ》に到らん。界は翠崖《すいがい》を破りて来り、飛流千尺白し。将に万斛《ばんこく》の珠の、碧雲《へきうん》の間より擲《なげう》つかと訝《いぶか》る。倒《さかし》まに走りて銀竜のごとく吼《ほ》え、高く懸《かか》りて素霓《そげい》のごとく明らかなり。秖《た》だ衣袂《いべい》の湿りて、処として濛霢《もうみゃく》ならざる無きかと疑うのみ。）

この人南紀の鍾霊を讃美して余蘊《ようん》なし、人を得たるを嘆《たん》ぜざらんや。白谷、備前《びぜん》邑久郡虫明村の人、弘化二年五月、播州《ばんしゅう》加古郡今市正覚寺に窮死《きゅうし》する者。

（第十六） 日本人は自然の美を愛す　キリスト教長老エス、エー、バーネット、貧民問題に関する一編の論文を「二週日評論」に寄せていわく、

印度《インド》にて貧民を救済《きゅうさい》せんとするは絶望と云ふべく、シナの貧民は業既《すで》に猥穢《わいあい》に陥り、米国にては幾回か之れが救済を試みたるも、其効なきのみならず、却て救済実行中に米国政府の官吏を腐敗《ふはい》せしめ、貧民より怨望《えんぼう》悪感情を招くに到れり。独り日本のみは、貧民個々希望を懐抱《かいほう》し、社会的生活の真味を領するものは、抑々《そもそも》何の理ぞ、一は土地分配法の適宜《てきぎ》にして、個々若干の土地を所有し、各々力作して以て自己の衣食を供給する事是れにして、一は国民を挙げて山野の美を絶愛する事是れなり、即ち相侶伴《ろはん》を作して花を賞し、単に自然の美を探らんとて巡礼行脚《あんぎゃ》するの盛んなるは、世界中復《ま》た日本人の如き国民あるを看《み》ず、既に国民自然の美を絶愛す、故に居常凞々《きき》快暢《かいちょう》、復た都門《ともん》に入りて煽《せん》惑挑撥《わくちょうはつ》を求むるなく、渾然融化《こんぜんゆうか》して、自ら貧を忘るゝに到る、云々。

風塵辜負旧題詩。　風塵辜負《こふ》す　旧題の詩、
又感興亡欲策時。　また興亡に感ず　策せんと欲する時。
一角春山瘞吟骨。　一角の春山　吟骨《ぎんこつ》を瘞《うず》め、
燕泥雨汚党人碑。　燕は泥し雨は汚す　党人の碑。

矧川《しんせん》生題

南北二極圏裡、白皚皚《がいがい》、些《いささか》の変化改新なき処、赤道線畔、欝葱葱《うつそうそう》、挙《こぞ》りて均斉《きんせい》単趣なる辺、如何ぞ造化の太妙を悟り得んや、之れを悟り得るは、唯《た》だ日本に在り、日本に在る哉。

解説

土方定一

一

志賀重昂は文久三年（一八六三年）十一月十五日、愛知県岡崎市康生《こうせい》町に、岡崎藩士、志賀重職《しげもと》を父とし、松下淑子《よしこ》を母とし、一男一女の長男として生れ、昭和二年（一九二七年）四月六日、忽焉《こつえん》として逝《ゆ》いている。享年、六十五歳であった。少年時代は練蔵、号は矧川《しんせん》あるいは矧川漁長、墓碑は東京都世田谷区北沢宋元寺と岡崎市東天竺《てんじく》山世尊《せそん》寺境内《けいだい》にある。重昂はもともとはシゲタカと読むが、一般にはジュウコウで通っている。

志賀重昂の名をいわれるとき、恐らく『南洋時事』（明治二十年）、『日本風景論』（明治二十七年）、『大役小志』（明治四十三年）が一般に想起されるにちがいない。だが、これらの著書は志賀重昂の名声を次々と高からしめ一世を風靡《ふうび》した著書であるが、現在では『南洋時事』、『大役小志』は忘れられていて、ひとり『日本風景論』が現在も愛読され、一般に志賀重昂といえば、『日本風景論』の著者として知られている。この『日本風景論』は日清戦争のただ中に公刊され、戦争の際物《きわもの》出版のなかにあって烈しく愛読され、内村鑑三が書評しているように、世を挙げて戦争に熱中している際の出版であり、又実に名篇であったから一段と好評嘖々《さくさく》たるものがあり、十幾版（十五版）も重ねるに至った事情は、この著書がわが国土の景観と景観美に文学的な表現と新しい地理学的性格を与えることによって、これまでの大和的、盆景的な景観意識に対して、日本人の景観意識に重要な変革を与えた革命的な意義をもっていたからに外ならない。

地質学者小藤《ことう》文次郎《ぶんじろう》の門からでて明治中、末期に活躍した有名な地理学者、山崎直方《やまざきなおまさ》は「志賀重昂を弔《ちょう》す」（全集、八巻）のなかで、志賀重昂の『日本風景論』その他のもつ先駆的な性格について次のように適切に語っている。

「明治の初年、地理学の黎明《れいめい》期に於て斯学《しがく》の為めに烽火《ほうか》を挙げたるものとしては、先ず指を内田正雄の『輿地誌略《よちしりゃく》』と福沢諭吉の『世界国尽し』とに屈せねばなるまい。前者が如何によく当時の知識階級の為めに歓迎せられ、後者がまた津々浦々の児女にまで愛誦せられて、それが開国後の国民に向って先ず外国地理の観念を与えたと云うことに於て其の功績は共に永く没すべからざるものがあるのである。之に次いで地理学の鼓吹《こすい》を力められたるものとしては小藤博士の『地文学講義』、矢津昌永《しょうえい》の『日本地文学』、そして我が志賀重昂君の『南洋時事』、『日本風景論』、『地理学講義』等を挙げなければならぬ。極めて厳格に云えば志賀君の此等の著は前者ほどには科学的ではなかった。又其後の研究も恐らくは純科学的ではなかったかの如く見える。然しながら君の学界に於ける偉大なる功績は実に地理学の民衆化であり国民化であったのである。君は幼時より学ばれたる漢籍漢詩の素養に加うるに札幌農学校に於ける純米国式の教育を受け、其の豪宕《ごうとう》なる唐宋詩人的の文藻とアーヴィングの叙景の中に屢〻《しばしば》漂うているような情緒とを巧にこきまぜて筆に舌に往く所として可ならざる所なく、常に斯学の興味と知識とを宣伝してまた余蘊《ようん》のなかったことは、日本風景論が如何に当時洛陽《らくよう》の紙価をして貴からしめたかによっても既によく証明せられているのである。君が本邦風景の由て来る所を開析《かいせき》し、由て著《あら》わるる所を説明するに当り、理学者としての筆鋒必ずしもゲイキーの蘇国風景論の如くに微に入り細を穿《うが》つ底のものではなかったが、しかもそれが当時の一般読書人の頭脳に、其の殆んど皆無であった地文学的知識と趣味とを扶植《ふしょく》するに於て十二分の効果があったのを疑わなかったのである。況んやそれが君一流の名文を以てせられて前人未発の天地を開拓されたのであったから、君の名声は爰《ここ》に頓《とみ》に重きを加え、永く我が地理学界に牢記《ろうき》して忘るべからざるものとなったのである。

然しながら君の君たる所は常に時勢に先んじて地理的問題に着目し、世界のいずれの端までも巡遊し、帰って之を国民の精神鼓舞《こぶ》に務められたことである。之が実に君の生涯の事業であり、斯学《しがく》の民衆化であり興味化であったので、社会の深く感謝すべきことであると思う。」

この『日本風景論』のもつ日本人の景観意識の革命は、小島烏水《こじまうすい》が「(日本)風景論が出てから、従来の近江八景式や、日本三景式の如き、古典的風景美は一蹴された観がある」(岩波文庫『日本風景論』解説)と述べているように、この書のまず最初に挙ぐべき功績であるにちがいない。

次に、この書の出現以後、日本の近代登山史がはじまっている。日本登山界の第一の先覚者、小島烏水はこの書によって槍ケ岳の登攀《とうはん》を志し、後代ジュニアたちから日本の山の父とまで呼ばれた木暮理太郎《こぐれりたろう》は、志賀の説く花崗岩に魅入られて木曾駒ケ岳に登ったといわれる。これらの山の好きな人が呼応して「山岳会」(後、日本山岳会と改称)という団体を作ったのが、明治三十九年(一九〇六年)である。(登山講座 第一巻、山と溪谷社、深田久弥『日本アルプス』による)

志賀重昂は、その当時、行われていた事実を羅列《られつ》し暗誦《あんしょう》せしめたにすぎない無味乾燥な教科書的な地理学に対し、すでに『地理学』(明治二十一年以後)のなかで真成の地理学とは、として次のように書いている。「山何に因《よ》りて峙《じ》す、川何に因りて駛《はし》る、湖何によりて溜《たま》る、海何に因りて展《の》ぶ、渓谷、何に因りて闢《ひら》く、気候、何に因りて冷たる熱たる、生物の配布、何に因りて秩然たる、之を探討し且つ其の結果を推究する是れ地理学の一領たり。㈠ 邦国の境界面積、何に因りて今日の状をなす、人口何に因りて疎たる密たる、都市何に因りて興る、宗教、政体、風俗、人情、物産何に因りて此の如くなる、これを稽査《けいさ》し且つ其の結果を察知する是れ地理学の一本領たり……兼て敢為《かんい》進取《しんしゅ》の気概を発揮せしめ、万里遠征の壮心を興起せしむるにはこれが考究に過ぐるなし。」

以上の引用では『日本風景論』の内容を語ることはできないが、志賀重昂の示す学問的方法は、現在にとっても忘れることのできない方法といわねばならない。そして、志賀重昂は一介の旅行家としてすでに日本の山川を驚嘆すべき精力で跋渉《ばっしょう》し、地理学的に観察し、それを情熱をうちに秘めた文章によって次々と論述し、その地に関係ある日本文学の古典のなかの叙述例をこれまた豊かに挿入し、また樋畑雪湖《せっこ》、海老名明四《えびなめいし》の実景描写を加えて、まさにその当時としては、すべてにわたって内容、形式ともに完璧《かんぺき》ともいうべき刊行物であったというべきであろう。小島烏水は志賀重昂の文章を「理を尽くした欧文素と、簡潔勁抜《けいばつ》な漢文脈が、よく融和している、しかも嫋々《じょうじょう》ともいうべき余韻が、漂っている。絵でいえば、トーンが整っている、漢文脈といっても、破墨《はぼく》山水でなく、欧文素といっても油絵のこってりではない、謂わば水彩画の軽快なる筆触《タッチ》と明朗なる色沢である、当時の文壇に於て、柴四朗（東海散士）徳富《とくとみ》猪一郎《いいちろう》（蘇峰《そほう》）志賀重昂（矧川）は、三大文章家として並称されていた」といわれている通りであり、この時代に「文章家」といわれている時代的な意味が現われている。

追記するとすれば、小島烏水が「解説、四」に書いているように、「風景論中に於いて、最も今日に適しないものがあるとすれば、それは登山案内（山名の下に、小活字で、案内を記したもの）であろう」として、「しかも本書に、原文の儘を取り入れた所以は、本書出現の年代に於ける登山の状態を知るに足るという歴史的な興味以外に、案内記の行文、壮麗健勁、その山の風姿を躍動して余りあるものがある。………前に引用した立山の『真正なる自然の大は、実は立山絶頂より、四望する所に在り』の一句などは当時の若い登山者（至って少数ではあったが）を興奮させるものであった、故に一切を洩らさず、之を採用した」のような回想は、この日本風景論のもつ若い登山家に与えた懐しい感動を伝えてやまない。

『日本風景論』が日本人の景観美の意識の変革に対してもった革命的な意味については、すでに、しばしば、述べた。この意識変革は志賀重昂についていえば、志賀重昂の札幌農学校生活（明治十三年入学、明治十七年、第五期生として卒業）のなかで形成されたものにちがいないばかりでなく、志賀重昂を志賀重昂たらしめた総べてがここで形成されたといっていい(『私の学生時代』、明治三十九年三月、雑誌『中学世界』)。と同時に、文学史のうえからいえば、時代は徳富蘇峰がいわゆる「冷笑の時期」と呼んだ暗い封建的反動の時代を経て、北村透谷のような殉教者を得、島崎藤村がようやく彼方に黎明《れいめい》を予感することができ、『若菜集《わかな》』(明治三十年)として新しき抒情詩をはじめて歌いあげることのできた時期にあたっている。また、美術史のうえからいえば、同様にこれまでの封建的反動の時代に美術界の主流をなした歴史画の主題を離れた黒田清輝《せいき》、久米桂一郎のラファエル・コラン(一八五〇―一九一六年)系の外光派の移植によって風景画が登場するにいたっている(黒田清輝らによって外光派の天真道場が明治二十七年に創立されている)。ここで美術家は、はじめてアトリエから外に出て外光の下に立ち、そこに太陽の光線の下に現出する色彩世界を見ることになった。そして、このことはなにも美術家に限らず、文学における風景描与にあたることであり(国木田独歩の『武蔵野』その他)、明治市民ははじめて新鮮な驚異とともに、盆景式、あるいは箱庭式以外の、今まで無関心でいた新しい景観美を発見したといっていい。

これらの文学、美術の新しい出現は現象的には日清戦争以後であるが、すでに日清戦争下にひろく愛読された『日本風景論』は明治市民の景観意識を変革したばかりでなく、以上のような文学、美術の変革を発見的に告知した書物として記念碑的意義を持っている。このことは従来の信仰者の苦行の対象にすぎなかった日本の山岳を、明治市民の近代の冒険と研究の対象とした意義とも共存することはいうまでもない。

二

ここで簡単に志賀重昂の生涯を顧みると、冒頭で書いたように、志賀重昂は文久三年、岡崎藩士、志賀重職の長男として生れている。父、重職（通称は熊太、号は悾堂《こうどう》）は昌平黌《しょうへいこう》に学んだ学者で、藩の子弟のうち、その薫育を受ける者も多く、なかに小柳津《おやいず》要人《かなめ》（丸善三代目社長）、玉置政治《まさはる》（前岡崎町長）などがいたが、幕末に脱藩して榎本武揚の北海道、五稜郭《ごりょうかく》に奔《はし》ったために京都の藩邸に蟄居《ちっきょ》を命ぜられている（岡崎藩士の五稜郭参加の脱藩については玉置政治の覚書、南蝦夷《えぞ》戦記がある）。重職は明治元年、重昂、六歳のときに病死したため家禄は没収され、明治七年、上京、芝攻玉《こうぎょく》塾に入って英学をはじめ、明治十一年九月、東京大学予備門の入学試験に合格したが、明治十三年札幌農学校に入学している。札幌農学校入学の理由は明らかでないが、岡崎藩士の五稜郭参加などもあり、その当時、札幌農学校の声名は高く、また僅少な学資でよかったこともあったと想像される。それはともかく、札幌農学校の多くの教授は外人であり、その結果、志賀重昂の語学が後年の世界旅行者として大いに役立ったことは重要な事実といっていい。明治十七年、札幌農学校を卒業した農学士、志賀重昂は長野県立長野中学校教諭となったが翌年、退職し、上京して先考の門人であった小柳津要人を頼って丸善書店に勤めた。このとき(明治十八年四月十五日)、イギリスが朝鮮全羅南道《ぜんらなんどう》の巨文島《きょぶんとう》を占領する事件が起り、志賀重昂は軍艦筑波に便乗して対馬《つしま》に赴き、つづいて明治十九年、軍艦筑波の南洋巡航に便乗し、内南洋のカロリン諸島の東端にあるクサイ島にはじまって、オーストラリア、ニュージーランド、フィジー、サモア、ハワイ諸島を十箇月の予定で巡航することになった。明治二十年前後の太平洋は、太平洋分割戦にもっとも遅れていたドイツ、アメリカが残された島々を占拠しようとしていたときであり、これら島々の王国は次々と大砲とキリスト教によって固有の文化が破壊されてゆく時期であり、またすでにオーストラリアのようなところでは、イギリス本国から離脱して白濠《はくごう》主義が生れている時期にあたっている。志賀重昂はこれらの太平洋の現実を単に地理学者としてのみでなく、広い視野から観察し、また自らそのなかに入って経験している。これらが志賀重昂の文章によって記述され、「日本のおかれている世界のなかの位置」について書かれたのが『南洋時事』であり、この書が当時にあって日本人の眼を海外に開かせた報道として愛読されたことは現在からでも充分、想像できる。

『南洋時事』の公刊の翌年、明治二十一年、志賀重昂は同志とともに政教社を創立、雑誌『日本人』を発行している。哲学館関係の三宅雪嶺、井上円了《えんりょう》、棚橋一郎、東京英語関係の杉浦重剛《じゅうこう》などが同人であった。明治前期思想史のなかに占める政教社と雑誌『日本人』の位置はしばしば語られているが、かんたんにいえば、修約改正を目的として時の外務卿、井上馨が行った欧化主義に対する反省として、また『南洋時事』に述べている独立日本を保持するための国粋保存の主張といってもいいであろう。

いわゆる日清戦争のただなかに『日本風景論』が刊行されたことは、すでに述べている。戦後の松方、大隈内閣の成立とともに（明治三十年）志賀重昂は農商務省山林局長、大隈、坂垣内閣のとき外務省勅任参事官となったが、内閣瓦解《がかい》とともに野《や》に下っている。明治三十五年、桂内閣によって第十七回総選挙が行われたとき衆議院議員となり、三十七年の総選挙のとき落選、この落選以後、志賀重昂は政党政治から離れている（政教社との関係も明治三十年ころから薄くなっていた）。それ以後、志賀重昂は自らが語っているように、一介の学者、旅行者として自己の使命のために生涯をささげることになっている。日露戦争の従軍にしても一介のジャーナリストとして日々の見聞を書いている。ここでも灰色の戦野を、あの肥満した体軀《たいく》に、いつでも人を微笑せしめ元気づける機智と元気と、いつでも人の真情に端的に触れ直ちに答うるところある用意と愛情とに溢れて、驢馬《ろば》に跨《また》がって行く姿が浮んでくる。

『大役小志』の終りに「一介の老書生」と記しているが、それ以後、明治四十三年の第一回世界周遊をはじめとして、以後、三回、世界周遊をしている。帰国すれば紀行を書き、依頼されるままに各地に赴いて講演し、飽くことなく啓蒙の仕事に従うことを自己の使命としていた。ぼくはかつて次のように書いた。「国を愛するが故に故国にとどまった者は多いが、国を愛するが故に遠くに赴いたものは少ない。志賀重昴はかかる意味の一介の旅行者としての限りない栄誉を担っている」。

（神奈川県立近代美術館館長）

本書は、一九七六年に刊行された講談社学術文庫『日本風景論』（上下）を一巻にまとめたものです。

また文中に、今日不適切とされる表現がありますが、歴史的な資料であること、著者が故人であることを鑑みそのままとしました。

志賀重昂（しが　しげたか）

1863年三河（愛知県）岡崎藩士の家に生まれた。札幌農学校を卒業。1888年三宅雪嶺・杉浦重剛らと政教社を興し，雑誌『日本人』を発刊した。1927年没。本書のほか『知られざる国々』『南洋時事』『地理学講義』などの著書がある。

講談社学術文庫

定価はカバーに表示してあります。

新装版日本風景論《にほんふうけいろん》

志賀《しが》重昂《しげたか》

2014年2月10日　第1刷発行

発行者　鈴木　哲
発行所　株式会社講談社
東京都文京区音羽2-12-21 〒112-8001
電話　編集部（03）5395-3512
販売部（03）5395-5817
業務部（03）5395-3615
装　幀　蟹江征治
印　刷　株式会社廣済堂
製　本　株式会社国宝社

Printed in Japan

ISBN978-4-06-292222-7

「講談社学術文庫」の刊行に当たって

これは、学術をポケットに入れることをモットーとして生まれた文庫である。学術は少年の心を養い、成年の心を満たす。その学術がポケットにはいる形で、万人のものになることは、生涯教育をうたう現代の理想である。

こうした考え方は、学術を巨大な城のように見る世間の常識に反するかもしれない。また、一部の人たちからは、学術の権威をおとすものと非難されるかもしれない。しかし、それはいずれも学術の新しい在り方を解しないものといわざるをえない。

学術は、まず魔術への挑戦から始まった。やがて、いわゆる常識をつぎつぎに改めていった。学術の権威は、幾百年、幾千年にわたる、苦しい戦いの成果である。こうしてきずきあげられた城が、一見して近づきがたいものにうつるのは、そのためである。しかし、学術の権威を、その形の上だけで判断してはならない。その生成のあとをかえりみれば、その根は常に人々の生活の中にあった。学術が大きな力たりうるのはそのためであって、生活をはなれた学術は、どこにもない。

開かれた社会といわれる現代にとって、これはまったく自明である。生活と学術との間に、もし距離があるとすれば、何をおいてもこれを埋めねばならない。もしこの距離が形の上の迷信からきているとすれば、その迷信をうち破らねばならぬ。

学術文庫は、内外の迷信を打破し、学術のために新しい天地をひらく意図をもって生まれた。文庫という小さい形と、学術という壮大な城とが、完全に両立するためには、なおいくらかの時を必要とするであろう。しかし、学術をポケットにした社会が、人間の生活にとってより豊かな社会であることは、たしかである。そうした社会の実現のために、文庫の世界に新しいジャンルを加えることができれば幸いである。

一九七六年六月　　　　野間省一

日本人論・日本文化論

日本文化私観

B・タウト著／森 儁郎《としお》訳（解説・佐渡谷重信）

世界的建築家タウトが、鋭敏な芸術家的直観と秀徹した哲学的瞑想とにより、神道や絵画、彫刻や建築など日本の芸術と文化を考察し、真の日本文化の将来を説く。名著『ニッポン』に続くタウトの日本文化論。

1048

葉隠《はがくれ》 武士と「奉公」

小池喜明著

泰平の世における武士の存在を問い直した書。「葉隠」は武士の心得について、元佐賀鍋島藩士山本常朝の語りをまとめたもの。儒教思想を否定し、武士の奉公は主君への忠誠と献身の態度で尽くすことと主張した。

1386

ビゴーが見た日本人 諷刺画に描かれた明治

清水 勲著

在留フランス人画家が描く百年前の日本の姿。文明開化の嵐の中で、急激に変わりゆく社会を戸惑いつつもたくましく生きた明治の人々。愛着と諷刺をこめてビゴーが描いた百点の作品から〈日本人〉の本質を読む。

1499

果てしなく美しい日本

ドナルド・キーン著／足立 康訳

若き日の著者が瑞々しい感覚で描く日本の姿。緑あふれ、伝統の息づく日本に思いを寄せて描き出した昭和三十年代の日本。時代が大きく変化しても依然として変わらない日本文化の本質を見つめ、見事に剔り出す。

1562

菊と刀 日本文化の型

R・ベネディクト著／長谷川松治訳

菊の優美と刀の殺伐——。日本人の精神生活と文化を通し、その行動の根底にある独特な思考と気質を抉剔する、不朽の日本論。「恥の文化」を鋭く分析し、日本人とは何者なのかを鮮やかに描き出した古典的名著。

1708

ビゴーが見た明治ニッポン

清水 勲著

西欧文化の流入により急激に変化する社会、時代の波にもまれる人びとの生活を、フランス人画家ビゴーは愛情と諷刺を込めて赤裸々に描いた。百点の作品を通して、近代化する日本の活況を明らかにする。

1794